基礎からわかる

供託

第2版

磯部慎吾 著

一般社団法人金融財政事情研究会

第2版はしがき

本書旧版を執筆する機会を得たのは、私が法務省民事局商事課で民事局付として勤務していたときのことでした。

この頃、同じフロアにある法務省民事局参事官室では、債権法改正に向けた膨大な作業が日々精力的に進められており、供託実務に直接影響する第494条の改正や第466条の2の新設などについても詰めの作業が行われていました。ただ、こうした転換期を目の当たりにしつつも、法案が成立して周知され実際に施行されるのは、まだまだ先のことと感じていました。

しかし、早いもので、旧版が出版されてから5年以上の歳月が流れました。

改正債権法は、今年4月1日に満を持して施行されました。また、差押禁止債権の見直しを含む改正民事執行法も、同じく4月1日に施行されました。さらにこの間、供託規則についても、数次の改正がされています。

そこで、誠に遅ればせながら、本書の内容をこうした法令改正に即したものにアップデートすべく、改訂版を執筆することになりました。

改訂版においても、誰でも否応なく直面する可能性があり、かつ実務において利用件数の大半を占めている「家賃の弁済供託」と「第三債務者がする執行供託」を中心に事例を組み立てたうえ、その供託手続の基礎部分について、できるかぎりシンプルな説明を試みています。旧版と同様、これから供託制度を利用する方々の参考になれば幸甚です。

最後に、本書の刊行にあたり、株式会社きんざい出版部の西田侑加氏には、いわゆるコロナ禍のなかで多大なご苦労をおかけしました。この場をお借りして厚く御礼申し上げます。

令和2年11月

磯部　慎吾

はしがき

「供託することができる」または「供託しなければならない」とする供託根拠規定は、実に約660カ条にも上っていて、供託制度は、実際に社会の至るところで利用されています。しかしながら、いわゆる「入門書」が少なく、私自身も、供託制度の概要を理解するのに苦労を強いられました。

こうした状況は何とかならないものかと思案していたところ、軌を一にして、一般社団法人金融財政事情研究会で「供託に関する一般向けの書籍」を企画されていたという僥倖に恵まれ、このたび本書が刊行されるに至りました。

本書では、供託制度のうち、誰でも否応なく直面する可能性があり、かつ、実務においても利用件数の大半を占めている「家賃の弁済供託」と「第三債務者がする執行供託」を中心にして、事例形式で、できるかぎりシンプルな説明を試みました。本書がこれから供託制度を利用とする方々の参考になれば幸甚です。

最後に、本書の刊行にあたっては、野口宣大商事課長をはじめとする法務省民事局商事課のみなさまや、森野誠供託第一課長をはじめとする東京法務局民事行政部供託第一課、第二課のみなさまから、多大な助言をいただきました。また、上記金融財政事情研究会の田島正一郎氏には多大なご苦労をおかけしました。この場を借りて、厚く御礼申し上げます。

平成27年3月

磯部　慎吾

■法令の凡例

規	供託規則
民	民法
附則	平成29年6月2日法律第44号の附則 （令和2年4月1日に施行されたいわゆる改正債権法の附則）
借	借地借家法
民訴	民事訴訟法
執	民事執行法
執令	民事執行法施行令
執規	民事執行規則
保	民事保全法
保規	民事保全規則
滞調	滞納処分と強制執行等との手続の調整に関する法律
滞調令	滞納処分と強制執行等との手続の調整に関する政令
国徴	国税徴収法

■【参考例】は、法務省のホームページより

http://www.moj.go.jp/MINJI/minji06_00015.html

■本文中＊1の表記は、巻末に「先例・判例等一覧」として掲載。

目　次

第１章　供託手続の基本的な流れ

第２章　供託手続のバリエーション

第3章　受領拒否を原因とする家賃債務の弁済供託

第4章　債権者死亡にまつわる家賃債務の弁済供託

第5章　債権譲渡にまつわる買掛金債務の弁済供託

第6章　不法行為に基づく損害賠償債務の弁済供託

第9章　第三債務者がする執行供託②（給与債権の差押え等）

第 1 章

供託手続の基本的な流れ

1－1　解決策の１つとしての「供託」

事 例 1

池田さんは、熊本市内で自転車販売業を営んでいます。「お客さんに部品を選んでもらい、お客さん好みに自転車を組み上げて売る」というスタイルの人気店です。

他方、福留さんは、鹿児島市内に開いた工房で塗装業を営む職人さんです。最近になって、「自転車のフレーム（本体部分）にヒョウやシマウマなど毛皮の模様を１つずつエアブラシでリアルに描いて売る」という仕事を手がけるようになりました。

池田さんは、偶然見かけた福留さんの自転車フレームを大変気に入り、手始めとして福留さんに５台注文しました。代金は１台５万円で、合計25万円でした。

この自転車フレームは池田さんのお客さんにも好評で、あっという間に完売となりました。

そこで、池田さんは、福留さんの工房に在庫として残っていた18台を追加注文しました。代金合計90万円については、「８月から３回に分けて各月25日に、30万円ずつ現金で、福留さんの工房で支払う」という約束になりました。万が一支払が遅れた場合には、年利２割の計算で遅延損害金を支払うという約束もしました。

池田さんは、約束どおり、８月25日に福留さんの工房を訪れて、最初の30万円を現金で支払いました。

そして、１カ月後の９月25日にも、福留さんの工房に現金30万円を持参しました。しかし、福留さんからは、代金の受領を拒否されてしまいました。

実は、福留さんにとって「１台５万円」というのは、新しく始めた仕事を売り込むために、利益を無視して付けた値段でした。ところが、福留さんの自転車フレームを取り上げた雑誌が、池田さんから追加注文を受けて間もない８月５日に発売されたのをきっかけに、福留さんの店に問合せが相次ぎました。すると、自転車フレームの値段を、福留さんが適正価格と考える「1台8万円」まで引き上げても、次々に買い手が現れました。

こうした事情があったため、福留さんは、店を訪れた池田さんに対しても、「代金を1台8万円で計算し直してほしい」と持ちかけてみたのです。しかし、池田さんから簡単に断られてしまったので、つい「ほかのお客さんの手前、この金額では代金として受け取れない」などと突っぱねて、池田さんを追い返してしまいました。

このように困った状況に置かれた池田さんが取り得る手段としては、どのようなものがあるでしょうか。

1−1−1　「契約したじゃないか」と突っぱねてもうまくいかないかもしれない

池田さんにしてみれば、「いったん契約を交わした以上、仕入単価は契約どおり1台5万円とする」というのは、譲れない一線でしょう。また、「仕入れに1台8万円もかけたのでは、採算が取れない」というのが、池田さん側の事情でもありました。

そうは言っても、このまま「契約は契約」として一歩も引かずに福留さんと対立してしまうと、人気商品である福留さんの自転車フレームを、今後1台も入荷できなくなるかもしれません。

今後のことまで考えれば、福留さんに対して、たとえば「今後継続的に一定数の仕入れをする」などと提案し、それと引き換えに、「今後は1台7万円までなら値上げに応じる。ただ、今回の代金は1台5万円ということで納得してもらう」などといった交渉をすることも十分考えられます。

しかし、売れっ子になった福留さんが、こうした交渉に応じてくれる保証はありません。

1－1－2　放置すると商品をすべて失うかもしれない

他方、池田さんは、また何か契約と違うことを言い出しかねない福留さんとこれ以上取引を続けるのは難しいと直感していて、「今回の商品は確保する。でも、福留さんとの取引は今回限りで終わりにする」という判断も選択肢の１つとなっています。

ただ、この場合でも、池田さんは、福留さんに対する３回目の支払を、約束どおり１カ月後の10月25日にする義務があります。そのため、福留さんが２回目の代金を受け取らなかったからといって、このまま何もせずにいると、福留さんから「３回目の代金支払を踏み倒された」などと言われて遅延損害金を請求されるかもしれませんし、「代金支払が全部されていないことを理由に契約を解除する」などと言われるかもしれません。

リスクを承知で３回目の支払をしないという選択肢もあり得なくはないのでしょうが、万が一契約を解除されてしまうと、１台５万円という安値で手に入れた自転車フレームを、福留さんに返還しなければならなくなってしまいます。これは、やはり痛手です。

1－1－3　弁済供託という方法を選択した

このように、池田さんが取るべき解決策は、池田さんが取る戦略によって、いろいろなものがあり得ます。代金を支払うという**金銭債務**を負っている池田さんにとって、こうしたいろいろな解決策の１つとして挙げられるのが、「代金を**供託**する」というものです。

今回の事例で、池田さんが鹿児島地方法務局に代金30万円を供託すると、法律的には、池田さんが福留さんに対して代金を支払ったのと全く同じ扱いになります。代金のような金銭債務の支払は、**弁済**の代表例ですが、こうした弁済と同じ法的な効果が得られる供託のことを**弁済供託**と言います。

「供託」という手段を取ったことを、福留さんにどのように受け取られるのかまでは予想できませんので、今回の事例で池田さんが取り得る中で「供託」がいちばん良い手段であるとは限りません。しかし、十分検討に値する方法ではあるでしょう。

今回、池田さんは、いろいろ考えたうえで、福留さんの工房を出た足で、弁済供託をしに行くことにしました。今回池田さんが行った手続は、弁済供託の手続のうち最も基本的な手続でした。そこで、この手続について、これから順に説明していくことにします。

1－2　供託手続の具体的な流れ

1－2－1　供託するまでの3ステップ

供託手続は、供託しようとする池田さん側から見ると、大まかに言って、

① 供託書の作成

② 供託の申請

③ 供託金の納付

という3ステップを踏むことになります。

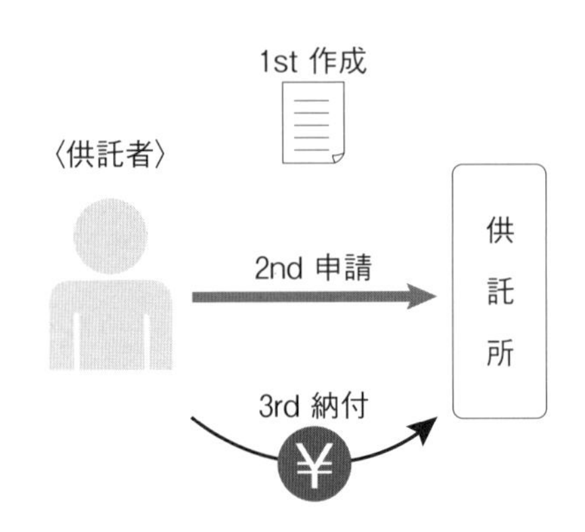

1－2－2　1stステップ　供託書の作成

1－2－2－1　決められた書式に記入して作成する（押印は不要）

池田さんは、最初に**供託書**という、供託を申請するための書類を作成しました。

供託書は、どのような内容の供託を行うのかに応じて、その書式が法令（**供託規則**）で定められています。書式が印刷された用紙は、お近くの法務局で無料で入手できます。

今回は売買代金の弁済供託でしたので、池田さんは、法務局で教えても

らって、「第四号様式」という書式を手に入れました。

池田さんは、この書式に必要事項を記入して欄を埋めていき、次々頁の【参考例①】にあるとおりに供託書を作成しました。

ちなみに、記入は、黒色や青色のペンなどでする必要があります。鉛筆やこすると消えるペンなどで記入してはいけません。また、後の手続の中で、供託書をスキャナにかけてその内容を機械で読み取るという作業が行われますので、供託書には、はっきりした字を丁寧に書く必要があります。もちろん、パソコンなどを使って、書式にぴったり合うようにプリントアウトしても構いません。また、スキャナで読み取れなくなってしまいますので、決して供託書を折り曲げないよう注意してください。

なお、公的な書類につきものの印鑑ですが、供託書については押印する必要がありません（規６Ⅳ但書、８Ⅰ、13Ⅱ参照）。

１－２－２－２　供託書に記入する主なことがら

池田さんが供託書の各欄に記入した事項ですが、具体的には、次々頁の【参考例①】にあるとおり、

・申請年月日（規13Ⅱ⑫）
・申請する供託所（規13Ⅱ⑪）
・供託者の住所と氏名（規13Ⅱ①）
・被供託者の住所と氏名（規13Ⅱ⑥）
・供託金額（規13Ⅱ③）
・供託の原因たる事実（規13Ⅱ④）
・供託を義務付け又は許容した法令の条項（規13Ⅱ⑤）

などです。

１－２－２－３　各欄に記入する内容（重要語句）の説明

１－２－２－２の箇条書きの中身を説明します。

まず、１つ目の「申請年月日」として記入するのは、供託書を完成させた

年月日ではなく、実際に窓口で供託を申請する年月日です。事例1は、2回目の支払を福留さんに拒絶された当日に弁済供託をしたという話ですので、9月25日となっています。

2番目に出てくる「**供託所**」とは、供託を扱っている役所のことです。具体的には、**法務局**（東京・大阪・名古屋・広島・福岡・仙台・札幌・高松の8カ所）と**地方法務局**（前出の8都市以外の県庁所在地と、函館・旭川・釧路の合計42カ所）の**本局**か、**支局**（全国261カ所）のいずれかになります。なお、出張所では取り扱われていません（いずれも令和2年4月1日現在）。どの供託所に供託しなければならないのかについては、事案によって異なりますので、次章から事例ごとに説明していきます。今回の事例1ですと、支払場所である福留さんの工房が鹿児島市内にあることから、鹿児島地方法務局となりました。

3番目に出てくる「**供託者**」というのは、供託しようとする人のことで、今回の事例ですと池田さんです。

4番目に出てくる「**被供託者**」というのは、供託をされる人のことです。弁済供託の場合であれば、本来弁済を受けることができる人が被供託者となります。今回の事例ですと福留さんです。なお、「被供託者」の「被」というのは、被写体の「被」と同じで、「～をされた」「～を受けた」という意味合いです。

5番目の「供託金額」は、「弁済供託をする時点で、被供託者に本来支払わなければならない金額」と同じになります。今回の事例ですと、**弁済期**（2回目の支払日である9月25日）が**到来**していて、かつ、実際に今回福留さんに**受領拒否**された30万円となります。なお、10月25日支払予定の3回目の30万円については、まだこの時点では弁済供託をすることができません。

6番目に出てくる「**供託の原因たる事実**」というのは、今回どうして供託することになったのかという理由となる事実関係です。実際にあった出来事を端的に書きます。今回ですと、池田さんと福留さんが自転車のフレームの売買契約を結んだことや、福留さんが代金30万円の受取りを拒んだといった

【参考例①】 供託書

供託書・OCR用
（雑）

2 字加入 5 字削除　｜係員印｜受付｜調査｜記録｜ ／ 頁　（第4号様式）（印供第34号）

申請年月日	令和2年9月25日	供託カード番号 ( ) カードご利用の方は記入してください。
供託所の表示	鹿児島地方法務局	

供託者の住所氏名

住所
熊本市中央区大江○○○○

氏名・法人名等
池田◇◇

代表者等又は代理人住所氏名

□別添のとおり
ふたりめからは別紙継続用紙に記載してください。

被供託者の住所氏名

住所
鹿児島市鴨池○○○○

氏名・法人名等
福留◇◇

□別添のとおり
ふたりめからは別紙継続用紙に記載してください。

◯供託通知書の発送を請求する。

供託金額	百	十	億	千	百	十	万	千	百	十	円
					¥	3	0	0	0	0	0

年　月　日　㊞
□供託カード発行

↓ 濁点、半濁点は1マスを使用してください。

供託者カナ氏名：イケタ゛◇◇

法令条項	民法第494条第1項第1号

供託の原因たる事実

供託者は，被供託者と，令和2年7月25日，自転車用フレーム18台を代金合計90万円で購入し，その代金を同年8月25日，同年9月25日，同年10月25日の3回に分けて各30万円ずつ被供託者住所で支払う旨の売買契約を締結したところ，この弁済のため，~~同月25日~~本日，被供託者住所において，2回目の支払代金30万円を被供託者に対し現実に提供したが，受領を拒否されたので，供託する。

□供託により消滅すべき質権又は抵当権

□反対給付の内容

備考

（注）1．供託金額の冒頭に¥記号を記入してください。なお，供託金額の訂正はできません。
2．本供託書は折り曲げないでください。

020000

事実関係を記入することになります。

7番目についてですが、実は困ったときに必ず供託所に供託できるわけではありません。「こういう場合には、供託しなければなりませんよ」とか「こういう条件を満たせば、供託することができますよ」などと法令で定められた状況に当てはまるときに限って供託することができます。こうしたことを定めたものが「供託を義務付け又は許容した法令の条項」です。これからは「**供託根拠法令**」と呼びます。今回の事例の供託根拠法令は、民法第494条第1項第1号という条文でした。なお、どういう場合にどの供託根拠法令に基づいてどのような内容の供託をすることができるのかについては、第3章以降で事例に沿って説明していきます。

1－2－2－4　記入した文字の訂正方法（供託金額は訂正不可）

最後に、供託書に記入した文字を訂正する際には、【参考例①】のように、訂正したい文字に二線を引いて削除し、その近くに正しい文字を記入します。削除する際には、元の字が読める状態にしておかなければならず、黒く塗り潰すなどしてはいけません。そして、加入・削除した字数をそれぞれ記入します（規6Ⅳ本文）。訂正印は必要ありません（規6Ⅳ但書）。

なお、供託金額が訂正された供託書は、供託所で受け付けてもらえません（規6Ⅵ）。ですから、供託金額を書き損じた場合には、残念ですが最初から書き直さなければなりません。

1－2－3　2ndステップ　供託の申請と供託官による審査

池田さんは、供託書を作成し終えると、鹿児島地方法務局の中にある供託の窓口で、作成した供託書を提出して弁済供託の**申請**をしました。なお、供託の申請方法には、こうした窓口で行う方法以外の方法もありますが、それらは第2章でまとめて説明します。

池田さんの供託申請を**受理**すべきかどうかを判断するのは、**供託官**です。供託官は、法務局・地方法務局の供託課長など、法律に精通し実務経験も豊富な、役所のベテラン職員がその任に当たっています。

供託官は、提出された供託書の記載に基づいて、その供託申請を受理するかどうかを**審査**します。申請された供託が法律に照らして問題がなければ供託申請を受理しますし、法律に照らして問題があれば供託申請を**却下**します。

今回の池田さんが作成して提出した供託書には特に問題がありませんでしたので、池田さんの弁済供託の申請は、無事にその場で受理されました。

なお、先ほど「供託書をスキャナで読み取るので、丁寧な字で記入する必要がある」という説明をしました。この作業は、供託を扱うコンピュータ・システムに、供託書に記載した内容を読み込ませるために、供託書が提出されてから受理されるまでの間に、供託所の職員によって行われます。

1－2－4　3rdステップ　供託金の提出

申請した供託が受理されたので、池田さんは、持参した現金30万円を窓口で**供託金**として提出しました。供託金の納め方についても、いくつかのパターンがありますので、そちらも第2章で説明します。

なお、供託申請自体には、手数料はかかりません。

こうした手続を経て弁済供託が成立し、池田さんが福留さんに代金30万円を支払ったのと同じ法律効果が発生しました（民494Ⅰ柱後段、473）。

1－2－5　その他

1－2－5－1　供託書正本の交付

池田さんは、供託金を納付した直後、窓口で、供託官から、次頁にある【資料①】の**供託書正本**を受け取りました。

「供託書正本」は、供託官が作成する書類で、池田さんが申請した弁済供託を受理したことや、池田さんが納付した供託金をたしかに受領したこと、受理時に発番される**供託番号**などが記載されています。右上の「法令条項」欄の右側に記載された「令和2年度金第1220号」が供託番号です。この供託

【資料①】 供託書正本

供 託 書

（雑）

99994261000105

申請年月日	令和２ 年 ９ 月 25 日
供託所の表示	鹿児島地方法務局
供託者の住所氏名	熊本市中央区大江○○○○ 池 田 ◇ ◇
被供託者の住所氏名	鹿児島市鴨池○○○○ 福 留 ◇ ◇

供託金額	百	十	億	千	百	十	万	千	百	十	円
					¥	3	0	0	0	0	0

上記供託を受理する。
供託金の受領を証する。

令和 2 年 9 月 25 日
鹿児島地方法務局
供託官 ○○○○

（供託官印）

２字加入 ５字削除

頁 ／

法令条項	民法第494条第１項第１号	令和２年度金第 1220号
供託の原因たる事実	供託者は，被供託者と，令和２年７月25日，自転車用フレーム18台を代金合計90万円で購入し，その代金を同年８月25日，同年９月25日，同年10月25日の３回に分けて各30万円ずつ被供託者住所で支払う旨の売買契約を締結したところ，この弁済のため，~~同月25日~~本日，被供託者住所において，２回目の支払代金30万円を被供託者に対し現実に提供したが，受領を拒否されたので，供託する。	
1．供託により消滅すべき質権又は抵当権 2．反対給付の内容		
備考		

番号は、各供託ごとに付けられる固有の番号で、後日、どの供託なのかを特定するために重要な意味を持ちます。なお、この供託書正本が作成される際にも、供託書をスキャナで読み取った内容が利用されています。

池田さんは、供託官から、「この供託書正本は、後日、池田さんがこの供託をしたことを証明するために使うことができる重要な書類です」という説明を受け、お店で大切に保管しています。

1－2－5－2　供託した旨の通知

供託者は、弁済供託をしたことを、債権者である被供託者に**通知**しなければなりません（民495Ⅲ）。これは、通知しないと、被供託者（事例1でいうと福留さん）は、供託者（池田さん）によって供託金（代金30万円）が供託所（鹿児島地方法務局）に弁済供託された事実を知らないままになってしまい、供託金を受け取りようがなくなってしまうからです。

通知の方法ですが、自分で通知書を作成して被供託者宛てに郵送することもできますし、供託官に通知するように請求することもできます。

供託官に請求する手続ですが、供託者が供託官に対して通知に必要な「郵便切手」を、提出する必要があります。これは、通知の費用は、供託者が自己負担すべきものだからです。そして、【参考例①】のように、供託書の「被供託者の住所氏名」欄内にある「**供託通知書**の発送を請求する」との記載の前に「○」を付ければ、供託官に通知を請求したことになりますので、後は供託官が被供託者に通知をしてくれます（規16）。

池田さんも、この制度を利用して福留さんへの通知をしました。

1－3　払渡手続の具体的な流れ

1－3－1　通知が届き、供託金30万円を受け取ることにした

池田さんが供託官に依頼して福留さん宛てに送ってもらった供託通知書は、次頁の【資料②】のような書類でした。ここでもスキャナで読み取られた供託書の内容が反映されていることが分かりますね。

この通知が福留さんの工房に届き、福留さんは、自分が受取りを拒否した代金30万円について、池田さんが弁済供託をしたのだということを初めて知りました。

福留さんは、供託された30万円を受け取ってもいいですし、受け取らなくても構いません。「供託所から30万円を受け取る権利（**還付請求権**といいます）」を誰かに譲り渡すこともできます（民466Ⅰ本文）。どうするのかは、被供託者である福留さんの自由です。そして、福留さんがどの方法を選んでも、弁済供託を終えてしまった池田さんは、もはや何の影響も受けません。

今回、福留さんは「やっぱり、契約は契約だよな」などと考えを改めて、結局、池田さんが弁済供託をした30万円を、供託所から受け取ることにしました。

なお、福留さんのような「被供託者」が、供託所に対して供託金の**払渡し**を求めることを**還付請求**といいます。

福留さんが取った手続は、還付請求手続の中で最も基本的なものでしたので、その内容を順に説明していくことにします。

1－3－2　供託金を受領するまでも、やはり３ステップ

還付請求手続は、還付を受けようとする福留さんの側から見ると、大まかに言って、

①　供託金払渡請求書の作成

【資料②】　供託通知書

供託書通知書

（雑）

99994261000105

申請年月日	令和 2 年 9 月 25 日
供託所の表示	鹿児島地方法務局
供託者の住所氏名	熊本市中央区大江○○○○ 池　田　◇　◇
被供託者の住所氏名	鹿児島市鴨池○○○○ 福　留　◇　◇
供託金額	¥300000

上記のとおり供託したので通知する。

被　供　託　者　殿

2字加入5字削除

頁 ／

法令条項	民法第494条第1項第1号	令和2年度金第　1220号
供託の原因たる事実	供託者は，被供託者と，令和2年7月25日，自転車用フレーム18台を代金合計90万円で購入し，その代金を同年8月25日，同年9月25日，同年10月25日の3回に分けて各30万円ずつ被供託者住所で支払う旨の売買契約を締結したところ，この弁済のため，~~同月25日~~本日，被供託者住所において，2回目の支払代金30万円を被供託者に対し現実に提供したが，受領を拒否されたので，供託する。	
1．供託により消滅すべき質権又は抵当権 2．反対給付の内容		
備考		

（注）この供託物の還付を受けるには，概ね次の書類の提出が必要です。
1．供託物払渡請求書（用紙は供託所に備えています。）
2．作成後三月以内の印鑑証明書
3．請求者が登記された法人であるときは作成後三月以内の登記事項証明書
4．代理人により請求するときは委任状その他代理権限を証する書面

令和　2　年　9　月　25　日　発送
鹿児島地方法務局

② 還付請求

③ 供託金の受領

という３ステップを踏むことになります。

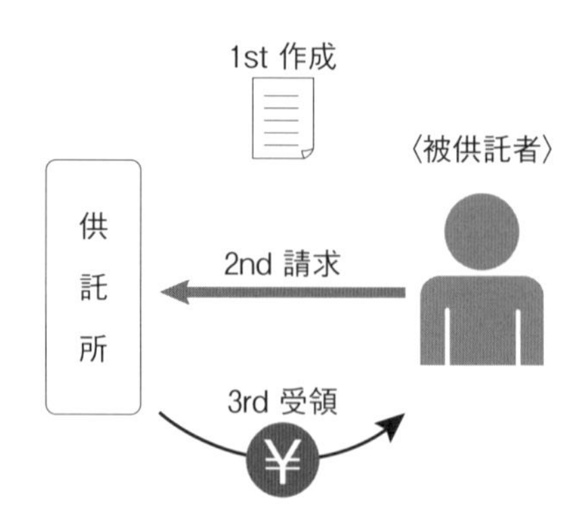

１－３－３　１stステップ　供託金払渡請求書の作成

１－３－３－１　供託金払渡請求書に記入する主なことがら

まず、福留さんは、**供託金払渡請求書**という、供託金の還付請求をするための書類を作成しました。

この還付のための供託金払渡請求書についても、池田さんが作成した供託書と同じように、供託規則でその書式が定められており、やはり、お近くの法務局で無料で手に入れることができます。

福留さんは、入手した書式の欄に必要事項を記入していき、【参考例②】のとおりに供託金払渡請求書を完成させました。

福留さんが供託金払渡請求書の各欄に記入した事項ですが、具体的には、【参考例②】にあるとおり、

・請求年月日（規22Ⅱ⑫）

・請求する供託所（規22Ⅱ⑪）

・請求者の住所と氏名と印（規22Ⅱ⑧、Ⅱ柱）

【参考例②】　供託金払渡請求書

請求年月日	令和２年９月30日	受付番号	第　　　　号	年　月　日
供託所の表示	鹿児島地方法務局	整理番号	第　　　　号	認可　㊞

請求者の住所氏名印	払渡請求事由及び還付取戻の別		
鹿児島市鴨池○○○○ 福　留　◇　◇　㊞ （代理人による請求のときは，代理人の住所氏名をも記載し，代理人が押印すること。）	還付	①. 供託受諾　2．担保権実行　3．	
	取戻	1．供託不受諾　2．供託原因消滅　3．	
	隔地払，国庫金振替，預貯金振込を希望するときはその旨	1．隔地払 銀行　店 受取人 2．国庫金振替	3．預貯金振込 振込先　銀行　店 預貯金の種別　普通・当座・通知・別段 預貯金口座番号 預貯金口座名義人（かな書き）

供託番号	元本金額	利息を付す期間		利息金額
２年度金第1220号	300,000円	年　月　から 年　月　まで	月	円
年度金第　号		年　月　から 年　月　まで	月	
年度金第　号		年　月　から 年　月　まで	月	
年度金第　号		年　月　から 年　月　まで	月	

元本合計額				百	十	万	千	百	十	円
				¥	3	0	0	0	0	0

備考		
元	件	
利		
計		

（注）元本合計額の冒頭に¥記号を記入し，又は押印すること。

上記金額を受領した。
年　月　日
受取人氏名　㊞
（代理人により受け取るときは，本人の氏名及び代理人の氏名印）

・還付又は取戻しの別（規22Ⅱ④）

・払渡請求事由（規22Ⅱ③）

・供託番号（規22Ⅱ①）

・元本金額と元本合計額（規22Ⅱ②）

などを記入しました。

1－3－3－2　各欄に記入する内容（重要語句）の説明

これら箇条書きの内容を１つずつ説明しますと、最初の「請求年月日」は、実際に供託所に還付請求をした日です。

２番目の「請求する供託所」は、還付請求をしようと考えている供託金が、実際に供託されている供託所のことを言います。今回の事例ですと、福留さんの工房に届いた通知書にも記載されているとおり、福留さんにとって最寄りとなる鹿児島地方法務局になります。

３番目の「請求者の住所と氏名と印」についてですが、「請求者」というのは、供託所に払渡しを求める者のことを言います。今回の事例ですと、実際に還付請求する被供託者である福留さんとなります。

４番目の「還付又は取戻しの別」についてですが、供託金の払渡請求は大きく分けると２つあります。１つは、供託書に記載された被供託者など、その供託金を受け取ることがもともと予定されている人が払渡しを受ける「**還付**」です。もう１つは、供託者が自分で供託した供託金の払渡しを受ける「**取戻し**」です。同じ供託金の払渡しを受ける手続でも、還付なのか取戻しなのかでいろいろと取扱いが違ってくるので、その区別をするためにこの記載が求められます。今回の事例ですと、被供託者である福留さんによる払渡しの請求でしたので、「払渡請求事由及び還付取戻の別」欄の「還付」欄を見ていくことになります。

５番目の「**払渡請求事由**」というのは、還付にしろ取戻しにしろ、供託所に払渡しを求めることになった理由があるはずですので、その理由の記載が求められています。今回の事例ですと、池田さんがした供託を認めて供託金を受け取ることにした、つまり池田さんの供託を受諾することにしましたので、福留さんは、【参考例②】にあるとおり、「払渡請求事由及び還付取戻の別」欄の「還付」欄にある「**供託受諾**」に「○」を付けました。

6番目の「供託番号」は、池田さんの弁済供託が受理された際に、供託官が付けた「2年度金第1220号」のような供託の受理番号のことで、供託ごとにそれぞれ固有の番号が付けられています。福留さん宛てに送られた供託通知書にも記載されていましたよね。

最後になりましたが、7番目の「元本金額と元本合計額」です。簡単に言いますと「元本金額」が各供託の供託金額であり、還付請求する額の内訳になります。そして、「元本合計額」が還付請求する額になり、文字どおり元本金額を合計した額となっています。今回の事例ですと、元本金額は30万円であり、供託されたのがこの1件しかありませんでしたので、元本合計額も30万円でした。

1－3－3－3　供託書とは異なり、押印が必要

供託書との最大の違いは、供託書では不要だった押印が、供託金払渡請求書では必要であるということです。

まず、先ほど3番目に挙げた「請求者の住所氏名印」欄に住所氏名を記載したら、あわせて押印する必要があります（規22Ⅱ柱）。

次に、供託金払渡請求書の記入を訂正する際には、該当する文字に二線を引いて削除し、その近くに正しい文字を記入したうえ、加入・削除した字数をそれぞれ記入し、やはり押印します（規6Ⅳ本文）。

なお、次章で詳しく説明しますが、還付請求をするにあたって供託金払渡請求書に**印鑑証明書**を添付しなければならない場合には、この供託金払渡請求書に押す印は、印鑑証明書の印、つまりいわゆる「実印」でなければなりません。印鑑証明書を添付しなくてもよい場合には、いわゆる認め印でも構いませんが、朱肉を使わないスタンプ式のものは絶対に避けてください。

1－3－3－4　還付を受ける権利を有することを証する書面は不要

還付請求をするためには、「自分には、供託金の還付を受ける権利があるのだ」ということを証明できる書面（「**還付を受ける権利を有することを証する書面**」といいます）が必要な場合があります。

しかし、今回は、供託金の還付を請求するのが、「福留さん」という、池田さんが作成した供託書に「被供託者」として記載されたとおりの住所氏名の人物でした。これは、供託手続が想定する中で最も基本的なパターンです。

こういう場合には、「還付を受ける権利を有することを証する書面」を提出してもらう（「**添付**（てんぷ）する」といいます）必要はないことになっています（規24Ⅰ①但書）。

特に弁済供託では、還付を受ける権利を有することを証する書面が不要な場合が少なくないので、このパターンを、本書では「還付請求の基本パターン」と呼ぶことにします。

1－3－4　2ndステップ　還付請求

1－3－4－1　供託金払渡請求書を提出して請求

福留さんは、こうして完成させた供託金払渡請求書を持参して、池田さんの弁済供託を受理した鹿児島地方法務局を訪れました。

そして、供託の窓口で供託金払渡請求書を提出して、池田さんが弁済供託した供託金30万円の還付請求をしました。

1－3－4－2　本人確認

払渡しの場面で注意が必要なのは、供託申請のときにはなかった**本人確認**の手続があるということです。

前節（1-2-4）でもお話ししたように、供託申請の場面では、実際に供託金を提出しなければなりません。そうしますと、供託する必要のない人が、わざわざ他人になりすまして供託手続をしたとしても、損をするばかりです。そのため、実際には、供託者になりすまして何か悪いことをするという事態はあまり生じないと思われます。また、仮になりすましによる供託がされても、それが発覚した場合には、「無効な供託」として、最初から供託が無かったものとして扱われますから、特に問題も生じません。

これに対して、還付請求というのは、「供託金を受け取る」という場面です。そのため、何者かが被供託者になりすまして供託金を取りにくるという事態が、十分に起こり得ます。そして、供託金を、被供託者になりすました人物に一度払い渡してしまったら、それを取り返すのは至難の業です。そのため、供託官としては、「実際に還付請求をしてきた者」が「供託書に記載された被供託者本人」なのかを確かめないことには、供託金を払い渡すことができないのです。

本人確認のための原則的な方法は、還付請求者本人に、供託金払渡請求書と一緒に、供託金払渡請求書に押された印（実印）の印鑑証明書を添付してもらうというものです（規26Ⅰ本文）。

ただ、印鑑証明書を添付するという大げさなことをしなくても、要するに合理的な方法で本人確認ができればいいわけですから、供託規則でいくつかの例外が認められています。

今回の事例では、福留さん「個人」を被供託者として弁済供託がされて、福留さん「本人」が供託所に出向いて還付請求をする場合でしたので、福留さんの運転免許証を供託官に**提示**したうえで、その写しを添付することで足りました（規26Ⅲ②）。なお、「添付」する「写し」は、供託金払渡請求書と一緒に提出する必要があるのに対し、「提示」する運転免許証は、窓口で供託官に示すだけでよく、提出までしなくても大丈夫です。他の場合については、第２章でまとめて説明します。

１－３－５　３rdステップ　供託金の受領

供託官は、福留さんが提出した供託金払渡請求書の内容を審査し、福留さんが提示した運転免許証の内容も確認したうえ、「窓口に来て還付請求している人は、池田さんがした弁済供託の被供託者である福留さん本人である」と判断し、請求どおりに供託金30万円を払い渡すことを決定しました。

供託金の払渡しは、現金ではなく、**小切手**でされます。なぜ、現金でないかというと、供託所としては、誰がいつどの供託についての払渡しを求めてくるのか予想もつかないのに、すべての払渡しに備えて、供託所内で現金を保管し続けるというのは、現実的ではないからです。供託所は、金融機関ではありませんからね。

【資料③】 小切手

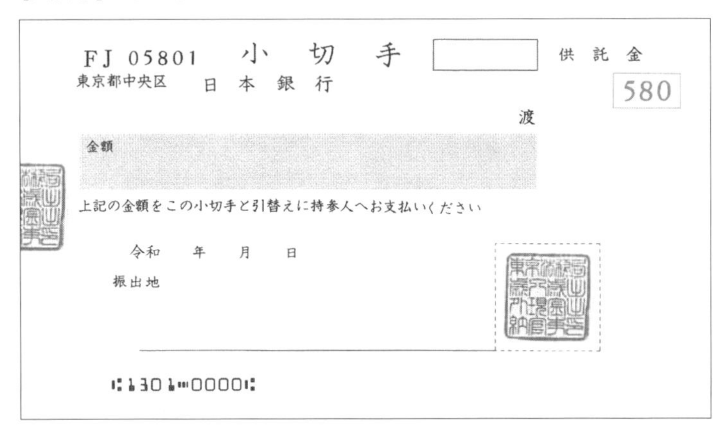

FJ 05801 小 切 手 供 託 金

東京都中央区 日 本 銀 行

580

渡

金額

上記の金額をこの小切手と引替えに持参人へお支払いください

令和 年 月 日

振出地

払渡しの際に供託所から交付される小切手は、【資料③】のような「日本銀行宛ての記名式持参人払の小切手」です。そのため、この小切手を持って、**日本銀行**（その供託所の保管金取扱店となっている本店・支店に限ります）に営業時間内に持ち込みさえすれば、その場ですぐに現金化することができます。また、この小切手を、**市中銀行**（日本銀行以外の民間の銀行のこと）に持ち込んで取立てを委任することもできます。その場合には、現金化に３～４日かかるようです。なお、供託金の受領方法は、こうした小切手払いの方法以外にも数種類ありますので、それらは第２章でまとめて説明します。

このように福留さんが供託金30万円について供託所から小切手を受け取ったことで、池田さんがした弁済供託は、そのすべての役割を終えました。

1－4　まとめ

以上のとおり、金銭債務について弁済供託をする手続としては、

① 供託書の作成

② 供託の申請

③ 供託金の納付

という３ステップで行われます。そして、弁済供託がされたことにより、債務そのものが消滅します（民494Ⅰ柱）。

こうして弁済供託された供託金の還付については、

① 供託金払渡請求書の作成

② 還付請求

③ 供託金の受領

という３ステップで行われます。再確認ですが、①の供託金払渡請求書には押印が必要ですし、②の還付請求の際には本人確認の手続が必要でした。

こうした供託の手続の大枠については、どのような内容の供託でもおおむね共通しています。

各ステップの代表的なバリエーションについては、次章で順次ご説明していきます。

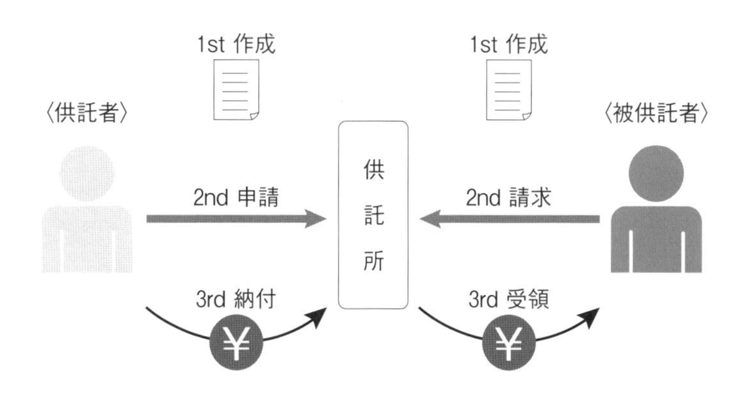

第 2 章

供託手続のバリエーション

2－1　供託申請のバリエーション

2－1－1　バリエーションの全体像と事例2‐1

第1章では、事例1を通じて、①個人である池田さんが、②本人自ら、③供託書という書面を作成して、④供託所の窓口に出向いて供託申請をし、⑤窓口で現金を供託金として納付したという、最も基本的な手続についてお話ししました。

第2章では、こうした①～⑤の各要素のバリエーションをお話ししていきます。このバリエーションの全体像は、

① 供託者が、池田さんのような個人なのか、会社等なのか
② 本人申請なのか、代理申請なのか
③ 書面申請なのか、オンライン申請なのか
④ 書面申請の場合、窓口申請なのか郵送申請なのか
⑤ 供託金をどのように納めるのか

というものです。

こうしたバリエーションは、「事例に応じて」という部分もあります。そこで、事例1の設定を、次のように少し変えた事例2‐1で具体的に見ていくことにします。

事例2－1

・池田さんは、事例1では、自転車販売業を、個人で営んでいた（上記①に関連）。
　→「株式会社イケダ」という熊本市内に本店がある「会社」で営んでいた。
・池田さんは、事例1では、供託申請を、本人自ら行った（上記②に関連）。
　→ たまたま出張予定があった後輩の花房さんに依頼して、「代理申

請」してもらうことにした。
・福留さんは、事例1では、鹿児島市内の工房で仕事をしていた。
→ 同じ鹿児島県ではあるものの、沖縄にほど近い「奄美大島」で仕事をしていた。

2－1－2　供託者が「法人等」の場合には、資格証明書が必要

2－1－2－1　必要な資格証明書は、3カ月以内に作成されたもの

供託者は、事例1のように池田さんのような個人（法律的には**自然人**といいます）の場合もありますし、もちろん、個人以外の場合もあります。

「個人以外の場合」というのは、株式会社などの**法人**である場合等が挙げられます。こうした場合には、その法人等の代表者が、その法人等を代表して手続をする必要があります。

そこで、法人等が供託申請をする場合には、**代表者**の資格を証する書面（**資格証明書**）が必要とされています。注意が必要なのは、資格証明書は、作成後3カ月以内のものでなければならないことです（規9）。

2－1－2－2　株式会社など「登記された法人」の場合の資格証明書は、登記事項証明書

事例2-1では、供託者が「株式会社イケダ」となります。この株式会社という種類の法人は、法律上、**商業登記所**で**登記**しなければならないとされています。株式会社イケダは、本店所在地が熊本市ですので、熊本市を管轄する商業登記所である熊本地方法務局で登記されています。

そして、株式会社のほか、合同会社・合名会社・合資会社や、一般社団法人・一般財団法人・NPO法人など、世の中にあるほとんどのすべての法人が「登記された法人」（規14Ⅰ前段）に該当します。

こうした法人の登記には、例外なくその代表者も登記されています。そこで、登記された法人が供託者となる場合には、供託所に対し、資格証明書と

して、商業登記所が作成した**登記事項証明書**（**現在事項証明書・履歴事項証明書・代表者事項証明書**のいずれか）を提示しなければなりません（規14Ⅰ前段）。どの証明書にも、事例２－１でいうと、「池田さんが株式会社イケダの代表取締役として登記されていること」が明らかにされています。

なお、「添付」ではなく「提示」で足りるとされているのは、供託官は商業登記所にある登記記録の内容をいつでも確認できるので、あえて資格証明書の提出まで求めて供託所で保管しておく必要がないからです。

２－１－２－３　簡易確認手続

事例２－１では、供託書の提出先は、鹿児島地方法務局奄美支局になります。これに対して、株式会社イケダが登記されているのは熊本地方法務局ですので、「供託書を提出する供託所」と「法人が登記されている商業登記所」とが別々でした。

しかし、場合によっては、両者がたまたま同じ法務局ということもあります。この場合には、資格証明書を供託者が費用をかけて準備しなくてもよいという例外的な手続（**簡易確認手続**）を利用できます（規14Ⅰ後段）。

具体的には、まず、供託者が供託所に対して簡易確認手続を利用したいと申し出ます。供託官の判断になりますが「**依頼書**（供託官が登記官に依頼する内容のもの）」が交付されたら、これを同じ法務局内にある登記事項証明書の発行窓口に持参します。そうすると、無料で「**公用**」と記された登記事項証明書が交付されますので、これを供託所に提出することになります。

ただ、東京法務局・大阪法務局・名古屋法務局の本局は、この手続の対象外となっているため、利用することができません（規14Ⅰ後段括弧書）。

２－１－２－４　供託者が「登記された法人以外」の場合

なお、「登記された法人」以外のパターンは、２つあります。

１つ目のパターンは、「『登記された法人』以外の法人」です。こちらのパターンは、国家公務員共済組合や土地区画整理組合などのように、例もかなり限られています。こうした法人には登記が存在しないので、当然のことながら登記事項証明書も存在しません。そこで、「その法人の関係官庁が作成した資格証明書」が必要になります（規14Ⅱ参照）。

もう１つのパターンは、「法人でない社団又は財団」の場合です。ただ、代表者または管理人の定めのあるものに限られます。具体例としては、町内会などを思い浮かべていただければと思います。資格証明書としては、「**定款**（社団の場合）又は**寄附行為**（財団の場合）」と、「代表者又は管理人の資格を証する書面」が必要になります（規14Ⅲ）。

なお、これら２つのパターンでは、「提示」ではなく「添付」まで必要とされます。というのも、登記事項証明書とは違って、供託所が保管しておかないと、後日供託官が確認し直すことが往々にして難しくなるからです。

２－１－２－５　添付した書類を返してもらうことができる

供託書に添付する資格証明書（定款や関係官庁が作成した資格証明書など）については、すべて原本でなければなりません。しかし、場合によっては、「できれば返してもらいたい」とか「原本は、返してもらえないと困る」ということがあろうかと思います。

こうした場合に備えて、供託書に添付する書類については、原本を返してもらう**原本還付手続**が用意されています（規９の２Ⅰ本文）。原本を返してもらうためには、供託書を提出する段階で、原本を返してもらいたい書類の謄本（＝コピー）を添付しなければなりません。そして、この謄本には

これは、原本と相違ありません。　　氏名◇◇◇◇　㊞

と記載する必要があります（規９の２Ⅱ）。

なお、この原本還付手続は、資格証明書だけでなく供託書に添付した書類であれば、すべてに適用されます。また、供託金払渡請求書に添付した書類についても適用されます（2-2-5-4参照）。

2－1－3　代理申請する場合には、代理権限証書が必要

供託申請する際には、事例１の池田さんのように供託者本人が行う場合だけではなく、事例２-１のように代理人に供託申請を依頼する場合もあります。この場合には、代理人の権限を証する書面（**代理権限証書**）が必要です(規14Ⅳ前段)。

事例２-１のような任意代理の場合には、代理権限証書として**委任状**が必要となります。なお、委任状には、作成者である供託者の印鑑証明書を添付する必要はありません。これは、供託書に本人の印鑑証明書が必要ないとされているのと同じ扱いです（１-３-４-２参照)。

また、代理は、任意代理の場合だけでなく、法定代理の場合も含みます。法定代理の場合の代理権限証書ですが、未成年の子を親が代理するときには、「戸籍謄本」などが必要です。また、被成年後見人を成年後見人が代理するときには、「後見に関する登記の登記事項証明書」などが必要です。

いずれの場合も、「添付」ではなく「提示」で足ります（規14Ⅳ前段)。

なお、代理申請の場合、事例２-１の場合ですと、供託書の「供託者の住所氏名」欄には、【参考例③】のとおり、まずは本人について「熊本市中央区大江◯◯　株式会社イケダ」と記載したうえ、同欄の「代表者又は代理人住所氏名」と書いてある下に、「代表取締役　池田◇◇」と記載し、その下に「熊本市中央区京町◯◯　代理人 花房◇◇」と記載することになります。

2－1－4　オンライン申請

2－1－4－1　申請方法には、書面申請とオンライン申請とがある

事例１では、池田さんが、供託するのに必要な情報を書面（供託書）に記載して、これを供託所（鹿児島地方法務局）の窓口に提出するという方法を説明しました。

これに対して、供託するのに必要な記載する情報を、インターネットを使って供託所に送信するのが、「**オンライン申請**」と呼ばれる方法です。

【参考例③】 供託書

供託書・OCR用
（雑）

2 字加入 5 字削除

係員印	受付		調査		記録		／ 頁

（第4号様式）
（印供第34号）

申請年月日	令和2年 9月 25日	供託カード番号 ( ) カードご利用の方は記入してください。
供託所の表示	鹿児島地方法務局奄美支局	

供託者の住所氏名

住所
熊本市中央区大江○○○○
氏名・法人名等
株式会社イケダ

代表者等又は代理人住所氏名
代表取締役　池　田　◇　◇
熊本市中央区京町○○○○
代理人　花　房　◇　◇

□別添のとおり
ふたりめからは別紙継続用紙に記載してください。

被供託者の住所氏名

住所
鹿児島県奄美市名瀬○○○○
氏名・法人名等
福留◇◇

□別添のとおり
ふたりめからは別紙継続用紙に記載してください。

◎供託通知書の発送を請求する。

供託金額	百	十	億	千	百	十	万	千	百	十	円
					¥	3	0	0	0	0	0

印
年　月　日
□供託カード発行

法令条項	民法第494条第1項第1号

供託の原因たる事実

供託者は，被供託者と，令和2年7月25日，自転車用フレーム18台を代金合計90万円で購入し，その代金を同年8月25日，同年9月25日，同年10月25日の3回に分けて各30万円ずつ被供託者住所で支払う旨の売買契約を締結したところ，この弁済のため，~~同月25日~~本日，被供託者住所において，2回目の支払代金30万円を被供託者に対し現実に提供したが，受領を拒否されたので，供託する。

□供託により消滅すべき質権又は抵当権
□反対給付の内容

備考

（注）1．供託金額の冒頭に¥記号を記入してください。なお，供託金額の訂正はできません。
2．本供託書は折り曲げないでください。

↓ 濁点、半濁点は1マスを使用してください。

供託者カナ氏名：カフ゛シキカ゛イシャイケタ゛

020000

「オンライン申請と言われても、難しそうだし、面倒そうで、どうも二の足を踏んでしまう」という方もいらっしゃるかもしれませんが、実際には、さほど難しくも面倒でもありませんし、むしろ大きなメリットがあります。

そこで、まずオンライン申請のメリットについてお話しします。

2－1－4－2　オンライン申請のメリット

まず、移動のための費用と時間が不要になるということです。場合によっては、徒歩圏内に供託すべき供託所があるという方もいらっしゃるかと思います。逆に、相当の遠方ということもあります。事例2-1の場合、池田さんの代理人である花房さんが窓口申請をしようと思うと、まず、熊本市内から車で2時間近くかけて鹿児島空港に行き、そこから1時間近く飛行機に乗り、さらに奄美空港から約1時間バスに乗って、ようやく鹿児島地方法務局奄美支局までたどり着きます。費用もかなりの額になります。しかし、オンライン申請であれば、自宅や仕事場にいながらにして供託申請をすることができます。これが、オンライン申請最大のメリットです。

また、供託所まで行かなくてもよいという意味では、次にお話しする郵送申請（書面申請の一種）と共通点はあります。しかし、申請までにかかる時間がかなり異なります。事例2-1でいうと、供託書が熊本市内から奄美大島まで届くのは、やはり翌日以降になるでしょう。ですから、どんなに急ぐ場合であっても、その日のうちに供託することは事実上無理です。

しかし、オンライン申請であれば、パソコンの画面上で送信ボタンをクリックした次の瞬間には、供託所に情報が届いています。これがもう1つのメリットです。

さらに、供託申請をした後に供託官とやりとりするときも、いちいち電話をすることなく、自分の都合にあわせてオンラインですることができます。また、手続の進捗状況も、リアルタイムで確認することができます。

このような書面申請にないメリットが、オンライン申請最大の魅力です。

2－1－4－3　オンライン申請には、大きく２つの方法がある

こうしたオンライン申請には、大きく２つの方法があります。

１つは、**申請用総合ソフト**を使う方法です。申請用総合ソフトというのは、供託のオンライン申請のための専用ソフトのことで、法務省が運営する「登記・供託オンライン申請システム」というホームページから、無料でダウンロードすることができます。専用ソフトというくらいですから、供託所で取り扱うすべての供託手続に対応しています。

もう１つは、**かんたん申請**と呼ばれる方法です。この方法は、一般的なウェブブラウザーソフト（Internet Explorerなど）を使って、法務省が運営する専用のホームページ上から申請する方法です。このホームページには、よくあるタイプの供託手続についてのメニューが準備されていて、入力フォームに従って入力していけば、簡単に供託の申請をすることができます。インターネットで買い物などをする場合とよく似た感じの手軽な申請方法です。

本書でお話しする供託申請は、そのほとんどがかんたん申請でカバーされています。そこで本書では、オンライン申請のうち、かんたん申請についてのみお話しすることにします。

2－1－4－4　かんたん申請の概要

かんたん申請を行うには、ネット通販など他のインターネットの各種サービスと同様に、まず利用者の情報を登録する必要があります。登録する内容は、次頁の【資料④】にあるとおりで、申請者IDとパスワード（自分で決められます）・氏名・住所・電話番号・Ｅメールアドレスなどです。この登録をするためのページには、【資料⑤】のような「登記・供託オンライン申請システム」というホームページの「トップページ」から入れます。

そして、先ほどのトップページにある「供託かんたん申請」のボタンをクリックし、自分で登録した申請者IDとパスワードを入力すれば、【資料⑥】のような、かんたん申請を行うための専用ページに入れます。

【資料④】 申請者情報の登録画面

登記・供託オンライン申請システム
登記ねっと 供託ねっと

証明書請求 | 供託申請 | 処理状況照会 | パスワード更新 | 申請者情報変更 | 申請者情報抹消 | ヘルプ | ダウンロード（ソフトウェア）（操作手引書） | ご利用環境 | FAQ・お問い合わせ | ログアウト

Step1 申請者情報新規入力 ▼ Step2 申請者情報入力内容確認 Step3 申請者情報仮登録完了 Step4 認証情報入力 Step5 申請者情報登録完了

▼登録する申請者情報を入力してください。
※1年間ご利用（ログイン）のない申請者IDは無効となります。

申請者ID【必須】 <半角英数字11文字以内（大文字小文字区別）>	
パスワード【必須】 <「半角英字」、「半角数字」、「記号」混在必須，8文字以上20文字以内（大文字小文字区別）>	▼確認のため，もう一度コピーせず直接入力してください。 ※パスワードに設定できる記号はこちらを参照。 ※「申請者ＩＤ」及び「パスワード」は，申請者において任意に決めた上，入力してください。
氏名【必須】 <全角20文字以内スペース不可>	
氏名（フリガナ）【必須】 <全角カタカナ20文字以内スペース不可>	
郵便番号【必須】 <半角数字>	〒 - （例）123 - 4567
住所【必須】 <全角80文字以内>	（例）東京都千代田区大手町１－１－１
住所（フリガナ） <全角カタカナ150文字以内>	（例）トウキョウトチヨダクオオテマチ１－１－１
職業	司法書士
連絡先・電話番号【必須】 <半角20文字以内>	（例）12-3456-7890 ※ハイフンを入力してください。
連絡先・FAX番号 <半角20文字以内>	（例）12-3456-7890 ※ハイフンを入力してください。
メールアドレス【必須】 <半角100文字以内>	▼確認のため、もう一度コピーせず直接入力してください。 ※インターネット経由で受信可能なメールアドレスを入力してください。
メールの受信内容選択	▼申請の処理状況に応じてメールでご案内します。 受信するメールをチェックしてください。 □全てのメールを受信（全ての項目がチェックされます。） □受付のお知らせ □補正通知発行のお知らせ □法務局からのお知らせ □公文書発行のお知らせ □納付情報のお知らせ
質問（キーワード）【必須】	思い出の場所は? パスワードを忘れた場合に使われるキーワードになります。
答え（キーワード）【必須】 <全角40文字以内>	パスワードを忘れた場合に使われるキーワードになります。

確 認（次へ）　中止（トップページへ）

【資料⑤】 トップページ

登記・供託オンライン申請システム
登記ねっと 供託ねっと
文字サイズの変更 大 中 小
トップページ
登記・供託オンライン申請システムとは
登記ねっと
供託ねっと
ダウンロード（ソフトウェア）（操作手引書）
オンライン申請ご利用上の注意
FAQ・お問い合わせ
サイトマップ
トップページ
すでにご利用されている方
ログイン
かんたん証明書請求
供託かんたん申請
処理状況照会
これからご利用を開始する方
申請者情報登録
登記・供託オンライン申請のご利用のためには申請者情報の登録が必要です。
申請者情報変更 ※
パスワード更新 ※
※ログインが必要となります。
登記事項証明書等の手数料
登記情報提供サービス
法務省 MINISTRY OF JUSTICE
法務局
twitter 登記ねっと 供託ねっと
利用時間 平日 午前8時30分から午後9時まで
運転状況
お知らせ
令和2年6月10日 【お知らせ】指定公証人の変更について
令和2年5月28日 【お知らせ】指定公証人の変更について
令和2年5月22日 【お知らせ】メンテナンス作業に伴うホームページの停止のお知らせ
令和2年5月21日 【お知らせ】指定公証人の変更について
令和2年5月8日 【お知らせ】会社・法人の登記事項証明書の「かんたん証明書請求」をご利用ください
お知らせ一覧
登記・供託オンライン申請のご紹介
初めてご利用になる方へ
かんたん証明書請求
かんたん証明書請求とは
ご利用環境の確認
かんたん証明書請求の事前準備
申請用総合ソフト
申請用総合ソフトとは
ご利用環境の確認
申請用総合ソフトの事前準備・ダウンロード
登記・供託オンライン申請の操作体験
かんたん証明書請求 体験コーナー
供託かんたん申請 体験コーナー
動画でわかる オンライン登記申請
体験してみよう オンライン登記申請
※ オンライン登記申請の概要や申請用総合ソフトの利用方法について，動画でご案内しています。
※ 申請用総合ソフトを利用したオンライン登記申請を体験することができます（実際の申請はできません。）。
トップページ｜FAQ・お問い合わせ｜サイトマップ
個人情報保護方針｜使用許諾情報｜このサイトについて
Copyright © The Ministry of Justice All Right Reserved.

【資料⑥】　供託申請メニュー画面

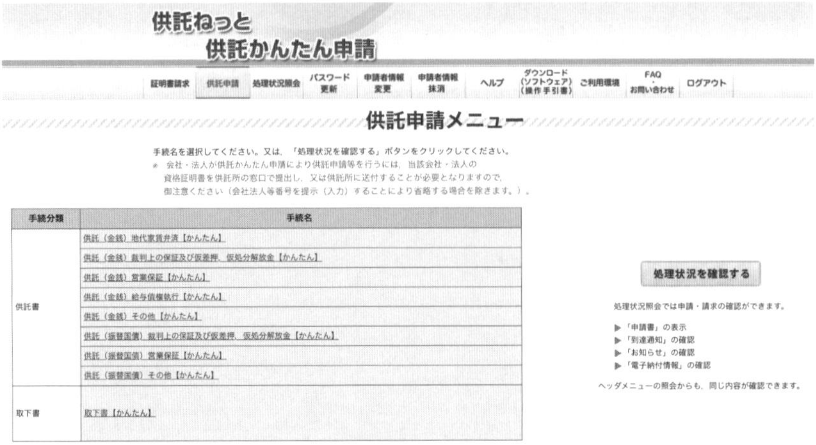

供託ねっと
供託かんたん申請

証明書請求 | 供託申請 | 処理状況照会 | パスワード更新 | 申請者情報変更 | 申請者情報抹消 | ヘルプ | ダウンロード（ソフトウェア）（操作手引書） | ご利用環境 | FAQ・お問い合わせ | ログアウト

供託申請メニュー

手続名を選択してください。又は，「処理状況を確認する」ボタンをクリックしてください。
※　会社・法人が供託かんたん申請により供託申請等を行うには，当該会社・法人の資格証明書を供託所の窓口で提出し，又は供託所に送付することが必要となりますので，御注意ください（会社法人等番号を提示（入力）することにより省略する場合を除きます。）。

手続分類	手続名
供託書	供託（金銭）地代家賃弁済【かんたん】
	供託（金銭）裁判上の保証及び仮差押，仮処分解放金【かんたん】
	供託（金銭）営業保証【かんたん】
	供託（金銭）給与債権執行【かんたん】
	供託（金銭）その他【かんたん】
	供託（振替国債）裁判上の保証及び仮差押，仮処分解放金【かんたん】
	供託（振替国債）営業保証【かんたん】
	供託（振替国債）その他【かんたん】
取下書	取下書【かんたん】

処理状況を確認する

処理状況照会では申請・請求の確認ができます。

▶「申請書」の表示
▶「到達通知」の確認
▶「お知らせ」の確認
▶「電子納付情報」の確認

ヘッダメニューの照会からも，同じ内容が確認できます。

このページでは、どの供託手続をするのかというメニューを選びます。ここでは、事例2-1を例に考えますので、上から5番目にある「供託（金銭）その他【かんたん】」をクリックします。すると、【資料⑦】のようなページに移ります。事例1で紹介した第四号様式とよく似ていますね（1-2-2-1、【参考例①】参照）。

そして、このページを開いた時点で、「供託者の住所・氏名」欄には、先ほど登録した申請者情報が自動的に入力されています。そこで、そのほかの部分を、供託書を作るのと同じ要領で入力していきます。

後は、ページの表示に従って、さらに必要事項を入力していき、最終的に送信ボタンをクリックすると、作業終了となります。もし、こうして送信した情報に何か問題があれば、供託官からこのページを通じて連絡がありますので、供託官の説明どおりにすればよいはずです。

「オンライン申請」と聞くと「難しそう」とか「面倒くさそう」と思われた方もいらっしゃったかと思いますが、実際は、供託書に相当する申請情報の入力場面については、いまお話ししたようなごく簡単な手続になっています。

【資料⑦】申請情報の入力画面

供託ねっと
供託かんたん申請

証明書請求　供託申請　処理状況照会　パスワード更新　申請者情報変更　申請者情報抹消　ヘルプ　ダウンロード（ソフトウェア）（操作手引書）　ご利用環境　FAQ・お問い合わせ　ログアウト

Step1 申請書作成　Step2 納付情報入力　Step3 送信確認　Step4 送信完了

Step 1-1　申請情報の入力

手続についてを表示

供託書（金銭供託）その他
[地代家賃、営業保証、裁判上の保証以外の供託]

供託所の表示		鹿児島地方法務局奄美支局　供託所選択	
供託者の住所・氏名	住所又は法人所在地	熊本市中央区大江○○○○	
	氏名又は法人名	株式会社イケダ	会社法人等番号（供託者） ※資格証明書の省略について
	代表者（資格・氏名）又は代理人（住所・氏名）	代表取締役　池田◇◇ 熊本市中央区京町○○○○ 代理人　花房◇◇	会社法人等番号（代理人） ※資格証明書の省略について
被供託者の住所・氏名	住所又は法人所在地	鹿児島県奄美市名瀬○○○○	
	氏名又は法人名	福留◇◇	
法令条項	民法４９４条第１項第１号		
供託の原因たる事実	供託者は、被供託者と、令和２年７月２５日、自転車用フレーム１８台を代金合計９０万円で購入し、その代金を同年８月２５日、同年９月２５日、同年１０月２５日の３回に分けて各３０万円ずつ被供託者住所で支払う旨の売買契約を締結したところ、この弁済のため、本日、被供託者住所において、２回目の支払代金３０万円を被供託者に対し現実に提供したが、受領を拒否されたので、供託する。		
供託金額	300000 円		
□供託により消滅すべき質権又は抵当権			
□反対給付の内容			

☑送付する添付書面あり

☑供託通知書の発送を請求する（この場合には、供託所宛てに、被供託者の住所氏名を記載した郵便切手等付きの封筒を、この供託書の発信後取得する申請番号を付記した上で送付してください。）。

□資格証明書を省略するため会社法人等番号を提示する。

複数の会社法人等番号を提示する場合は右側の入力欄に入力してください。
（複数の会社法人等番号を入力する番号には，１番号ごとに改行してください。）
※入力方法　半角12桁で入力し，'-'（ハイフン）は入れないでください。
（記載例）123456789010
また，会社法人等番号（供託者）欄・会社法人等番号（代理人）欄に入力した会社法人等番号は入力しないでください。

会社法人等番号・複数入力用

○書面の供託書正本の窓口交付を請求する。
◉書面の供託書正本の送付(注)を請求する。
(注)書面の供託書正本の送付を請求する場合は，供託所宛てに，返信用の郵便切手等付きの封筒を，この供託書の送信後取得する申請番号を付記した上で送付してください。

備考

□補正のコメントを受領したので補正申請として申請する。
補正対象申請番号
（申請済みの申請書に対して補正を行う場合に、補正対象となる申請番号（初回の申請番号）を入力してください。）

連絡先情報（申請者情報登録で登録された情報）

氏名	花房◇◇
連絡先電話番号	00-0000-0000

次へ　戻る（供託申請メニュー）

なお、かんたん申請は、ウェブ上のサービスですので、仕様が変更されることもあります。詳しくは「登記・供託オンライン申請システム」のホームページをご覧ください。

2－1－4－5　資格証明書の提出を省略することができる場合がある

オンライン申請をする場合であっても、通常の窓口での書面申請で添付書面が必要なケースであれば、やはりなんらかの形で供託所にその添付書面を届けなければなりません。たとえば事例2-1であれば、供託者が会社であり、代理申請となっていますので、代表者である池田さんの「資格証明書」と、任意代理人である花房さんへの「委任状」をどうにかしなければなりません。

この点、「申請用総合ソフト」であれば、添付書面の内容をデータで送信する機能が付いているのですが、「かんたん申請」にはこうした機能が付いていません（なお、申請用総合ソフトを使う場合、電子署名や電子証明書が必要になります）。そのため、添付書面が必要なケースで「かんたん申請」をする場合、以前は、申請をしてから速やかに、添付書面すべてを供託所に持参するか郵送して提出するしかありませんでした（規39Ⅱ但書）。

しかし、平成30年7月の規則改正により「資格証明書」は不要となりました。具体的には、事例2-1の株式会社イケダのように、供託者が「登記された法人」である場合には、【資料⑦】の「氏名又は法人名」欄の右横にある「会社法人等番号」欄へ会社法人等番号を入力しさえすれば、池田さんの資格証明書を提出する必要がなくなったのです（規39の2Ⅲ）。

会社等法人番号というのは、平たく言うと、会社など法人のマイナンバーのことで、商業登記簿に記録された12桁の数字のことを言います。

この取扱いは、資格証明書の提出が不要となる点では、窓口申請の場合の簡易確認手続（2-1-2-3）と似ています。しかし、簡易確認手続とは異なり、供託所と商業登記所とが違う法務局であっても構いませんし、東京法務局・大阪法務局・名古屋法務局の本局でも例外とされていませんから、適用範囲がずっと広くなっています。

ちなみに、事例2-1では、たまたま出張予定だった後輩の花房さんに代理人になってもらったという設定にしています。しかし、オンライン申請であれば、池田さんが自ら申請することが可能なはずです。代表者である池田さん自らが申請するのであれば、申請後に供託所へ「委任状」を送る必要がなくなります。

以上のとおり「かんたん申請」をすることができる代表的な供託申請の場合では、添付書面の送付が不要となるため、供託者が個人なのか法人等なのかで、特に差はなくなったと言っていいでしょう。

2－1－4－6　手続に必要な郵便切手や封筒があれば別途供託所に送らなければならない

2-1-4-5のとおり、添付書面の提出については省略できる場合があります。

他方で、供託者が個人の場合であっても法人等であっても、供託所に別途提出しなければならないものがあります。それは、被供託者への通知を希望する場合の「送付に要する費用に相当する郵便切手」（規16Ⅱ）や供託書正本を送ってもらうための封筒や郵便切手など、供託の内容に応じて必要となる郵便切手や封筒などです。

事例2-1ですと、被供託者である福留さんに供託通知書を送るための郵便切手や、株式会社イケダに供託書正本を郵送してもらうための封筒と郵便切手を供託所（鹿児島地方法務局奄美支局）に提出しなければなりません。

この辺りは、次の郵便申請の場合と一部重なってきます（2-1-5-3参照）。

2－1－5　郵送申請

2－1－5－1　書面申請には、窓口申請と郵送申請とがある

書面申請をするには、事例1で池田さんがしたように、供託の種類に応じ

た様式を使って「供託書」を作成します。

そして、作成した供託書をどのように供託所に提出するかについては、供託所の窓口に持参する「窓口申請」と、供託所に郵送する「郵送申請」とがあります。

窓口申請については、前章（1-2-3参照）でお話ししたので、ここでは郵送申請に絞ってお話しします。

2－1－5－2　郵送の際に注意すべき事項

供託書は、スキャナで内容を読み取るため、折ってはいけません（1-2-2-1参照）。そのため、郵送する際には、供託書がすっぽりと入る大きさの封筒（A４サイズを折らずに入れられるもの）を使ってください。

宛先は、供託手続をする供託所がある法務局・地方法務局・支局です。事例１の場合であれば、「〒890－8518　鹿児島市鴨池新町１－２　鹿児島地方法務局御中」となります。事例2-1の場合であれば、「〒894－0034　鹿児島県奄美市名瀬入舟町23－１　鹿児島地方法務局奄美支局御中」となります。

なお、事例１では、供託書の「申請年月日」欄には、実際に窓口で申請する年月日を記載しました（1-2-2-3参照）。郵送の場合には、実際に供託書が供託所に届いた日が申請年月日になります。ただ、実際にいつ供託書が届くのかは正確には分かりませんので、郵送の場合には空欄でも構いません。

2－1－5－3　供託書に同封すべきもの

郵送する際に同封する必要があるものは、大きく分けて次の２つのグループに分けられます。

１つ目のグループは、窓口申請のときでも、供託書と一緒に提出・提示しなければならない場合がある書類です。

具体的には、資格証明書・代理権限証書や、弁済供託で相手方に通知を希望する場合に必要な郵便切手などです（1－2－5－2参照)。なお、郵送申請をする際には簡易確認手続（2－1－2－3参照）は利用できません。

２つ目のグループは、郵送する場合に特有のものです。

まず、①返信用封筒と返信に必要な郵便切手です。この封筒は、供託所に、供託書正本や、継続して供託する事例の次回用の供託書用紙を送ってもらうためのものなので、供託書を送るのに使うのと同サイズのものが必要です。

次に、②供託者（代理申請の場合には代理人）の連絡用の電話番号を記載したメモも必要です。これは、提出した供託書の内容に不備があったり必要書類が足りない場合などに、供託所から問合せの電話をするために必要なものです。

さらに、次の2－1－6で説明する供託金の納付方法によっては、③供託所に各種書類を送ってもらうための返信用封筒と郵便切手が、①とは別に必要となる場合があります。

2－1－6　供託金の納め方には、４つの方法がある

供託者が供託金を納める方法として、４つのメニューが用意されています。

この４つの方法は、どんなときにも自由に使えるわけではなく、一定のルールがあります。

そこで、どのようなときに使えるのか、使うときの手続がどうなっているのかを順にお話ししていきます。

2－1－6－1　現金を供託所に提出する

１つ目の方法は、現金を供託所に直接提出するというものです（規20Ⅰ)。

事例１で池田さんが取った方法です。

この方法は、供託申請の方法が書面申請であり、かつ、手続をする供託所が**現金取扱庁**である場合に利用することができます。現金取扱庁というの

は、全国８カ所にある法務局の本局および42カ所ある地方法務局の本局と、東京法務局八王子支局および福岡法務局北九州支局の合計52カ所です。

供託金（現金）は、窓口申請の際に供託所の窓口に持参するか、供託書を郵送するのと同時期に現金書留で供託所に送るかして提出します。

供託金が提出されると、供託者は、供託官から「供託金を受領した旨」などが記載された供託書正本を受け取ることになります（規20Ⅱ前段）。

なお、納付された供託金（現金）は、その日のうちに日本銀行の本店・支店・代理店に運ばれます。そして、国の他の機関で預かった現金と同様に、日本銀行で**国庫金**として管理されることになります。

２－１－６－２　現金を日本銀行本店・支店・代理店に納入する

２つ目の方法は、現金を日本銀行の本店・支店・代理店（これ以降は略して「日本銀行」と呼びます）に納入するというものです（規18Ⅰ）。

この方法は、供託申請の方法が書面申請であり、かつ、手続をする供託所が**非現金取扱庁**である場合に利用することができます。非現金取扱庁というのは、現金取扱庁以外の供託所のことであり、法務局の支局（八王子支局と北九州支局を除きます）と地方法務局の支局の合計259カ所です（令和２年４月１日現在）。

事例２－１では、池田さんが供託すべき供託所が「鹿児島地方法務局奄美支局」ですので、現金で納めることを希望していても、窓口に供託金を提出することはできず、日本銀行に納入することになります。

供託官は、供託を受理すべきと判断すると、供託者に対して、供託書正本と一緒に、日本銀行へ供託金を納入するときに必要となる**保管金払込書**という書類を交付します。なお、供託書正本には、供託所に提出する場合に記載される「供託金を受領した旨」（規20Ⅱ）ではなく、「一定の納入期日までに金銭を日本銀行に納入すべき旨」が記載されています（規18Ⅰ）。

そこで、供託者は、指定された納入期日までに日本銀行に赴いて、供託書正本と保管金払込書とともに、供託金として現金を納入します。事例２－１

で、池田さんの代理人である花房さんが奄美支局で窓口申請をした場合には、最寄りの代理店である鹿児島銀行大島支店（奄美支局の保管金取扱店です）に供託金を納入することができます。

このようにして供託金を納入すると、日本銀行側で、その供託書正本に「供託金を受け入れた」という内容の記載をします。これで手続は終わりです。

なお、万が一、供託官に指定された納入期日までに納付しなかった場合には、供託官が行った供託受理決定は、最初から効力が無かったことになります（規18Ⅱ）。手続を一からやり直さなければならなくなりますから、くれぐれもご注意ください。なお、実務では、この納入期限として、受理日の８日後くらいが指定されているようです。

最後に、郵送申請で日本銀行に納付する場合の注意事項です。この場合には、供託書を郵送する封筒に、供託所から「保管金払込書」を送ってもらうのに必要な「返信用封筒と郵便切手」を同封しておく必要があります（2-1-5-3の③参照）。この書類は折られても問題ありませんので、封筒は定形のもので大丈夫です。

２－１－６－３　供託官の預金口座に入金する

３つ目の方法は、供託官名義の預金口座に入金して納付するというものです（**振込方式**、規20の２Ⅰ）。

供託金の額は、時には億単位になることもあります。こうした多額の現金を、供託所や日本銀行まで持ち運ぶとなると、やはり不安が付きまといます。そこで、現金を持ち運ばなくても済むようにと考えられたのが、この振込方式です。

この方法は、書面申請の場合に使うことができます。

この方法を使うためには、まず、供託者が、供託官に対して振込方式を使いたいと申し出ます（規20の２Ⅰ）。そして、供託官は、供託を受理すべきと判断したら、供託者に対して、供託書正本ではなく、**供託受理決定通知書**

と、金融機関に対する**振込依頼書**（供託専用の振込用紙です）を交付します。供託受理決定通知書には、「一定の振込期日までに供託金を供託官の預金口座に振り込むべき旨」などが記載されています（規20の２Ⅱ）。

供託者は、指定された振込期日までに、払込依頼書を使って、指定された供託官の預金口座に供託金を振り込みます。なお、この場合も、振込期日までに供託金を振り込まなかったときは、供託官が行った供託受理決定は、最初から効力が無かったことになります（規20の２Ⅲ）。

そして、供託官は、供託金が振込入金されたことが確認できたら、供託者に供託書正本を交付します（規20の２Ⅳ前段）。

それから、郵送申請の場合に振込方式を利用する際の注意事項です。この場合にも、供託所から「供託受理決定通知書」と「振込依頼書」とを送ってもらうのに必要な「封筒と郵便切手」が必要となりますから、供託書を郵送する封筒に同封しておかなければなりません（2-1-5-3の③参照）。この封筒も定形のもので大丈夫です。

最後ですが、振込手数料は、供託者の負担となりますので、ご注意ください。

2－1－6－4　日本銀行の口座に電子納付する

４つ目の方法は、**電子納付**というものです（規20の３Ⅰ）。

電子納付という名前自体がとっつきにくいですが、行うこと自体は非常に簡単です。

具体的には、①**ペイジー（Pay-easy）対応の銀行等のATM**を使う方法と、②**インターネットバンキング**を使う方法があります。いずれの方法でも、日本銀行の国庫金を管理する口座に、直接供託金を納付することができます（取扱額の上限については、ご利用の金融機関にお問い合わせください）。

この方法は、書面申請の場合でも、オンライン申請の場合でも使えます。ただ、オンライン申請の場合には、電子納付しか利用できないことには注意してください。

「書面申請」の場合には、まず、供託者が、供託官に対して電子納付を使いたいと申し出ます。そして、供託官は、供託を受理すべきと判断したら、供託者に対して、供託受理決定通知書を交付します。

そこで、供託者は、供託受理決定通知書で指定された納付期日までに、ペイジー対応のATMの画面や、インターネットバンキングの画面に従って、供託受理決定通知書に記載された情報を入力し、供託金を納付します。なお、郵送申請の場合には、供託書を郵送する封筒に、供託所から「供託書受理決定通知書」を送ってもらうのに必要な「封筒と郵便切手」を同封しておく必要があります（2-1-5-3の③参照）。

これに対して、「オンライン申請」の場合には、電子納付に必要な情報（書面申請の場合に供託受理決定通知書に記載されるのと同じ内容）が、供託者に、オンラインで送られてきます。そこで、供託者は、ペイジー対応のATMなどの画面に従って、送られてきた情報を入力し、供託金を納付します。

そして、電子納付が終わると同時に、供託所に「供託金が納付された」という通知が届きますので、供託官は、供託者に供託書正本を交付することになります（規20の3Ⅳ前段）。

なお、電子納付自体の費用は、一般的には無料です。

2－1－7　まとめ

供託申請手続のバリエーションは以上のとおりです。

ざっくりと整理すると、

① 個人なのか、法人等なのか
② 本人申請なのか、代理申請なのか
③ 書面申請なのか、オンライン申請なのか
④ 窓口申請なのか、郵送申請なのか
⑤ 現金を提出なのか、日本銀行に納入なのか、供託官口座に振込なのか、電子納付なのか

というものでした。

このうち、⑤については、供託所が現金取扱庁なのか非現金取扱庁なのかによって、現金の提出なのか日本銀行に納入なのかは選択の余地がありませんし、③でオンライン申請すると電子納付しかできなくなるといった縛りはあります。しかし、それ以外の場合では、かなり自由に組み合わせることができますので、みなさんのニーズにあわせて組み合わせていただければと思います。

2－2　還付請求手続のバリエーション

2－2－1　バリエーションの全体像と事例2-2

第1章では、事例1を通じて、①個人である福留さんが、②本人自ら、③窓口で運転免許証を本人確認資料として提示し、④供託金払渡請求書を窓口に提出して還付請求をし、その際には、⑤還付を受ける権利を有することを証する書面は提出せず、⑥供託金を小切手で受領するという、最も基本的な手続についてお話ししました。

第2章では、こうした①～⑥の各要素のバリエーションをお話ししていきます。このバリエーションの全体像は、

① 還付請求者が、個人なのか、法人等なのか
② 本人申請なのか、代理申請なのか
③ 本人確認資料として、何が必要か
④ 申請方法が、書面申請（窓口申請・郵送申請）なのか、オンライン申請なのか
⑤ 還付を受ける権利を有することを証する書面が必要なのか
⑥ 供託金の受領方法は、どのようなものか

というものです。

こうしたバリエーションは、「事例に応じて」という部分もありますので、事例1を次のように少し変えた事例2-2で、具体的に見ていくことにします。

なお、説明の都合上、上記④については、いちばん最後にお話しします。

事例2－2

・福留さんは、事例1では、塗装業を、個人で営んでいた（上記①に関連）。

→「合同会社ふくどめ」という鹿児島県名瀬市内（奄美大島）に本店がある会社を、代表社員として経営している。
・福留さんは、事例１では、還付請求を、本人自ら行った（上記②に関連）。
→ 先輩の諸正さんに依頼して、代理申請してもらうことにした。

2－2－2　還付請求者が「法人等」である場合には、資格証明書が必要

個人ではなく「法人等」が還付請求をする場合、その法人等の代表者が、その法人等を代表して手続をする必要があります。そのため、法人等が還付請求をする場合には、供託申請の場合と同様、作成後３カ月以内の資格証明書が必要とされています（規９）。

事例２－２では、還付請求者が「合同会社ふくどめ」という「登記された法人」ですので、福留さんが代表社員として登記されていることを明らかにする登記事項証明書（現在事項証明書・履歴事項証明書・代表者事項証明書のいずれか）が必要となります（規27Ⅲ・規14Ⅰ前段）。

なお、合同会社ふくどめが登記された商業登記所は「鹿児島地方法務局」です。これに対して、弁済供託がされた供託所は「鹿児島地方法務局奄美支局」ですが、もし両者が同じ法務局となる場合には、供託申請の場合と同様に、簡易確認手続が適用されます（規27Ⅲ・規14Ⅰ後段、２－１－２－３参照）。

最後に、資格証明書の具体的内容や、添付・提出の別は、法人等が、「登記された法人」なのか、「登記された法人以外の法人」なのか、「法人でない社団又は財団であって、代表者又は管理人の定めのあるもの」のいずれなのかによって変わります。ただ、その内容は供託申請のところでお話ししたのと同じ内容になりますので、そちらをご覧ください（２－１－２－２、２－１－２－４参照）。

2－2－3　代理申請する場合には、代理権限証書が必要

還付請求をする際には、事例１の福留さんのように還付請求者本人が行う場合だけでなく、事例２-２のように代理人の諸正さんに手続を依頼することもあります。この場合には、代理権限証書が必要です（規27Ⅰ本文）。

代理権限証書の具体例ですが、任意代理の場合には、原則として委任状の「添付」が必要です。ただし、任意代理の中には、「支配人」のように登記された代理人もいます。この場合には登記事項証明書の「提示」で足ります（規27Ⅰ但書）。

また、法定代理の場合の代理権限証書ですが、供託申請の場合同様、未成年の子を親が代理するときには、「戸籍謄本」などが必要です。また、被成年後見人を成年後見人が代理するときには、「後見に関する登記の登記事項証明書」などが必要です。

2－2－4　実印の押印と、印鑑証明書の要否について

2－2－4－1　原則的な考え方

第１章でもお話ししましたが、供託金払渡請求書の「請求者の住所氏名印」欄には、押印が必要です（１-３-３-３参照）。

そして、還付請求の場合には、なりすましなどのおそれがあるため、本人確認資料が必要です。そこで、本人確認資料として、必要書類に押された実印について、３カ月以内に作成された印鑑証明書の添付が原則必要とされています（１-３-４-２参照）。

こうしたことから、還付請求の場面の原則は、次の三とおりとなっています。

① 本人申請の場合、「供託金払渡請求書」に「本人」の実印を押し、その印鑑証明書を添付する（規26Ⅰ本文）。

② 法定代理人等による申請の場合、「供託金払渡請求書」に「法定代理人」の実印を押し、その印鑑証明書を添付する（規26Ⅱ）。

③　任意代理による代理申請の場合、「委任状」に「本人（法定代理人等がいる場合には法定代理人等）」の実印を押し、その印鑑証明書を添付する（規26Ⅰ本文）。

2－2－4－2　①の「本人」申請で原則的に必要となる「実印」と「印鑑証明書」の具体例

①の「本人」申請で、原則的に必要となる「実印」と「印鑑証明書」の組合せは、次の３パターンです。

１つ目のパターンは、本人が「個人」の場合です。この場合の組合せは、「本人個人の実印（市区町村に登録した印鑑）」と「市区町村長が作成した印鑑証明書」になります。事例１の場合ですと、福留さん個人の実印と、鹿児島市長が作成した印鑑証明書ということになります。

２つ目のパターンは、本人が「登記された法人」の場合です。この場合の組合せは、「法人の実印（商業登記所に提出した印鑑）」と「商業登記所が作成した印鑑証明書」になります。事例２－２の場合ですと、合同会社ふくどめの実印と、鹿児島地方法務局の登記官が作成した印鑑証明書となります。

３つ目のパターンは、本人が「登記された法人以外の法人」か「法人でない社団又は財団であって、代表者又は管理人の定めのあるもの」の場合です。この場合の組合せは、「代表者個人の実印（市区町村に登録した印鑑）」と「市区町村長が作成した印鑑証明書」になります。

2－2－4－3　②の「法定代理人等」による申請で原則的に必要となる「実印」と「印鑑証明書」の具体例

②の「法定代理人等」による申請で、原則的に必要となる「印鑑証明書」は、先ほどお話しした①の「本人」による申請の場合と同じで、「市区町村長が作成した印鑑証明書」か「商業登記所が作成した印鑑証明書」のいずれかです（規26Ⅱ）。

このどちらになるのかは、その法定代理人が、その印鑑を、商業登記所で

【参考例④】 供託金払渡請求書

請求年月日	令和２年９月30日	受付番号	第　　号	年　月　日
供託所の表示	鹿児島地方法務局奄美支局	整理番号	第　　号	認可　㊞

請求者の住所氏名印	払渡請求事由及び還付取戻の別	
鹿児島市奄美市名瀬○○○○ 合同会社ふくどめ 代表社員　福留◇◇ 鹿児島市奄美市名瀬○○○○ 代理人　諸正◇◇　㊞ （代理人による請求のときは，代理人の住所氏名をも記載し，代理人が押印すること。）	還付	①．供託受諾　2．担保権実行　3．
	取戻	1．供託不受諾　2．供託原因消滅　3．

隔地払，国庫金振替，預貯金振込を希望するときはその旨		
1．隔地払 銀行　店 受取人	3．預貯金振込 振込先　銀行　店	
	預貯金の種別	普通・当座・通知・別段
	預貯金口座番号	
2．国庫金振替	預貯金口座名義人（かな書き）	

供託番号	元本金額	利息を付す期間		利息金額	備考
2年度金第240号	300,000円	年　月　から 年　月　まで	月	円	
年度金第　号		年　月　から 年　月　まで	月		
年度金第　号		年　月　から 年　月　まで	月		元件
年度金第　号		年　月　から 年　月　まで	月		利
					計

元本合計額			百	十	万	千	百	十	円
			¥	3	0	0	0	0	0

（注）元本合計額の冒頭に¥記号を記入し，又は押印すること。

上記金額を受領した。

年　月　日

受取人氏名　㊞

（代理人により受け取るときは，本人の氏名及び代理人の氏名印）

登録（商業登記法12Ⅰ参照）しているかどうかによります。

法定代理人等が、本人が未成年者である場合の両親であれば、商業登記所に印鑑を登録することはありませんので、「法定代理人個人の実印（市区町村に登録した印鑑）」を押印して「市区町村長が作成した印鑑証明書」を添付することになります。

これに対して、法定代理人等が、商業登記所に印鑑を登録した支配人等の場合には、「商業登記所に登録した実印」を押印して「商業登記所が作成した印鑑証明書」を提示することになります。

2－2－4－4　③の「任意代理」による代理申請の場合、「代理人」の実印の押印・印鑑証明書は不要

先ほどの③の場合、つまり任意代理に基づく代理申請がされた場合、供託金払渡請求書の「請求者の住所氏名印」欄には、前頁の【参考例④】のとおり、代理人が記載されることになります。

事例2-2ですと、この欄に、まず、還付請求者本人である「鹿児島県奄美市名瀬○○　合同会社ふくどめ　代表社員 福留◇◇」と記載し、その下側に、代理人について「鹿児島県奄美市名瀬○○　代理人 諸正◇◇」と記載したうえで、代理人である諸正さんの印を押します（規22Ⅱ柱書）。

この印は、認め印でも構いません。もちろん、その印鑑証明書は必要ありません（規26Ⅰ本文参照）。

これは、供託金払渡請求書に添付される代理権限証書である「委任状」（2-2-3参照）に、本人である「合同会社ふくどめ」の法人の実印が押されているうえ、その印鑑証明書も添付されており（2-2-4-1の③参照）、本人である合同会社ふくどめ（代表社員は福留さん）の意思が確認できているものとして扱われるからです。

2－2－4－5　個人が本人申請した場合、例外として、印鑑証明書が不要な場合がある

いままでお話ししてきたように、還付請求権者が個人の場合で、事例1のように「本人申請」するときには、「供託金払渡請求書」に個人の実印を押印したうえで個人の印鑑証明書を添付するのが原則でした。そして、「代理申請」するときには、「委任状」に個人の実印を押印したうえで個人の印鑑証明書を添付するのが原則でした。

しかし、事例1のように本人申請した場合には、還付請求者本人が供託所の窓口にいらっしゃるわけです。そうしますと、もし顔写真入りの身分証明書を持参していれば、供託官は、その場で本人確認をすることができます。

そのため、「個人が本人申請した場合」に限って、本人が次に挙げる身分証明書を持参した場合には、例外的に印鑑証明書の添付が不要となります（規26Ⅲ②）。このことに伴って、実印を押す必要もなくなり、認め印で足りることになります。

・運転免許証
・個人番号カード
・在留カード
・官庁または公署から交付を受けた書類等で、氏名・住所・生年月日の記載があり、かつ、本人の写真が貼付されたもの

この場合には、供託官に対して、こうした運転免許証などの身分証明書の原本を「提示」するとともに、その写しを必ず供託金払渡請求書に添付してください（規26Ⅲ②）。

2－2－4－6　「登記された法人」が還付請求権者の場合でも、例外として、印鑑証明書と資格証明書が不要な場合がある

還付請求の場面でも、供託申請の場合と同じように、簡易確認手続を利用することができます（規27Ⅲ・14Ⅰ後段、規26Ⅰ但書）。

「登記された法人」が還付請求者の場合、事例2-2でいうと、原則とし

て、代表者の資格証明書として「合同会社ふくどめ」の登記事項証明書（規27Ⅲ・14Ⅰ前段）と、本人確認資料としての「合同会社ふくどめ」の法人の印鑑証明書（規26Ⅰ本文）の添付が必要です。どちらも、「合同会社ふくどめ」が登記された鹿児島地方法務局にある商業登記所の登記官が作成したものです。

事例2－2の場合には、残念ながら、供託所が商業登記所とは異なる鹿児島地方法務局奄美支局にあるので、簡易確認手続を利用することができません。しかし、たまたま供託所と「登記された法人」が登記された商業登記所とが、同じ法務局・地方法務局にある場合には、簡易確認手続を利用することができます（2－1－2－3参照）。「登記された法人」が本人申請するときだけでなく、代理申請するときでも利用できます。

具体的な手順は、供託申請の場合と同じです。まず、還付請求者が、供託所に対して簡易確認手続を利用したいと申し出ます。供託官の判断で「依頼書」が交付されたら、これを同じ法務局内にある登記事項証明書の発行窓口に持参します。そうすると、無料で「公用」と記された登記事項証明書と印鑑証明書が交付されるので、これを供託所に提出するというわけです。

ただ、還付請求の場合も、東京法務局・大阪法務局・名古屋法務局の本局は、この手続の対象外ですので、ご注意ください。

2－2－5　還付を受ける権利を有することを証する書面

2－2－5－1　「還付を受ける権利を有することを証する書面」が必要かどうかの判断基準

前章（1－3－3－4参照）で、還付請求の際に、「還付を受ける権利を有することを証する書面」を添付する必要がないパターンを「還付請求の基本パターン」と呼んでお話ししてきました。逆に言うと、この書面が必要となる場合もあるということです。この書面が必要か不要かの判断基準は、どのようなものなのでしょうか。

まず、還付請求を受けた供託官が見比べるのは、次の2つです。

・供託金払渡請求書に記載された還付請求者の住所氏名

・供託書に記載された被供託者の住所氏名

そのため、ⓐ両者が完全に一致する場合には、「還付を受ける権利を有することを証する書面」が不要（還付請求の基本パターン）となります。これに対して、ⓑ両者が完全には一致しない場合には、「還付を受ける権利を有することを証する書面」が必要ということになります。

事例１の場合であれば、供託書に記載された被供託者は「鹿児島市鴨池◯◯に住む福留◇◇」で、供託金払渡請求書に記載された還付請求者も「鹿児島市鴨池◯◯に住む福留◇◇」でした。そのため、還付を受ける権利を有することを証する書面は不要となります。

また、事例２-２の場合でも、供託書に記載された被供託者は「鹿児島県奄美市名瀬◯◯にある合同会社ふくどめ」で、供託金払渡請求書に記載された還付請求権者も「鹿児島県奄美市名瀬◯◯にある合同会社ふくどめ」でした。そのため、こちらも還付を受ける権利を有することを証する書面は不要となります。

なお、「世の中に同姓同名の人は何人もいるかもしれないが、同じ場所に住む同姓同名の人はまずいない」という発想から、供託手続では、個人や法人等を「氏名と住所（法人等では「名称と所在地」）」という２つの要素で特定します。ですから、「一致」というときには、「氏名（名称）の一致」だけでなく、「住所（所在地）も一致」ということまで求められます。

２－２－５－２　「還付を受ける権利を有することを証する書面」が必要となる理由

では、「被供託者の住所氏名≠還付請求権者の住所氏名」となる場合に、どうして「還付を受ける権利を有することを証する書面」の添付が必要となるのかについてお話しします。

供託制度とは、分かりやすさ重視でざっくばらんに言いますと、「供託者が、被供託者等のしかるべき人に支払うべき金銭を、いったん供託所に供託金として預け、後日、被供託者等のしかるべき人が供託所から供託金の還付を受ける制度」です。

ですから、供託者が「本来支払うべき相手＝被供託者」として供託書に書いた人物と、後日、その供託金について還付請求をしてきた人物とが一致していれば、まったく問題ありません。そのため、この場合には、あえて「還付を受ける権利を有することを証する書面」を添付する必要はありません。

しかし、供託をしてから被供託者が死亡して相続が発生するなどして、還付を受ける権利を有する者が、被供託者から別の者に変わってしまう場合があります。また、被供託者の氏名や住所が変わる場合もあります。そもそも、被供託者を記載しないタイプの供託もあります（第７章以降参照）。こうした場合には、当然、「被供託者の住所氏名」と「還付請求者の住所氏名」とが異なることになります。

こうした場合、供託官としては、供託書に記載された「被供託者の住所氏名」と供託金払渡請求書に記載された「還付請求者の住所氏名」とが違っている理由がはっきりしなければ、供託金を払い渡すという重大な判断をすることはできません。そのため、「被供託者の住所氏名」と「還付請求者の住所氏名」とをつなぐ架け橋のような存在として、「還付を受ける権利を有することを証する書面」が要求されるのです。

なお、先ほども２-２-４で説明したとおり、本人確認資料として印鑑証明書の添付などが求められます。しかし、これはあくまで、供託金払渡請求書の「請求者の住所氏名印」欄に記載された人物と、実際に還付請求をしている人物とが、同一人物だということを明らかにするためのものです。しかし、還付請求者が誰なのかがはっきりしたからといって、「被供託者」と還付請求者とが同じなのだということにはなりません。このように、「還付を受ける権利を有することを証する書面」は、印鑑証明書などの本人確認資料とはまったく別の話だと理解してください。

2－2－5－3　「還付を受ける権利を有することを証する書面」の一例（住所が相違する場合）

これまで、還付を受ける権利を有することを証する書面が必要とされる基準、必要とされる理由についてお話ししてきましたが、抽象的な話になってしまいました。そこで、ここでは具体例を挙げることにします。

ただ、還付を受ける権利を有することを証する書面の具体例は事案に応じてさまざまです。そこで、ここでは、供託書に記載された被供託者の住所と、供託金払渡請求書に記載された還付請求者の住所とが違う場合に絞ってお話しし、その他については、今後、事例をお話しする中で触れていきたいと思います。

住所が違う場合、その原因としては２つの場合が考えられます。１つは、供託申請をした時点の住所を正確に記載していたものの、その後、被供託者が引越しをするなどして住所が変わってしまった場合です。もう１つは、供託書を作成した時点で、間違った住所が記載されてしまっていた場合です。

１つ目の場合は、「供託された時点から還付請求する時点までの間に、どのような住所変更があったのか」ということが分かればよいはずです。そこで、還付を受ける権利を有することを証する書面として、住所の変遷が記録された**戸籍の附票**を添付することになることが多いと思います。なお、引越しが同一市区町村内でとどまった場合には、**住民票**でカバーできる場合もあります。

２つ目の場合は、「供託書に記載された被供託者の住所が間違っていること」ということが分かればよいはずです。こういうときのために、市区町村では、「この住所には、こういう氏名の人は住民登録されていない」ということを証明する**不在住証明書**を発行しています。そこで、多くの場合では還付を受ける権利を有することを証する書面として、この不在住証明書を添付して誤記であることを明らかにすることになります。

2－2－5－4　添付した書類を返してもらうことができる

供託金払渡請求書に添付した書類についても、供託書に添付した書類と同じように、原本還付手続を利用することができます（2-1-2-5参照、規9の2Ⅰ本文）。

この場合にも、やはり「これは、原本と相違ありません。」と記載して記名押印した謄本（コピー）を、供託金払渡請求書に添付して供託官に提出する必要があります（規9の2Ⅱ）。

2－2－6　供託金の受領方法

供託金の受領方法は、事例1のように、窓口で小切手（日本銀行宛ての記名式持参人払いの小切手）を受け取り、市中銀行で現金化するという方法（規28Ⅰ後段）だけではありません。個人や一般的な法人等が利用できる方法としては、このほかに**隔地払**と**預貯金振込み**という2つの方法があります（規22Ⅱ⑤）。

1つ目の「隔地払」というのは、還付請求者の地元にある日本銀行の本店・支店で供託金を受け取る方法です。このほかに、日本銀行の代理店や、日本銀行と送金の特約を結んでいる銀行で供託金を受け取ることもできます。ただし、受取りを希望する日本銀行の支店などが「還付を受ける供託金を保管している日本銀行の本店・支店が所在する市区町村」以外の地域にある場合に限られています。この方法は、供託された後に還付請求者が引越しした場合などには便利です。

隔地払を希望する場合には、供託金払渡請求書の右側にある「隔地払、国庫金振替、預貯金振込を希望するときはその旨」欄の中の「1.隔地払」欄に必要事項を記載してください（【参考例④】参照）。

2つ目の「預貯金振込み」というのは、還付請求者の預貯金口座に供託金を振込してもらうという方法です。還付請求者本人名義の口座でもいいですし、代理人名義の口座でも構いませんが日本銀行が指定した銀行等に限られます（規22Ⅱ⑤括弧書き）。ただし、代理人名義の口座への振込を希望する場合には、「委任状」が必要で、そこには、「供託金を受領することについても委任する」という内容の記載が必要となりますから注意してください。また、この場合には委任状に押印された還付請求者本人の印鑑証明書の添付も必要となります（規26Ⅰ本文）。なお、預貯金振込みの方法は、自分や代理人の口座に振り込んでもらえるので利用しやすい方法ではあるものの、手続に３～４日かかりますから、現金化を急ぐ場合には他の方法を利用することをお勧めします。

預貯金振込みを希望する場合には、供託金払渡請求書の右側にある「隔地払、国庫金振替、預貯金振込を希望するときはその旨」欄の中の「3.預貯金振込」欄に振込先銀行名や口座番号などの必要事項を記載してください（【参考例④】参照）。

最後になりましたが、窓口で小切手を受け取る方法を希望する場合には、この点について、供託金払渡請求書には特に何も記載しなくても結構です。

2－2－7　郵送申請

還付請求についても、供託申請と同様、郵送で申請することができます。

この場合には、供託金払渡請求書と一緒に、これまでお話しした還付請求をするのに必要な書面も同封する必要があります。具体的には、資格証明書・代理権限証書・印鑑証明書・還付を受ける権利を有することを証する書面などです。なお、郵送申請の場合には簡易確認手続は利用できないのでご注意ください。

そして、郵送申請の場合には、供託金の受領方法は、隔地払か預貯金振込みになります。

2－2－8　オンライン申請

書面申請の場合は、個人が直接窓口に出向いて本人申請する場合以外は、供託金払渡請求書に実印を押してその印鑑証明書を添付する必要がありました。

オンライン申請の場合には、供託金払渡請求書に記載するのと同じ情報に、実印を押すかわりに「電子署名」をし、電子証明書を送信する必要があります。こうした操作は、「かんたん申請」では取り扱えないので、「申請用総合ソフト」を使う必要があります。

ただ、申請用総合ソフトを使ったオンライン申請の具体的な内容については、申し訳ありませんが、供託申請の場合と同様、本書では、紙面の関係で省略させていただくこととします。

第 3 章

受領拒否を原因とする
家賃債務の弁済供託

3－1 今回の事案で弁済供託をすることができるか

事例３－１

池田さんは、熊本市内にある自分のお店の近くで、アパートの１室を借りて住んでいます。

貸主は、そのアパートのすぐ近くに一軒家を構える井口さんです。井口さんは、熊本市内に所有する同じようなアパートを数軒経営しています。

池田さんが井口さんとの間で交わした賃貸借契約の条件は、

・月末に
・翌月分の家賃５万円を
・現金で
・井口さんの家に持参して支払う

という昔ながらのものでした。

建物はかなり古いものでしたが、賑わいのある通りからすぐ近くという立地条件と、その割には安めの家賃に惹かれて決めた物件でした。池田さんには、この契約内容に何の不満もありませんでした。住み始めてかれこれ５年以上経ちますが、貸主である井口さんとはトラブルもまったくなく、至って良好な関係であり、令和２年４月１日以降に契約更新の合意もされました。

そして、池田さんは、いつものように、ある月末に井口さんの家を訪れ、持参した現金５万円を支払おうとしました。ところが、井口さんは、「家賃は受け取らない」の一点張りで、家賃を受け取ってくれません。

井口さんの様子が普段とあからさまに違っていましたから、何かがあったことは間違いなさそうなのですが、井口さん本人は何も語ってくれませんでした。

池田さんは、井口さんの勢いに押されていったん帰宅しましたが、何が悪かったのか見当もつかず困ってしまいました。突然こんなことになってしまい、今後の不安はあるものの、いまのアパートは池田さんにとっては非常に便利で居心地もよく、いまのところ引越しするつもりはまったくありません。

そのため、池田さんは、このまま来月も井口さんに家賃を受け取ってもらえない場合には、今後もこのアパートに住み続けるために、供託所に家賃の弁済供託をしたいと考えていますが、どのようにすれば弁済供託をすることができるのでしょうか。逆に、どのような場合には弁済供託をすることができないのでしょうか。

3－1－1　説明の順番

この節では、どのような場合に弁済供託をすることができるのかについてお話しします。

ただ、「急がば回れ」というとおり、やはり「弁済供託の全体像」が頭の中にあるかどうかで、後々の説明の理解もずいぶんと変わってくるように思います。

そこで、まずは「全体像」を説明したうえで、その次に、「今回の事例３-１で、池田さんがはたして弁済供託をすることができるのか」ということを検討していくことにします。

3－1－2　弁済供託をすることができるのは、民法第494条に該当する場合のみ

3－1－2－1　弁済供託の供託根拠法令は民法第494条

たとえば、あなたが代金支払債務や家賃支払債務といった金銭債務を負っていたとしましょう。そして、あなたには、この債務を弁済する意思も資金もあるとします。

大抵の場合は、何のトラブルもなく実際に弁済することができると思います。他方で、残念ながら、弁済できなくなるような事態が生じることも想定されます。たとえば、事例３-１で挙げたような「債権者が受け取ってくれない」という事態が生じるかもしれません。そのほかにも、「金融機関のシ

ステム障害でATMが動かなくなり、弁済のための資金を動かせない」といった事態や、「当日になって急に債権者と連絡が取れなくなり、どこに代金を持っていったらいいのか分からない」といった事態が生じる可能性もあります。考え出したらキリがありません。

このように支払う意思も資金もあるのに弁済できない場合であっても、必ずしも常に弁済供託をすることができるわけではありません。供託するためには、何はともあれ供託根拠法令が存在することが必要です（1-2-2-3参照）。

弁済供託の供託根拠法令、つまり、「弁済する意思も資金もある債務者が、こういう場合であれば、供託所に代金を供託することができますよ」ということを定めた法令は、民法という法律の第494条という条文です。

なお、令和２年４月１日施行の改正民法では、民法第494条について文言の整理が行われたほか、譲渡制限特約付債権が譲渡された場合に供託できる民法第466条の２などが新設されました。ただ、同条の供託は、典型的な弁済供託ではありませんし、適用される場面も限られていますので、こうして新設されたものについては、後ほど5-3でまとめてお話しすることとします。

話を戻しまして、この**民法第494条**という条文は、弁済供託を理解する上で大変重要ですので、ここにそのまま引用しておきます。

【民法第494条】

(1) 弁済者は、次に掲げる場合には、債権者のために弁済の目的物を供託することができる。この場合においては、弁済者が供託をした時に、その債権は、消滅する。

　1　弁済の提供をした場合において、債権者がその受領を拒んだとき。

　2　債権者が弁済を受領することができないとき。

(2) 弁済者が債権者を確知することができないときも、前項と同様とする。ただし、弁済者に過失があるときは、この限りでない。

なお、話をややこしくして申し訳ないのですが、弁済供託をする金銭債務が、令和2年3月31日以前（改正民法が施行される前）に締結された契約に基づいて発生したものである場合、供託根拠法令は、改正前の民法第494条になります（附則25Ⅰ・17Ⅰ）。

たとえば、この日以前に締結した賃貸借契約に基づいて令和2年4月1日以降に発生した賃料債務が典型例です。このことは、賃貸借契約が令和2年4月1日以降に更新されていた場合であっても、その更新が当事者の合意によるものではなく、法定更新（借26）だったときには同じ結論になります。

このように旧法が適用される場合には、供託根拠法令は従来どおり単純に「民法第494条」とだけ記載すればよいことになります。

3－1－2－2　弁済供託ができるのは3パターンだけ

ただいま挙げた条文にあるとおり、この民法第494条では、弁済供託をすることができるパターンが3つ定められています。

逆の言い方をしますと、供託根拠規定である民法第494条に定められた3つのパターンに当てはまらない場合には、債務者がどんなに気の毒な状況にあったとしても、民法上の弁済供託をすることはできません（新設された民法466の2などは、ここではひとまず脇におきます）。

本章では、3つのパターンについて、それぞれ事例を交えて具体的に説明していきます。ただ、いきなり弁済供託の細かい話に入っていっても分かりにくいだけです。そこで、後々の説明のことも考え、まずは、この3つのパターンについて「だいたいこんな場合なのね」というイメージを持っていただくことにします。

3－1－2－3　3つのパターンそれぞれの典型的なイメージ

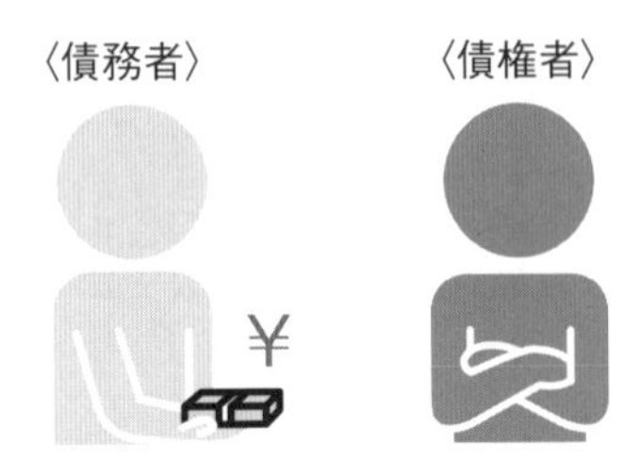

1つ目は、民法第494条の第1項第1号に書いてある「弁済の提供をした場合において、債権者がその受領を拒んだとき」というパターンで、**受領拒否**といいます。このパターンで持っていただきたい典型的なイメージは、「債務者が債権者の目の前で現金を実際に差し出しているのに、債権者が腕を組んでそっぽを向いていて、決して受け取ろうとしない」というものです。

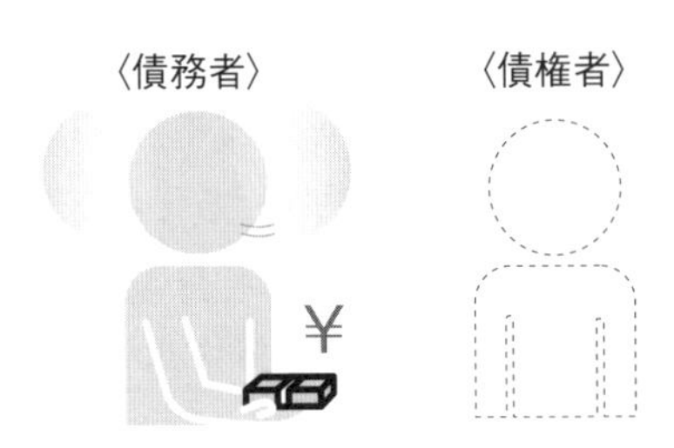

2つ目は、民法第494条の第1項第2号に出てくる「債権者が弁済を受領することができないとき」というパターンで、**受領不能**といいます。持っていただきたい典型的なイメージは、「債務者が債権者の自宅まで現金を持っていったのに、債権者の家がもぬけの殻で、途方に暮れている」というものです。

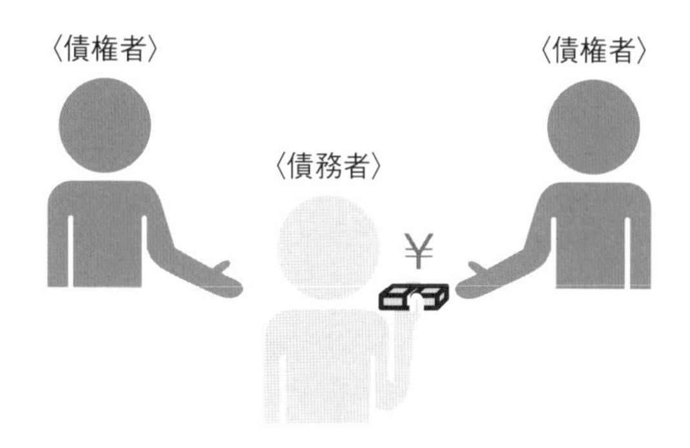

3つ目は、民法第494条の第2項に出てくる「弁済者が債権者を確知することができないとき」というパターンで、少し聞き慣れない法律的な言い回しですが**債権者不確知**といいます。持っていただきたい典型的なイメージは、「債務者が現金を持って待合せ場所で待っていると、『私が債権者だ』という人物が2人現れて、どちらに支払えばいいのか見当が付かずに困っている」というものです。

どういう場合に弁済供託をすることができるのか、「だいたいのイメージ」はつかめたでしょうか。

3－1－3　受領拒否を原因とする弁済供託の要件

3－1－3－1　今回の事例は「受領拒否」

事例3-1で挙げた借主の池田さんと貸主の井口さんのシチュエーションは、おそらくピンときたかと思いますが、先ほど挙げた3つのパターンでいうと、いちばん最初の「受領拒否」のパターンに該当します。

では、この「受領拒否に基づく弁済供託」について、もう少し詳しく見ていきましょう。

3－1－3－2　支払しようとしたのが「一部」にすぎない場合、弁済供託をすることはできない

「債権者がその受領を拒んだ」場合、つまり受領拒否の場合には弁済供託

をすることができます。ただ、その前提として、「債務者がきちんと弁済をしようとしたのに」という事情があったことが、法律上求められています（詳しくは、3-3でまとめて説明します）。

今回の事例3-1では、家賃を月額5万円とするという契約になっていますが、たとえば池田さんが家賃として1万円しか持参しなかったとしましょう。この場合、あなたが井口さんの立場でしたら、池田さんに対してどんなことが言いたくなりますか。「いやいや、ふざけないでくださいよ。きちんと5万円全額を持ってきてください」と言いたくなりませんか。口にするかどうかは別として、「1万円なんか受け取れるか、帰れ帰れ」という気持ちが湧き上がる方は少なくないのではないでしょうか。

そして、池田さんが賃料の一部にすぎない1万円しか持っていかなかったような場合には、たとえ債権者の井口さんが受領拒否をしても、法律上、池田さんは弁済供託をすることはできません。これは、先ほど紹介した「債務者がきちんと弁済をしようとした」という弁済供託をするための前提を満たさないからです（3-3-2-3、3-3-2-4参照）。

3－1－3－3　弁済供託の前提として「債務の本旨に従って弁済の提供をすること」が必要

先ほど3-1-3-2でお話しした「債務者がきちんと弁済しようとした」というのは、法律上の言葉としては、「弁済の提供」といい（民492、494Ⅰ①）、「**債務の本旨**に従って」されることが求められています（民493本文）。

「債務の本旨」については、「契約・法令どおりの債務の内容」というイメージで理解すれば、とりあえずは十分かと思います。本書で扱う代金や家賃の支払といった金銭債務の場合であれば「利息等を含めた全額を支払う」ということになります。

「弁済の提供」については、とりあえずは「債務者が『後は債権者が動いてくれなければどうしようもない』というところまで弁済の手順を進める」というイメージを持っておけば大丈夫です。金銭債務の場合であれば、持っていく・振り込む、取立てに備えて現金を手元に準備する・引落しに備えて口座に預金を準備するといったことが挙げられます。

ここまでの話を整理しますと、受領拒否に基づいて弁済供託をするためには、まず、債権者に対して単になんらかの金銭を提供したというのではなく、

① 債権者に、債務の本旨に従って弁済の提供をした

ということが大前提になります。そして、こうした弁済の提供があるにもかかわらず、

② 債権者が、その弁済の受領を拒んだ

という事情がある場合には、弁済供託をすることができます。

3－1－3－4 今回の事案では、債務の本旨に従って弁済の提供をしたと認められる

今回の事例3-1では、賃貸借契約の条件は、

・月末に

・翌月分の家賃5万円を

・現金で

・井口さんの家に持参して支払う

というものでした。

そうしますと、月末時点での池田さんにとっての「債務の本旨」というのは、翌月分の家賃である5万円全額を現金で支払うということになりますし、「弁済の提供」というのは、この現金5万円を月末に井口さんの家に持参するということになります。

今回、池田さんは、実際に、月末に、翌月分家賃5万円を現金で、井口さんの家に持参していますから、①債務の本旨に従った弁済の提供がされていると言えます。そのうえで、②債権者である井口さんが受領を拒んでいるわけですから、受領拒否を原因とする弁済供託の条件を満たします。

したがいまして、今回、池田さんは、家賃について弁済供託をすることが

できます。

3－1－4　弁済供託の効果

弁済供託をすると、民法第494条第１項柱書に「その債権は、消滅する」とあるとおり、何のトラブルもなく弁済をした通常の場合と同様に債権が消滅し（民473）、債務そのものから免れることができます。

ですから、池田さんは、今後井口さんから、弁済供託をした月分の家賃を請求されることはありません。また、この月分の家賃について「債務不履行だ」などと言われて退去を求められることもありません。

3－1－5　還付請求の手続は、基本パターンのとおり

井口さんが、池田さんの供託した供託金を還付しようと考えた場合、どのような手続をとればよいのでしょうか。

事例３-１の場合、供託書に記載された被供託者（井口さん）が還付を受けようというものであり、井口さんの住所などについても特に変更がありません。

ですから、還付請求の手続は、「還付を受ける権利を有することを証する書面」の添付が不要な還付請求の基本パターンとなります（1-3-3-4、【参考例②】参照）。

3－2　具体的な供託申請

3－2－1　供託書による申請

3－2－1－1　「供託者」欄などの基本事項に記載する内容

では、池田さんは、供託書にどのようなことを書けばよいのでしょうか。

今回の事案は、家賃についての弁済供託ですので、第一号様式という書式を使います。なお、「第一号」様式とされているのは、やはり、地代や家賃の弁済供託が、供託事件の中で最も件数が多くポピュラーなものだからなのでしょう。

この書式に、今回の事例3－1に沿うように必要事項を記入したのが、【参考例⑤】です。

左上から順に、「申請年月日」欄、1つ飛ばして「供託者の住所氏名」欄、「被供託者の住所氏名」欄、「供託金額」欄については、第1章で説明したのと同じ内容です（1－3－3－2参照）。

また、右上の「法令条項」欄ですが、受領拒否の場合ですので「民法第494条第1項第1号」と記載してください。

3－2－1－2　「供託の原因たる事実」欄の中の「賃借の目的物」欄

「法令条項」欄の下の「供託の原因たる事実」欄に移ります。

「賃借の目的物」欄には、賃貸の目的物を特定するための情報を書きます。

賃貸の目的物が建物（部屋）であれば、その建物（部屋）が他の建物（部屋）とはきちんと区別されて、「ああ、この建物（部屋）のことだ」と分かるような事実を書かなければなりません。所在場所や部屋番号はほとんどの場合で必須でしょう。明確な区別をするために床面積などを記載する必要がある場合もあるでしょう。

何をどこまで記載しなければいけないのかは、ケースバイケースとなる部

【参考例⑤】 供託書

供託書・OCR用
（地代・家賃弁済）

□字加入 □字削除　係員印　受付　調査　記録　／頁（第1号様式 印供第31号）

申請年月日	令和3 年 3 月 1 日	供託カード番号（　　）カードご利用の方は記入してください。
供託所の表示	熊本地方法務局	
供託者の住所氏名	住所 熊本市中央区大江○○○○ ハイツ井口202号室 氏名・法人名等 池田◇◇ 代表者等又は代理人住所氏名	□別添のとおり ふたりめからは別紙継続用紙に記載してください。
被供託者の住所氏名	住所 熊本市中央区京町○○○○ 氏名・法人名等 井口◇◇	□別添のとおり ふたりめからは別紙継続用紙に記載してください。 ●供託通知書の発送を請求する。
供託金額	¥50000（百 十 億 千 百 十 万 千 百 十 円）	年　月　日 ㊞ □供託カード発行

↓ 濁点、半濁点は1マスを使用してください。

供託者カナ氏名	イケタ゛◇◇

法令条項		民法第494条第1項第1号		
供託の原因たる事実	契約内容	賃借の目的物	熊本市中央区大江○○○○ハイツ井口202号室	
		賃料	月50,000円	支払日 前月末日
		支払場所	●被供託者住所 □供託者住所 □その他（　　）	
	供託する賃料		令和 3 年 3 月分	
	供託の事由		●令和 3 年 2 月 28 日提供したが受領を拒否された。 のため {□受領することができない。 □受領しないことが明らかである。 □債権者を確知できない。}	
□供託により消滅すべき質権又は抵当権 □反対給付の内容				
備考			賃料は翌月分前払いである。	

（注）1．供託金額の冒頭に¥記号を記入してください。なお，供託金額の訂正はできません。
2．本供託書は折り曲げないでください。

100000

分があり、結局、中立的な立場にある供託官（供託官は、供託者の味方ではありませんし、被供託者の味方でもありません。あくまで中立的な立場です）にも、供託書の記載だけで分かる程度にということにならざるを得ません。

なお、賃貸の目的物が土地の場合には、その土地の登記事項証明書に記載された所在場所（地番まで）・地目・地積などを記入することになります。

3－2－1－3　「供託の原因たる事実」欄の中の「賃料」「支払日」欄

「賃料」「支払日」欄には、契約した内容をそのまま記載します。

事例3-1でいうと、「賃料」欄に記入するのは、契約どおり「月額５万円」となります。ただ、単に「５万円」と書いたのでは、１カ月で５万円なのか１年で５万円なのかといったことが供託官には分かりません。そこで、「月」などの言葉を補って、「どの期間でいくらなのか」ということが供託書の記載だけで分かるようにしてください。

次に「支払日」欄ですが、事例3-1でいうと、契約では「（今）月末に翌月分を支払う」と表現されているようです。これは、具体例で考えると、「３月分の家賃であれば、２月末に支払う」ということですよね。そうしますと、今回の事例の支払日は、「前月末に今月分を」と言い換えることもできます。そのため、今回の事例のような場合ですと、支払日欄の記載方法としては、「**前月末日**」という表現がよく使われています。

3－2－1－4　「供託の原因たる事実」欄の中の「供託する賃料」「供託の事由」欄

次に、「供託する賃料」欄についてです。

供託官の立場からしますと、供託書の記載から賃貸借契約の内容が理解できる場合でも、今回供託者が具体的に「いつ分の賃料」を供託したいのかまでは分かりません。そこで、供託する賃料が、たとえば何月分のものなのかをはっきりさせるために、この欄に記載します。

そして、「供託の事由」欄ですが、今回は受領拒否が原因なので、「弁済の提供をしたのに、受領を拒否された」という意味のことを記載することになります。

3－2－1－5　供託する場所は「債務の履行地の供託所」

最後に、左側の上から２番目の「供託所の表示」欄と、右側の「契約内容」欄内にある「支払場所」欄について説明します。

この２つの記載には密接な関係があります。実は、弁済供託をすべき供託所というのは、供託者が自由に決められるものではありません。というのも、民法第495条第１項によって「前条の規定による供託は、**債務の履行地の供託所**にしなければならない」と定められているからです。この条文にある「債務の履行地」というのは、金銭債務の場合、まさに「支払場所」のことです。このように「供託所の表示」と「支払場所」とは互いにリンクしています（「支払場所」については、3-3-3で詳しく説明します)。

では、「債務の履行地の供託所」とは、具体的にはどこになるのでしょうか。これは、原則として、債務の履行地のある市区町村（最小行政区画）にある供託所になります。ただ、供託所は全国311カ所（令和２年４月１日現在）にしかありませんので、供託所のない市区町村もあります。その場合には、その債務の履行地がある都道府県（行政区画）内にある最寄りの供託所となります。この「最寄り」というのは、地図上でいちばん近い場合だけでなく、交通の便を考えた場合にいちばん近いという場合でも構いません*1。

事例3-1ですと、契約によれば、支払場所は被供託者である井口さんの住所ですので、井口さんの住所である熊本市にある供託所が「債務の履行地の供託所」となります。したがって、今回の弁済供託の手続は、熊本地方法務局で行うことになります。

3－2－2　２回目以降は供託カードが便利

売買代金を１回で支払うような場合であれば、売主（債権者）が受領を拒んでいたとしても、代金の弁済供託は１回で済みます。

ところが、事例3-1のようなアパートの1室の賃貸借契約だと、大抵の場合、家賃支払債務が発生するのは毎月のことです。そのため、貸主（債権者）が家賃の受領を拒み続けている限り、家賃の弁済供託をするのも毎月のことになります。

この場合、供託書に記載しなければならない内容は、毎回ほぼ同じになります。それなのに、毎回、同じ内容をすべて書かなければならないとしたら、かなり面倒ですよね。

そこで、こうした記載の手間を省くために、供託所では、賃料などの継続的給付に係る金銭の供託については、希望者に対して、【資料⑧】のような「**供託カード**」というカードを発行しています（規13の4 Ⅰ・Ⅱ）。

【資料⑧】供託カード

この供託カードを使えば、事例3-1のような家賃の弁済供託ですと、2回目以降は、供託書に、

- 供託カード番号
- 供託者の氏名
- 供託金の額
- 供託申請年月日

といった最低限の記載をするだけで済みます（規13の4 Ⅳ）。

もちろん、代理人による供託申請をする場合には、代理人の氏名を記載しなければなりません（規13の４Ⅳ③）。また、供託カードによって記載を省略できる部分は、１回目の供託の供託書に記載された内容と同じであることが前提ですから、この部分に変更がある場合には、変更された事項を記載しなければなりません（規13の４Ⅳ④）。

なお、供託カードは、同じ内容で繰り返し使う場合には、手間がずいぶんと省けて便利なのですが、最後に供託カードを使った供託をしてから２年経過すると使えなくなってしまいます。また、供託者の住所氏名や代理人の住所氏名などが変わったときにも使えなくなりますので、注意してください（規13の４Ⅴ①②）。

３－２－３　供託所が遠方にある場合には「かんたん申請」が便利

毎月家賃の弁済供託をしなければならないような場合、家の近くに供託所があればいいのですが、供託所のある場所が同じ県内でも家から通いにくいところだったり、県外といった遠方だったりすることもあります。その場合に、毎月供託所に足を運んで供託手続をすることは、時間面でも費用面でも手間暇という観点からも、あまりに負担が大きくなってしまいます。

そのような場合、もしインターネットを使える環境をお持ちであれば、オンライン申請のかんたん申請を利用することによって、わざわざ供託所に足を運ばなくとも簡単に弁済供託をすることができます（2-1-4-4参照）。

事例3-1でいうと、「かんたん申請」のホームページ（2-1-4-4【資料⑥】）でいちばん上の「供託（金銭）地代家賃弁済【かんたん】」を選択し、出てきた画面に必要事項を入力していきます。入力する内容は、次頁の【参考例⑥】のとおりです。これは、先ほど3-2-1-1で紹介した【参考例⑤】の供託書に記載した内容とほぼ同じです。

１回目については何か相談したいこともあるでしょうし、不安もあるでしょうから窓口に足を運ぶことにする方も多いと思います。しかし、同じことの繰り返しになる２回目以降は、「かんたん申請」のほうが断然便利です

【参考例⑥】

供託ねっと
供託かんたん申請

証明書請求 | 供託申請 | 処理状況照会 | パスワード更新 | 申請者情報変更 | 申請者情報抹消 | ヘルプ | ダウンロード（ソフトウェア）（操作手引書） | ご利用環境 | FAQ・お問い合わせ | ログアウト

Step1 申請書作成 ▶ Step2 納付情報入力 ▶ Step3 送信確認 ▶ Step4 送信完了

Step 1-1 申請情報の入力

手続についてを表示

供託書（金銭供託）地代家賃弁済

供託所の表示		熊本地方法務局 （供託所選択）
供託者の住所・氏名	住所又は法人所在地	熊本市中央区大江○○○○　ハイツ井口202号室
	氏名又は法人名	池田◇◇ ／ 会社法人等番号（供託者） □-□-□ ※資格証明書の省略について
	代表者（資格・氏名）又は代理人（住所・氏名）	／ 会社法人等番号（代理人） □-□-□ ※資格証明書の省略について
被供託者の住所・氏名	住所又は法人所在地	熊本市中央区京町○○○○
	氏名又は法人名	井口◇◇
法令条項		○本供託の原因となる賃貸借契約の締結日（又は直近の合意更新日）が２０２０年３月３１日以前である。 ●本供託の原因となる賃貸借契約の締結日（又は直近の合意更新日）が２０２０年４月１日以降である （「供託の事由」を選択することによって，法令条項が表示されます。）。 民法第４９４条
供託の原因たる事実 契約内容	賃借の目的物	熊本市中央区大江○○○○　ハイツ井口202号室
	賃料	月額５万 円
	支払日	前月末日
	支払場所	●被供託者住所 ○供託者住所 ○その他（　）
供託の原因たる事実	供託する賃料	令和 3 年 3 月分
	供託の事由	● 令和 3 年 2 月 28 日 提供したが受領を拒否された。 のため ○受領することができない。○受領しないことが明らかである。 ○債権者を確知できない。
供託金額		50,000 円
□供託により消滅すべき質権又は抵当権		
□反対給付の内容		

□送付する添付書面あり

☑供託通知書の発送を請求する（この場合には、供託所宛てに、被供託者の住所氏名を記載した郵便切手等付きの封筒を、この供託書の発信後取得する申請番号を付記した上で送付してください。）。

□資格証明書を省略するため会社法人等番号を提示する。

複数の会社法人等番号を提示する場合は右側の入力欄に入力してください。
（複数の会社法人等番号を入力する番号には，１番号ごとに改行してください。）
※入力方法　半角12桁で入力し，'-'（ハイフン）は入れないでください。
（記載例）123456789010
また，会社法人等番号（供託者）欄・会社法人等番号（代理人）欄に入力した会社法人等番号は入力しないでください。

会社法人等番号・複数入力用

○書面の供託書正本の窓口交付を請求する。
☑書面の供託書正本の送付(注)を請求する。
(注)書面の供託書正本の送付を請求する場合は，供託所宛てに，返信用の郵便切手等付きの封筒を，この供託書の送信後取得する申請番号を付記した上で送付してください。

備考	賃料翌月分前払いである。
□補正のコメントを受領したので補正申請として申請する。	補正対象申請番号 （申請済みの申請書に対して補正を行う場合に、補正対象となる申請番号（初回の申請番号）を入力してください。）

連絡先情報（申請者情報登録で登録された情報）

氏名	池田◇◇
連絡先電話番号	00-0000-0000

次へ　　戻る（供託申請メニュー）

ので、こちらをお勧めします。

「かんたん申請」では、必要な入力を終えた後、画面に従って供託申請をします。供託申請されたデータは、インターネットで供託所に届きます。そして、申請した供託を供託官が受理したかどうかについても、「かんたん申請」のホームページからウェブ上で簡単に確認することができます。

そして、あなたが申請した供託を受理されたことを確認できた際には、そのホームページから供託金の納付についての指示も確認できますので、その指示に従って、お近くのペイジー（Pay-easy）対応のATMやインターネットバンキングなどで供託金の電子納付をしてください（2-1-6-4参照)。

なお、かんたん申請のページで必要事項を入力すると、供託手続をしてから92日間はデータが残っています。そのため、あなたが「かんたん申請」のページを開くと、前回の供託と共通する事項がすでに記入された状態になっています。このようにデータが再利用できますので、後は、その回の供託で必要な事項だけを記入すればよいことになります。

3－3　弁済の提供について

3－3－1　いろいろなバリエーションがある

3-1でもお話ししましたが、受領拒否を原因とする弁済供託をするためには、その前提として、その金銭債務について「債務の本旨に従って弁済の提供をすること」が必要になります（3-1-3-3参照）。

ところで、事例3-1は、何が「債務の本旨」なのか、どのように「弁済の提供」をすればよいのかが、かなり分かりやすい事例でした。しかし、ひとくちに「債務の本旨に従って弁済の提供をする」といっても、契約内容や提供しようとするタイミングなどによって、その具体的な中身がさまざまなものになります。実際には、身の回りによくある事案であっても、具体的な弁済の提供の内容が分かりにくいものが少なくありません。

そこで、本節では、「債務の本旨に従って弁済の提供をする」の具体例について、よく見られる代表的なパターンについて説明します。話を整理するため、

・いつ・何を提供すればよいのか

・どこで・どのように提供すればよいのか

という2つの観点でそれぞれ分けて説明することにします。

3－3－2　いつ・何を提供すればよいのか

3－3－2－1　「いつ」については、大きく3パターン

これから、「いつ」を3つのパターンに分けて順にお話ししていきます。

1つ目のパターンが、**履行期**に提供するパターンです（事例1であれば9月25日）。

2つ目のパターンが、履行期を過ぎてから提供するパターンです（事例1であれば、9月26日以降）。

３つ目のパターンが、履行期が来る前に提供するパターンです（事例１であれば、９月24日以前）。

では、これから、それぞれのパターンで、「何が全額（債務の本旨）となるのか」についてお話していきます。

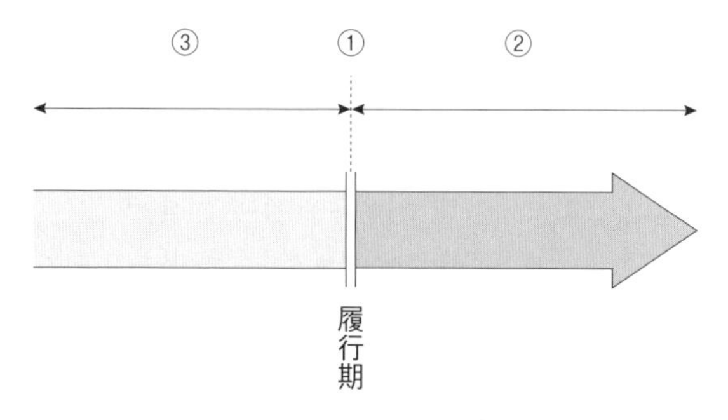

3－3－2－2　①「履行期」に提供するのが基本

受領拒否ということを念頭に置いていると、ついつい忘れがちになりますが、通常の事例では、債務者が、約束どおりの時期に弁済の提供をすれば、債権者がこれを受領して弁済が終了します。そうしますと、弁済の提供をすべき時期はいつかと問われれば、おのずと「契約どおり履行期にするのが基本」ということになろうかと思います。

金銭債務の履行期は、一般に「支払日」「支払期限」とも呼ばれます。そこで、この「履行期」という言葉については、「支払のタイムリミット（期限）」というイメージを持っていただければと思います。

具体的な履行期がいつになるのかは、基本的には契約によって決まります。たとえば、事例１の「９月25日」のようにある決まった特定の日の場合もありますし、事例３-１の「毎月末日」のように月によって具体的な「日」が違う場合もあります。また、「商品を引き渡した日から10日後」というような定め方もあります。さらには、普通預金のように「払戻請求があった時点」という場合もあり、実に多種多様です。

3－3－2－3　①履行期に提供する金銭は「全額」

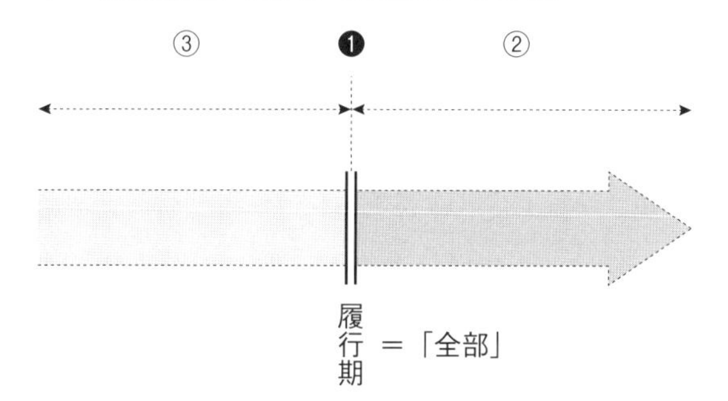

履行期に提供する金銭は、簡単に言うと、「契約で、履行期に弁済すると決めたもの全部」となります（「債務の本旨」ということになります）。

たとえば、売買契約の買主であれば売買代金全額（事例1であれば各回30万円）でしょうし、賃貸借契約の借主であれば賃料全額（事例3-1であれば月額5万円）となります。

また、賃貸借契約では、しばしば月額の賃料と一緒に、共益費や水道光熱費（通常は利用量に応じた額）なども支払う取決めをしている場合があります。こうした場合には、「家賃と共益費などとを合計した額」について弁済の提供をすることができ、受領を拒否されたときには、この額で弁済供託をすることもできます。ただ、その場合には、供託官が供託書を見て審査できるようにするために、供託書の**備考欄**には、

> 今月分の共益費を、家賃と一括払いする特約があり、令和3年3月分の共益費1000円を、家賃と合わせて提供したものである。

などと記載します＊2。こうした記載によって、供託官にも共益費の額が分かりますし、家賃と一緒に共益費を提供したことも分かるようになります。

なお、事例3-1からは離れますが、借金をした場合（お金の貸し借りのことを、法律用語で**金銭消費貸借契約**といいます）であれば、多くの場合は**利息**を支払う合意がされています。その場合には、借主は、借りたお金に加え

て、借りてから返すまでの間の利息も支払う必要があります。たとえば、100万円を年利7％で借りて1年後に返すという契約内容だった場合、1年後の履行期には、貸主に107万円を提供しなければ、「弁済の提供をした」とは評価されません。

ちなみにですが、利息を支払う合意をしているものの、その利率についての合意がない場合には、「その利息が生じた最初の時点における法定利率」で計算します（民404Ⅰ）。改正民法が施行された令和2年4月1日より前に利息が生じた場合には年5％（商行為の場合は年6％）で計算することになりますし（附則15Ⅰ）、この日以降に生じたものであれば、少なくとも令和5年3月31日までの間は年3％で計算することになります（民404Ⅱ・Ⅲ）。もちろん、「無利息の合意」をしている場合には、弁済の提供にあたって利息をプラスする必要はありません。

3－3－2－4　「全額」を提供しなければ、受領を拒否されても弁済供託をすることができない

先ほど挙げた「金銭消費貸借」の例で言いますと、履行期当日に貸主に対して107万円全額（元金＋利息）を提供したにもかかわらず、貸主から受領を拒否されたのであれば、借主は弁済供託をすることができます。

では、借主が提供したのが、一部である50万円だった場合はどうなるのでしょうか。この場合、債務の一部が事実上提供されたにすぎません。当然のことながら、「債務の本旨に従って弁済の提供をした」とは評価されません。そのため、この状況下では、平たく言うと、借主は、貸主から「耳そろえて出直せ！」と言われて当然ということになります。こうした借主については、弁済供託によって救済するまでの必要がないですよね。

このように、「一部の金銭を事実上提供しただけ」の場合には、そもそも弁済の提供があったとは言えません。そのため、その受領を拒否されても、弁済供託をすることはできません。

この結論は、提供した額が103万円だったときのように、「元本全額の提供

があるとは言えるものの、利息に相当する部分に不足がある場合」であっても同様です。

なお、事例1のように、一部ずつ弁済する（全90万円の代金を、3回に分けて、30万円ずつ弁済する）という内容の契約をしている場合は、債務の本旨は「契約で定めた一部（30万円）」となります。つまり、これ（30万円）を提供すれば、受領を拒否された場合に弁済供託をすることができますが、その一部（たとえば20万円）を提供したにすぎない場合は、受領を拒否されても、弁済供託をすることはできません。

3－3－2－5　②「履行期を過ぎた場合」には、さらに遅延損害金の提供が必要

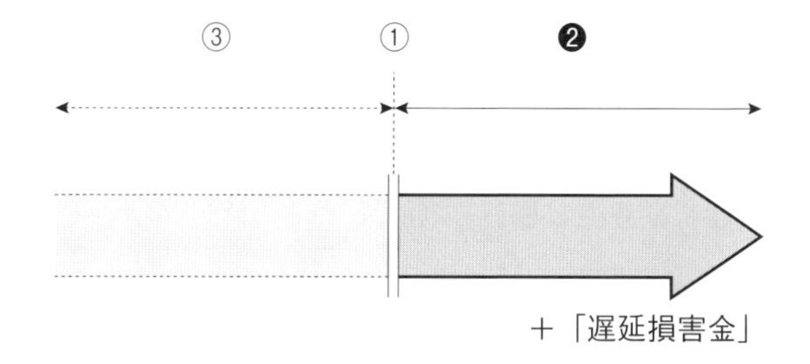

履行期に弁済の提供をするのが基本ですが、履行期を過ぎた後でも、弁済の提供をすることはできます。

ただし、履行期を過ぎると、履行期に支払わなければならなかった金銭に加えて、ペナルティとして**遅延損害金**をも支払う必要が出てきます。

遅延損害金も、あらかじめ契約で利率を決めておくことができます（民419Ⅰ但書参照）。事例1では年2割でした。これに対し、事例3-1のように利率を決めていない場合は、履行期が令和2年3月31日までに到来していれば年5％（商行為の場合は年6％）で計算することになります（附則17Ⅲ）。履行期が令和2年4月1日以降に到来した場合は、少なくとも令和5年3月31日までの間は年3％で計算することになります（民419Ⅰ本文、民404Ⅱ・Ⅲ）。ちなみに、遅延損害金は、履行期の翌日から起算します。

たとえば、あなたが代金1000万円の請負代金債務（工事代金の支払債務など）を負っていたとして、遅延損害金の利率が年15％と合意されており、弁済の提供が10日間遅れた場合（初日不算入・民140Ⅰ本文）に提供しなければならないのは、1004万1096円となります（遅延損害金＝元金1000万円×遅延損害金の年率0.15×遅延した日数10日÷365日……法令に従って小数点以下を四捨五入／閏年については366日で計算）。

このように、履行期を過ぎた場合には、「全額」というのは、遅延損害金をも加えたものになります。ですから、先ほどの請負代金債務の例でいいますと、代金1000万円だけでなく、遅延損害金４万1096円を加えた全額を提供しなければ、注文者に受領を拒否されても、請負人は弁済供託をすることができないということになります。

3－3－2－6　「弁済の提供をする内容」と「弁済供託をする内容」とは同じになる

このように、履行期または履行期後に、債務の本旨に従って弁済の提供をすると、債権者がその弁済を受領するか受領しないかにかかわらず、その後、債務者は、債務不履行責任を負わなくて済みます（民492）。

具体的に言いますと、弁済の提供の日以降に約定利息はもちろん遅延損害金が新たに発生するということはありません。弁済が終わっていないからといって契約を解除されることもありません。債務について強制執行を受けることもありませんし、抵当権などの担保権を実行されることもありません。

ですから、弁済供託をする際に供託所に提出するのは、弁済の提供をしたときと同じ内容で足ります。先ほどの「履行期から10日遅れて支払った請負契約」の例でいうと、いったん1004万1096円の提供という債務の本旨に従った弁済の提供をすれば、たとえばその１カ月後に弁済供託をしたとしても、供託所に納入すべき額は、同じ1004万1096円のままでよいということです。

このように、受領拒否による弁済供託の場合、「債権者に対して行った弁済の提供の内容」と「供託所に対して弁済供託をする内容」とは、まったく同じものになります。

次頁の【参考例⑦】は、事例３-１のようなアパートの賃貸借契約において、借主がなんらかの事情で家賃の支払を数カ月放置した後、滞納家賃について数カ月分まとめて弁済の提供をし、その後に弁済供託をしたという事案についての供託書の記載例です。貸主に弁済の提供をした額と弁済供託をした額が同じになっているのを確認してください。

なお、【参考例⑦】では、各月の家賃ごとに遅延損害金を計算して、供託官にも確認できるようにしてあります。「備考」欄にあるような計算は、たしかに面倒かとは思います。しかし、きちんと計算して内訳を記載しておかないと、供託官が供託書の記載だけでは審査できない場合も出てきます。その場合には、供託官から供託書の手直し（**補正**といいます）を求められ、かえって手間暇がかかってしまいます。そうならないためにも、きちんと内訳を記載しておいてください。

3－3－2－7　③「履行期が到来する前」には弁済の提供をすることができない

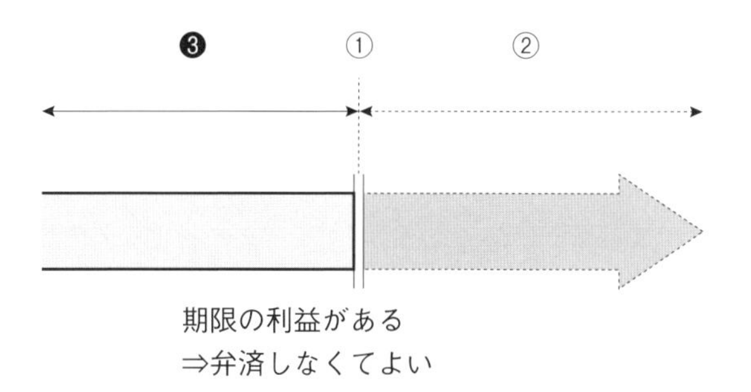

ここまでお話ししてきたとおり、履行期や履行期後には、弁済の提供をすることができます。

これに対し、履行期が到来していない、つまり支払日前である場合には、弁済の提供をすることも、弁済供託をすることもできません。

というのも、事例１でいうと、買主の池田さん（債務者）は、履行期まで

【参考例⑦】 供託書

供託書・OCR用
（地代・家賃弁済）

字加入	字削除

係員印	受付		調査		記録		／ 頁

（第１号様式 印供第31号）

申請年月日	令和３ 年 ３ 月 １ 日
供託所の表示	熊本地方法務局

供託カード番号
（　　　　　　）
カードご利用の方は記入してください。

供託者の住所氏名

住所
熊本市中央区大江○○○○
ハイツ井口202号室
氏名・法人名等
池 田 ◇ ◇
代表者等又は代理人住所氏名
☐ 別添のとおり
ふたりめからは別紙継続用紙に記載してください。

被供託者の住所氏名

住所
熊本市中央区京町○○○○
氏名・法人名等
井 口 ◇ ◇
☐ 別添のとおり
ふたりめからは別紙継続用紙に記載してください。
◯ 供託通知書の発送を請求する。

供託金額	百	十	億	千	百	十	万	千	百	十	円
					¥	1	0	0	3	5	7

年　月　日 ㊞
☐供託カード発行

↓ 濁点、半濁点は１マスを使用してください。

供託者カナ氏名	イ	ケ	タ	゛	◇	◇

法令条項		民法第494条第１項第１号		
供託の原因たる事実	契約内容	賃借の目的物	熊本市中央区大江○○○○ハイツ井口202号室	
		賃料	月50,000円	支払日 前月末日
		支払場所	◯ 被供託者住所　☐ 供託者住所　☐ その他（　　　）	
	供託する賃料		令和 ３ 年 １ 月分 から３月分まで	
	供託の事由		◯ 令和 ３ 年 ２ 月 ２８ 日提供したが受領を拒否された。	
			のため ☐受領することができない。☐受領しないことが明らかである。☐債権者を確知できない。	
☐ 供託により消滅すべき質権又は抵当権				
☐ 反対給付の内容				
備考			賃料は翌月分を前月末日払いする約定である。 １月分については提供の遅れた59日分、２月分については提供の遅れた28日分につき、年３分の割合による遅延損害金（１月分242円、２月分115円）を付して提供したものである。	

（注）１．供託金額の冒頭に¥記号を記入してください。なお、供託金額の訂正はできません。
２．本供託書は折り曲げないでください。

100000

債務を履行する必要がまったくないからです。このことを、法律用語で**期限の利益**といいます（民136Ⅰ）。債務者が「期限という名の防波堤に守られている」というイメージで大きな間違いはないと思います。

履行期よりも前の時点では、この「期限の利益」がありますから、債務者が弁済をしなくても、債務不履行となることはあり得ません。そのため、弁済の提供をして債務不履行責任を免れる必要もありませんし、ましてや弁済供託をして債務を免れる必要もありません。

要するに、履行期が到来する前の時点の債務者は、弁済供託などによって保護するような段階にはないということです。

3－3－2－8　③「期限の利益を放棄」して弁済の提供をすることが、条件付きで可能な場合がある

期限の利益は、債務者を保護する側面が強いものです。そのため、債務者が放棄をすることができます（民136Ⅱ本文）。

ひとたび期限の利益が放棄されると、先ほどのイメージで言えば、「防波堤がパッと消えてなくなる」ということになりますから、いきなり履行期が到来した状態、つまり、支払日が急に訪れた状態になります。そうしますと、理論上は、期限の利益を放棄した直後から、弁済の提供をすることが可能となりそうです。

ただ、先ほど3-3-2-3でお話しした金銭消費貸借契約（100万円を年利７％の約束で１年後に返すというもの）のような事例で、単純に期限の利益を放棄しただけだと、貸主に不利益が生じてしまいます。つまり、債務者が期限の利益を放棄して本来の履行期よりも前（たとえば半年後）に弁済の提供をすると、債権者が得られる利息が、もともと契約で予定されていた額（７万円）よりも少ない額（７万円×1/2=３万5000円）になってしまうのです。

これでは、貸主の利益が一方的に害されてしまいます。そこで、こうした不都合を回避するため、金銭消費貸借契約で期限の利益を放棄する場合には、放棄するまでの利息（３万5000円）ではなく、もともとの期限までの利

息全額（7万円）をも提供しなければ、債務の本旨に従って弁済の提供をしたことにはならず、弁済供託をすることもできないとされています（民136Ⅱ但書）＊3。

3－3－2－9　③「将来の家賃」をまとめて弁済の提供をすることはできない

金銭消費貸借契約などの場合と異なり、賃貸借契約の場合には、本来の期限よりも前に弁済の提供をしたり、弁済供託をしたりすることはできません＊4。

というのも、賃貸借は、売買や請負や消費貸借などとは契約の性質が少し異なっていまして、その違いが弁済の提供ができない原因となっています。少しややこしいですが、説明しておきます。

たとえば「車1台の売買契約」の場合ですと、「売主が車を1台売ること」と「買主がその代金を支払うこと」とが一対になっていて、代金支払債務は契約時点で発生します。履行期が1カ月後に設定されていても、それは「代金支払債務は発生しているものの、履行期が到来していないだけ」ということになります（「生まれたものの、成人には至っていない」というイメージでよいかと思います）。

これに対して、たとえば「一軒家の賃貸借契約」では、法律上の原則は後払いですので（民614）、たとえば「貸主がその家を7月の1カ月間貸すこと」と「借主が月末に7月分の家賃を支払うこと」とが一対になっており、家賃支払債務は履行期である7月31日になってはじめて発生します。8月分の家賃支払債務は、次の履行期である8月31日になってはじめて発生します（こちらは「まだ生まれてもいない」というイメージになります）。

事例3-1のように「前月末日に今月分を支払う」という先払いの特約がある場合でも、「貸主がその家を7月の1カ月間貸すこと」と「借主が前月末日に7月分の家賃を支払うこと」とが一対になっています。そのため、代金支払債務は、履行期である6月30日になってはじめて発生します。

このように、賃貸借契約では、「履行期になるまでは、家賃支払債務自体が発生していない」というのが大きな特徴です。

そして、当然のことながら、「まだ発生していない債務」について、期限の利益を放棄することはできません。また、債務が発生すらしていないのですから、そもそも弁済供託を認める必要がまったくありません。

以上のとおり、賃貸借契約では、期限の利益を放棄することができませんから、「将来の何カ月分かの家賃をまとめて、あらかじめ弁済供託をする」ということはできないのです。

3－3－2－10　①賃貸借契約の支払日に「まで」が付いていると、弁済の提供ができる幅が広がる

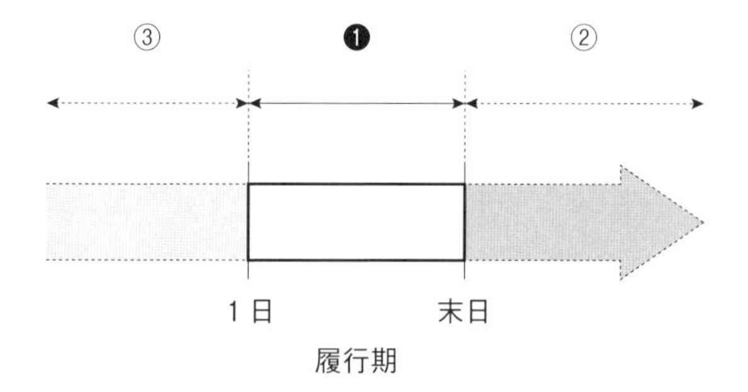

ただ、家賃の支払日が、事例3－1のような「前月末日」ではなく、「前月末日まで」とされている場合がよくあります。両者の差は、たった2文字「まで」が付いているかどうかです。では、この場合には、たとえば前月の15日に弁済の提供をすることはできるのでしょうか。

支払日が「末日」となっている場合は、先ほどお話ししたのと重なりますが「末日」という特定の日になってはじめて支払債務が発生します。ですから、借主の池田さんは、31日（月によっては28日・30日）という特定の日よりも前には、貸主の井口さんに弁済の提供をしようがありません。

これに対して、「末日まで」となっている場合には、「その月の1日から支払債務が発生しており、末日というのは最終支払期限である」と考えます。

つまり、支払日に幅があるということです。そのため、その期間内であれば、池田さんはいつでも井口さんに弁済の提供をすることができます（さすがに、その月の１日よりも前には弁済の提供をすることはできません）。

たった２文字の違いですが、このように大変大きな違いになっています。

こうした次第ですので、事例３-１の支払日が仮に「前月末日まで」となっていれば、たとえば９月分家賃については、８月１日に債務が発生することになります。そのため、末日の８月31日ではなくても、たとえば８月15日であろうが８月１日であろうが、弁済の提供をすることができます。

なお、この場合は、支払日がもう来ているわけですから、「期限の利益の放棄」をするわけではなく、単純に「履行期に弁済の提供をする」というだけのことになります。

3－3－3　どこで・どのように提供すればよいのか

3－3－3－1　「どこで」は3パターン、「どのように」も3パターン

これから、まず「どこで提供するのか」というお話をし、次いで「どのように提供するのか」についてお話しします。

「どこで提供するのか」については、契約・合意内容によって変わってきますが、パターンは、次の３つしかありません。

ⓐ債権者住所地・ⓑ債務者住所地・ⓒ合意した地

また、「どのように提供するのか」についても、どこで提供するのかや、置かれた状況によって変わってくるものの、パターンは、やはり次の３つしかありません。

①現実の提供・②口頭の提供・③口頭の提供すら不要

では、順番に見ていきましょう。

3－3－3－2　契約によって代金を提供すべき場所が決まってくる

代金をどこで提供すればよいのでしょうか。

当然と言えば当然なのですが、契約で代金を支払う場所（**債務履行地**）に

ついて合意して決めてある場合には、その場所で提供することになります。事例3－1のように、ⓐ貸主である井口さんの家（**債権者住所地**）で支払う約束となっている場合もあります。他方、ⓑ借主の池田さんの家（**債務者住所地**）で支払う約束となっている場合もあり得ますし、ⓒ井口さんと池田さんの家以外で2人が合意した場所（たとえば管理会社の事務所など）で支払う約束となっている場合などもあり得ます。まさに契約次第です。

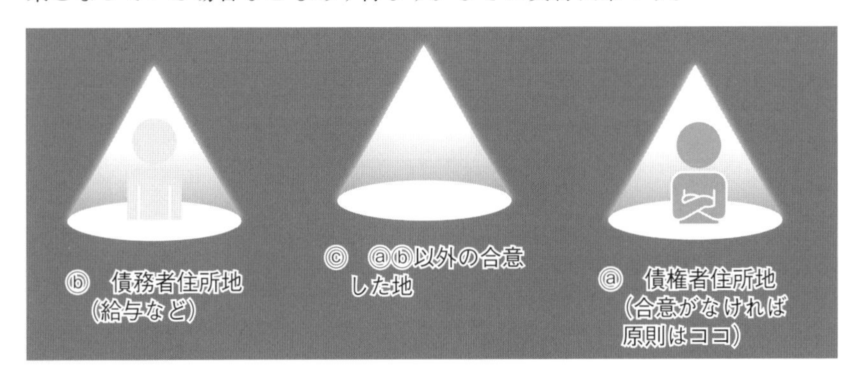

では、支払場所について、特に合意を交わしていなかった場合にはどうなるのでしょうか。この点については、民法第484条第1項が「弁済をすべき場所について別段の意思表示がないときは、……その他の弁済は債権者の現在の住所において、それぞれしなければならない。」と規定しています。そのため、金銭債権であれば、原則としてⓐ債権者住所地が債務履行地となります。家賃の場合であれば、貸主の家です。

ただ、支払場所について合意を交わしていない場合であっても、給料については、慣習上、債権者（従業員）の住所ではなく、ⓑ債務者（会社）の所在地であるとされています。

なお、この債務履行地は、弁済の提供をする場所としても重要ですが、弁済供託をする供託所を決める基準にもなりますので、とても大切です（3－2－1－5参照）。

3－3－3－3　口座取引の場合の債務履行地

事例3-1では、債務履行地を、昔ながらに「貸主の井口さんの家」という設定にしました。

しかし、現代では、借主が家賃を持参したり、貸主が家賃を取立てに行ったりということは少なくなり、Ⓐ借主が、貸主の指定した銀行口座（貸主名義の口座など）への振込入金をするか、Ⓑ貸主や、貸主から委託された管理業者が、借主の銀行口座から自動引落しをする場合がほとんどではないかと思います。

こうした口座取引の場合の債務履行地は、どこになるのでしょうか。借主や貸主の住所地でしょうか。口座が開設されている銀行の所在地でしょうか。

結論から言いますと、「銀行口座に振込入金する」「銀行口座から引き落とす」という約束の中身が、

・支払方法の合意の場合

・支払場所の合意の場合

のいずれなのかで結論が違ってきます。

支払方法の合意、つまり、銀行口座を使って支払うという「方法」だけを合意したにすぎない場合には、先ほど3-3-3-2でお話しした原則どおりになります。つまり、特に事情がない限り、債務履行地は貸主の住所地となります。

これに対し、これが支払場所の合意、つまり、銀行口座のある銀行という「場所」で支払うことについて、特に合意していたような場合には、債務履行地は、当然、銀行口座を開設した銀行の所在地になります。

このように、口座取引の場合の債務履行地の決まり方はケースバイケースであり、当事者で実際にどのような合意をしていたと言えるか次第になります。

3－3－3－4　①「持参債務」の場合には「現実の提供」が必要

弁済の提供については、3-1-3-3で、とりあえずは「債務者が『後は

債権者が動いてくれなければどうしようもない』という段階まで弁済の手順を進める」というイメージを持ってくださいと説明しました。

このイメージを、先ほどの「どこで弁済の提供をするのか」というパターンごとに当てはめていきます。

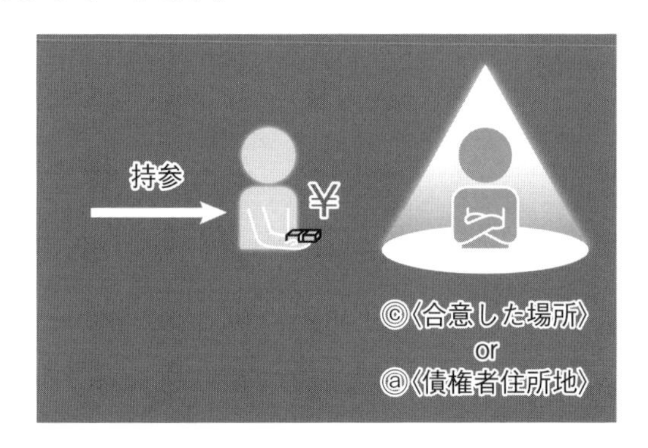

まず、事例3-1のような家賃の例で、支払場所が「合意した場所」である場合を考えましょう（借主の池田さんの住所地を除きます）。この場合、借主の池田さんにとって「後は貸主の井口さんが動いてくれなければどうしようもないという段階まで」というのは、「履行期に、その合意した場所に、現金を持参するところまで」となります。

次に、支払場所について特に合意を交わしていなかった場合であれば、「履行期に、貸主の井口さんの住所地に、現金を持参するところまで」となります。

このように、債務者が、支払場所に現金を持参する段階まで必要な行動をすることを、法律用語で**現実の提供**といいます（民493本文）。また、通常であれば現実の提供が必要な債務のことを、**持参債務**といいます。

3－3－3－5　①「現実の提供」は、具体的にはどのようにするのか

現金を持参するということをもう少し具体的に見てみましょう。

現実の提供をしたというためには、井口さん（債権者）の目の前で示すことまでは要求されません。実際に現金を携帯して、井口さんに対して受け取

るよう求める**催告**をすれば足ります。

支払場所が債権者住所地以外の場合に、その場に約束どおりに債権者が訪れなかったときには、こうした催告は当然不要です。約束どおりに現金を持参してその場に行ったこと自体が、現実の提供となります。

こうした現実の提供をすれば、それ以降、債務不履行責任を負うことはありません（民492）。そして、債権者（貸主）が弁済の受領を拒否すれば、債務者（借主）は弁済供託をすることができます。

弁済供託にあたっては、供託書の「供託の事由」欄には、

○○年○○月○○日、○○において、弁済のため提供したが、受領を拒否された

という意味のことを記載することになります（【参考例⑤】などの第一号書式では、こうした内容が印刷済みになっています）。

3－3－3－6　②「あらかじめ受領を拒否している」場合でも、口頭の提供が必要

ここでも、事例３-１のような家賃の事例（持参債務となる場合）で考えま

す。

たとえば、池田さんが井口さんの家に現金を持参する前から、井口さんが家賃を受領拒否すると公言していたような場合はどうなるのでしょうか。

債権者（貸主）が**あらかじめ受領を拒否**している、つまり、わざわざ現金を持参しても受け取ってもらえない可能性が高いのに、こういう場合にまで必ず現金を持参しなければならないというのは、かなり酷です。

他方、あらかじめ受領を拒んでいたとしても、後になって債権者（貸主）の気が変わって受領すると言い出すかもしれませんから、何もしないでよいというわけにもいきません。

そこで、債権者（貸主）があらかじめ受領を拒否している場合には、債務者（借主）は、弁済のための現金を準備したうえで、その受領をするよう債権者（貸主）に連絡をすれば足りるとされています。こうした提供方法を**口頭の提供**といいます（民493但書）。こうした口頭の提供をするにあたって準備すべき現金は、当然、債務の本旨に従った内容でなければなりません。

なお、口頭の提供をした場合も、現実の提供をした場合と同じで、その後は債務不履行責任を負うことはありません（民492）。そして、口頭の提供をしたにもかかわらず債権者（貸主）が弁済の受領を拒否した場合には、債務者（借主）は弁済供託をすることができます。

口頭の提供をした場合も、弁済供託する際には、供託書の「供託の事由」欄に、

> ○○年○○月○○日、○○において、弁済のため提供したが、受領を拒否された

という内容のことを記載します。

3－3－3－7　②「取立債務」の場合も、「口頭の提供」が必要

では、貸主の井口さんが借主の池田さんの家に家賃を取りに行くという合

意をしていた場合はどうでしょうか。こうした場合を、持参債務に対して**取立債務**といいます。

取立債務のように、債務者（借主）が弁済をするにあたって債権者（貸主）の行動（取立て）が必要な場合、債務者（借主）として最大限できることは何かというと、やはり、現金を準備したうえで、それを受領するよう債権者（貸主）に連絡を取るところまでです。つまり、この場合も、口頭の提供までですね（民493但書）。

口頭の提供をすれば債務不履行責任を免れることや、受領拒否の場合に弁済供託をすることができること、供託書の「供託の事由」欄に記載する内容などは、あらかじめ受領を拒んでいた場合と同様です（3－3－3－6参照）。

3－3－3－8　③「受領しないことが明白な場合」には、「口頭の提供」も不要となる

先ほども3－3－3－6で述べたとおり、持参債務である事例3－1で、井口さんが「あらかじめ受領を拒んでいた場合」であっても、池田さんには、少なくとも口頭の提供をすることが求められました。これは、「その後、井口さんの気が変わって、家賃を受領するかもしれないから」でした。

では、こうした受領拒否の意思が非常に固く、気が変わって受領するようなことはおよそ考えられないという場合、池田さんはどうすればよいのでしょうか。

あらかじめ受領を拒否している場合と異なり、債権者（貸主）が弁済を受領しない意思が明確と認められる場合には、もはや口頭の提供をさせるのも無駄です。そのため、口頭の提供すら不要と解されています＊5。

なお、今回の民法改正により、受領拒否による弁済供託の要件として「弁済の提供をした場合」ということが明文化されました（民494Ⅰ①）。しかし、「受領しないことが明白な場合には、口頭の提供も不要」という解釈・運用は従前どおりであり、特に変更されません。

したがいまして、この場合には、債務者（借主）は、債権者（貸主）に対

して特に何もしなくても、債務不履行責任を負いません。そして、債権者に何もしないまま弁済供託をすることもできます。

ただ、「あらかじめ弁済の受領を拒んでいる場合」なのか「弁済を受領しない意思が明白な場合」なのかによって、こうした大きな違いが現れる割には、実際の事例では両者の差がかなり微妙となることもありますので、注意が必要です。

3－3－3－9　③「受領しないことが明白な場合」の具体例

口頭の提供も不要とされる事例としては、まず、債務者が弁済しようとする契約自体について、債権者が「無効だ」とか「存在しない」などと主張して、弁済の受領を拒否している場合などが挙げられます。この場合は、たしかに債権者に弁済しようとしても、受領してもらえそうにもありませんね。

また、賃貸借契約が問題となっている事例でも、単に明渡請求がされているだけでは駄目ですが、実際に明渡しの訴訟が提起されてしまっている場合や、訴訟までいかなくても明渡しについて貸主と借主との間で主張が揉めている（**係争中**といいます）場合には、弁済を受領しない意思が明白な場合であるとされています。

実際に揉め事になっている最中に「受領しない」などと言っている場合には、その揉め事がある程度解決しなければ、急に気が変わって受領するとは考えにくいからということだと思われます。

こうした弁済供託にあたっては、供託書の「供託の事由」欄に、一種の定型文ですが、

> あらかじめ受領を拒否するとともに明渡請求をされ、目下係争中のため、受領しないことが明らかである

旨を記載することになります。

3－3－4　弁済の提供に関する記載内容が虚偽であった場合、弁済供託は無効になる

ところで、供託官は、あなたが申請した供託を受理するかどうかを審査するにあたっては、あなたから提出された供託書の記載しか見ないのが原則です。これを別の角度から言い換えると、供託官は、あなたが供託書に記載したとおりに実際に弁済の提供をしたかどうかまではチェックしないということです。

そのため、仮に「現実の提供をしたと記載してあるけども、実際にはそんなことはしていなかった」とか、「一部しか提供していなかった」とか、「本当は口頭の提供が必要な事例だったのに、『受領しないことが明らか』として何もしなくていいように取り繕った」などということがあったとしても、供託官にはまったく分かりません。その結果、供託書に、弁済の提供に関して虚偽が記載されていても、供託官が騙されてしまい、その申請どおりに供託が受理されてしまうということが起きます。

では、こうして受理された弁済供託の効力はどうなるのでしょうか。このような弁済供託でも、やはり債務から免れるという効力が発生するのでしょうか。

結論から言いますと、こうした弁済供託は無効となります。それはそうですよね、供託申請が受理された前提が間違っているのですから。いくら供託官が騙されてOKと言おうが供託を受理しようが、無効な弁済供託はどう逆立ちしたって無効です。

また、そもそも弁済の提供がされていなかった場合には、債務不履行責任を免れられません。そのため、履行期からの遅延損害金を支払わなければならなくなります。数年後に無効であることが分かると、とんでもない額になることも十分あり得ます。また、契約を解除されるおそれもありますし、債務に抵当権などの担保が付いていれば担保を実行される可能性もあります。

ですから、くれぐれも「いちいち弁済の提供をするのは面倒だ。どうせ供

託官は供託書しか見ないのだから、この際、供託書の上でだけ、弁済の提供をしたことにしてしまえ」などとは思わないでください。いくら供託官を騙せても、相手（被供託者）のある話ですから、いつかはそのインチキがばれますし、ばれた場合には痛いしっぺ返しを食らうことになりますよ。

3－3－5　まとめ

ここまで、本節では、弁済の提供について少し詳しめにお話ししてきました。

お話ししてきたテーマは、大きく2つ「いつ・何を提供するのか」ということと、「どこで・どのように提供するのか」ということでした。

「いつ・何を提供するのか」については、提供時期を大きく3つ、履行期・履行期到来後・履行期到来前というパターンに分けて、それぞれのパターンで「何が全額になるのか」といったことをお話ししました。

また、「どこで・どのように提供するのか」については、契約によって提供場所が、債権者所在地（持参債務）・債務者所在地（取立債務）・合意した地という3つのパターンがあり、提供方法についても大きく3つ、現実の提供が必要なパターン・口頭の提供で足りるパターン・さらに口頭の提供すら不要なパターンがあることをお話ししました。

やや複雑だと感じられた方もいらっしゃると思いますが、ご自身が直面しているパターンがどれなのかという目で見れば、実はそれほど複雑ではありませんので、身の回りの支払の場面について考えてみることをお勧めします。

3－4　増額請求された場合

3－4－1　事例3－2

事例3－1で、池田さん（借主）と井口さん（貸主）との間で交わした賃貸借契約の条件は、

・月末に
・翌月分の家賃5万円を
・現金で
・井口さんの家に持参して支払う

というものでした。

事例3－1では、井口さんは、月末に家賃5万円を持参した池田さんに対して、その受領を拒否する理由を説明しませんでした。この部分が次のように変わった場合、池田さんは「月額6万円」で弁済供託をすることができるのでしょうか。

事例3－2

［井口さんが説明した受領拒否の理由等］

〈家賃の増額請求〉

井口さんは、先月末、池田さんに対して「ここ数年、周りの家賃相場が上がってきています。これまで家賃を据え置いてきましたが、正直かなり苦しいです。そこで、突然で申し訳ないのですが、来月から家賃を月額7万円に引き上げることにしました」などと言って頭を下げてきました。

〈池田さんが思う適切な家賃〉

もともと池田さんとしても、この物件は、かなり古いものの、賑わいのある通りからすぐ近くという立地条件と、その割には安めの家賃に惹かれて入居を決めていたくらいですので、井口さんの言うことには一理あると思いま

した。ただ、他方で、「値上げするにしても7万円は高すぎで、せいぜい6万円だろう」と感じていました。

池田さんは、後日、近くの不動産会社を数件見て回りましたが、この近辺にある築年数が同じくらいの物件だと、だいたい6万円から6万5000円が相場のようでした。

〈受領拒否〉

こうしたこともあって、池田さんは、次の月末に、井口さんの家に行って、池田さんの見立てた現金6万円を持参し、6万円なら払えると答えました。しかし、井口さんは、「ほかの皆さんは、7万円ということで納得してくださいましたよ。非常に残念です。申し訳ありませんが、その額では受け取れません。もう一度考え直してください。このままでは出て行っていただくことになりますよ」などと言われてしまいました。

なお、実際に適切な価格は、月額6万3000円でした。

3－4－2　貸主の家賃増額請求によって、家賃が値上りする

契約で一度決めた代金は、何かよほどの事情でもない限り、変更するためには当事者双方の合意が必要です。合意もしないのに契約内容が変更されるというのは、あくまで例外です。

ただ、建物の賃貸借契約と、建物を建てる土地の賃貸借契約については、まさにこの例外として、借地借家法という法律で、貸主に家賃増額請求権が認められています（借11Ⅰ本文、32Ⅰ本文）。

貸主が、借主に対して、家賃を増額するという請求をすると、

- その請求が借主に届いた時から（面と向かっての場合や電話の場合などはその時から、書面の場合などは書面が届いた時から）
- 将来に向かって
- 貸主の請求額を上限として
- 現実に家賃が値上りする

と解されています*6。なお、家賃が過去にさかのぼって値上りすることはありませんので、その点は安心してください。

3－4－3 「客観的に相当な額」に値上りする

借主の一方的な請求によって家賃が増額されることになりますが、いったいいくらに値上りするのでしょうか。

仮に「貸主の言い値でよい」ということになりますと、たとえば事例3－2で井口さんが「月額100万円」と請求したら月額100万円になってしまいますが、これがおかしいのは明らかです。だからと言って、借主（池田さん）の言い値というのも変ですし、貸主の主張と借主の主張の間を取るというのもおかしな話です。

結論から言いますと、当事者の主観的な言い値に値上りするのではなく、**客観的に相当な額**に値上りすると解されています。もう少し平たく言うと、客観的にはすでに決まっている「真の家賃の額」になるということです。

今回の事例3－2ですと、貸主の井口さんが月額7万円が相当だと考えて請求し、借主の池田さんは月額6万円が相当だと考えましたが、客観的には月額6万3000円でした。ですから、この事例では、井口さんが池田さんに請

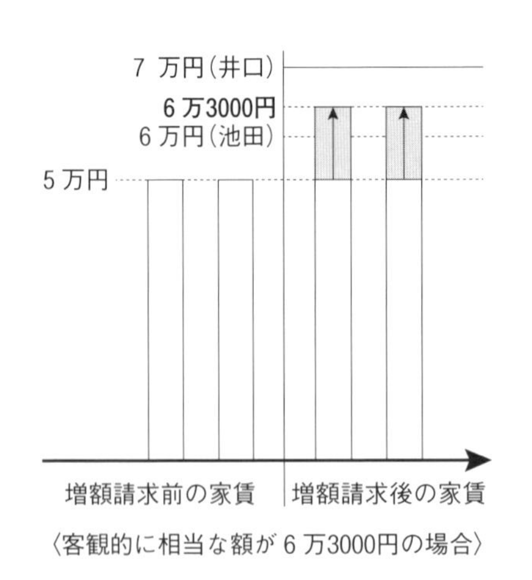

〈客観的に相当な額が6万3000円の場合〉

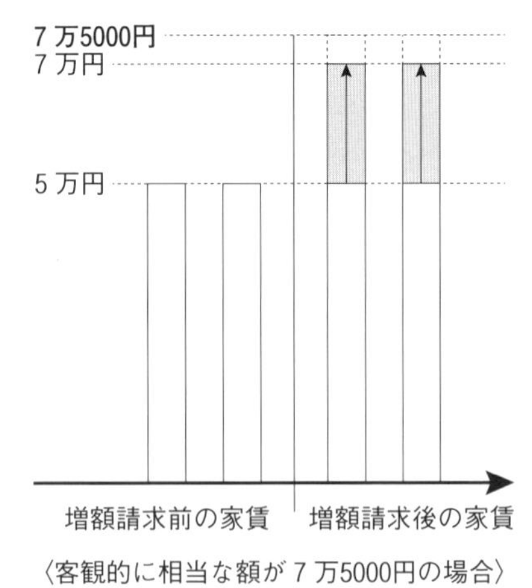

〈客観的に相当な額が7万5000円の場合〉

求した時点から、家賃が月額6万3000円に値上げされていたということになります。

このようにすれば公平であり、貸主にも借主にも文句はないはずです。

ちなみに、事例3-2で、この客観的に相当な額が、仮に井口さんが請求する月額7万円を上回る月額7万5000円だった場合はどうなるのでしょうか。先ほど3-4-2でもちらっと触れましたが、値上りする額は、貸主の請求額が上限となります。ですから、この場合は月額7万5000円ではなく、井口さんが請求する月額7万円までしか値上りしません。

3－4－4　借主は、借主が相当と思う額について弁済の提供をすれば、弁済供託をすることができる

先ほど確認したように、貸主による家賃増額請求が借主に届くと、家賃が客観的に相当な額にまで値上りします。

しかし、その「客観的に相当な額」が値札としてどこかに貼られているわけではありません。ですから、「客観的に相当な額」が実際にいくらなのかということは、借主（池田さん）には分かりません。借主（池田さん）が貸主（井口さん）に聞いてみても分かりません。この額は、貸主と借主とで折合いがつかなければ、詰まるところ、裁判で決めてもらうしかありません。まさに「神のみぞ知る」という代物です。

他方で、これまでもお話ししてきたとおり、弁済の提供は、債務の本旨に従ったものでなければならず、たとえば家賃について弁済の提供をしようとすれば、借主は貸主に対して家賃の全額を提供しなければなりません（3-3-2-3、3-3-2-4参照）。

そうしますと、「ひょっとして、増額した家賃の額が裁判で決まるまでは、弁済の提供をすることができないのか」という疑問が湧きます。

この点については、法律で「増額を正当とする裁判が確定するまでは、相当と認める額の地代等・建物の借賃を支払うことをもって足りる」とされており（借11Ⅱ本文、32Ⅱ本文）、法律で解決されています。

【参考例⑧】 供託書

供託書・OCR用
（地代・家賃弁済）

字加入 / 字削除 ｜ 係員印 ｜ 受付 ｜ 調査 ｜ 記録 ｜ ／ 頁
（第１号様式 印供第31号）

申請年月日	令和３年３月１日	供託カード番号（　　）カードご利用の方は記入してください。
供託所の表示	熊本地方法務局	
供託者の住所氏名	住所 熊本市中央区大江○○○○ ハイツ井口202号室 氏名・法人名等 池 田 ◇ ◇ 代表者等又は代理人住所氏名	□別添のとおり ふたりめからは別紙継続用紙に記載してください。
被供託者の住所氏名	住所 熊本市中央区京町○○○○ 氏名・法人名等 井 口 ◇ ◇	□別添のとおり ふたりめからは別紙継続用紙に記載してください。 ◯供託通知書の発送を請求する。
供託金額	¥60000	年 月 日 ㊞ □供託カード発行

↓ 濁点、半濁点は１マスを使用してください。

供託者カナ氏名	イ ケ タ ゛ ◇ ◇

法令条項		民法第494条第１項第１号		
供託の原因たる事実	契約内容	賃借の目的物	熊本市中央区大江○○○○ハイツ井口202号室	
		賃料	月50,000円	支払日 前月末日
		支払場所	◯被供託者住所　□供託者住所 □その他（　　）	
	供託する賃料		令和３年３月分	
	供託の事由		◯令和３年２月28日提供したが受領を拒否された。 のため｛□受領することができない。□受領しないことが明らかである。□債権者を確知できない。	
□供託により消滅すべき質権又は抵当権 □反対給付の内容				
備考		賃料は翌月分前払いである。 ２万円の増額請求に対し，供託者が相当と考える賃料の増額分１万円を加算して提供したものである。		

（注）１．供託金額の冒頭に¥記号を記入してください。なお，供託金額の訂正はできません。
２．本供託書は折り曲げないでください。

100000

つまり、事例3-2でいうと、借主の池田さんは、客観的に相当な月額6万3000円ではなく、池田さんが相当と思う月額6万円を貸主の井口さんに提供すれば足ります。

なお、この条文で「相当と認める額」と定めていますが、これは借主の言い値でよいというわけではなく、当然のことながら、少なくともこれまでの家賃（事例3-2でいえば月額5万円）以上の額でなければなりません。

そして、事例3-2のように、池田さんが相当だと思う月額6万円を提供したのに、井口さんがその受領を拒否すれば、池田さんはこの月額6万円を基準として、家賃を供託所に弁済供託をすることができます。そうすれば、賃料不払いを原因として井口さんに賃貸借契約を解除され、部屋を追い出されるという事態に陥ることはありません。

なお、供託書の記載は、前頁の【参考例⑧】のようになります。事例3-1の場合の供託書（【参考例⑤】）と比べると、「備考」欄に、増額請求に関することがらとして

> 2万円の増額請求に対し、供託者が相当と考える賃料の増額分1万円を加算して提供したものである

と書き加えてある点が特徴的ですね。

3－4－5　借主は、最終的には、差額を上乗せした額を、貸主に支払わなければならなくなる

このように、借主が相当だと思う額で弁済供託をしていても、いつかは、裁判などで「客観的に相当な額は、月額6万3000円である」ということが明らかにされる日が来るはずです。

たとえば、池田さんが月額6万円で弁済供託を続けていたところ、1年後に裁判で決着がついたとしましょう。そうなると、本来弁済供託をすべきだったのに弁済供託をしていなかった差額3万6000円（3000円×12カ月）の

存在が誰の目にもはっきりします。池田さんは、もちろんこの差額３万6000円を井口さんに支払わなければなりません。

しかも、この差額は、本来、各履行期（毎月末日）に弁済供託をしなければならないものだったのですから、単純にこの差額分を支払えばいいということにはならず、上乗せが必要です。具体的には、法律で**年10%**という高めの利息を支払うことが定められています（借11Ⅱ但書、32Ⅱ但書）。

そのため、借主が月々の供託額を抑えようと「相当と思う額」をあえて低めに見積もると、その分「客観的に相当な額」との差が広がるため、最後に支払う額はかえって増えてしまうように制度設計されています。借地借家法は、借主にこのようなペナルティを与えることで、なるべく「客観的に相当な額」に近い額で弁済供託がされるよう促しているのでしょう。

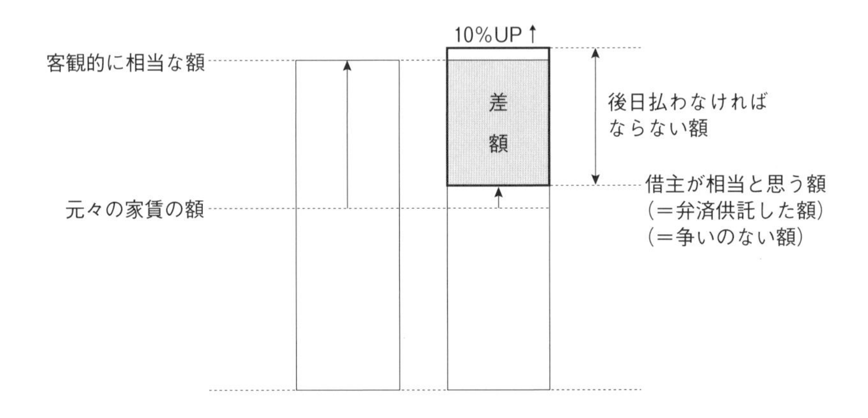

3－4－6　還付請求の手続は基本パターンのとおり

井口さんが、池田さんの供託した供託金を還付しようと考えた場合、どのような手続を取ればよいのでしょうか。

事例３-２の弁済供託では、供託書に記載された被供託者（井口さん）が還付請求を受けようというものであり、井口さんの住所についても、権利関係についても特に変更がありません。

ですから、還付請求の手続は、「還付を受ける権利を有することを証する書面」の添付が不要な基本パターンとなります（1-3-3-4、【参考例②】参照)。

なお、たとえば、「客観的に相当な額」をめぐる訴訟をしている最中であっても、貸主の経済的理由などから借主が弁済供託をした供託金の還付をしたいという場合があろうかと思います。結論としては、客観的に相当な額をめぐる訴訟の係属中であっても、還付請求をすることができます。

というのも、この訴訟で実際に争われているのは、「客観的に相当な額が、借主の言うとおり『弁済供託をした額』なのか、貸主の言うとおり『弁済供託をした額＋α』なのか」ということですよね。つまり、「弁済供託した額の範囲で家賃が値上りすること」自体は、まったく争われていません。言い換えると、「弁済供託をされた家賃」は、「判決の行方にかかわらず、貸主が受け取るもの」として、みんなが納得しているものです。ですから、判決前に貸主が還付請求しても、何の問題もないということになります。

なお、3-4-5でお話しした1割増しの差額についてですが、井口さんが判決で決まった「残額」の受領を拒否することは、通常考えられませんよね。ですから、「残額」についての弁済供託はあまり想定されません。結局は、判決に基づいて、池田さんから井口さんに直接支払われることになることがほとんどだと思われます。

3－4－7　還付請求の際に「一部として」という留保を付けられる

3-4-6でお話ししたとおり、「客観的に相当な額」をめぐる訴訟をしている最中でも還付請求をすることはできます。

しかし、特に判決が出る前の段階となりますと、貸主の中には、「供託金の還付請求をすると、借主の主張している額が客観的に相当な額であると認めることにつながり、裁判に負けてしまうのではないか」と不安に思われる方もいらっしゃるのではないでしょうか。

そのような不安があるような場合には、供託金払渡請求書の「備考」欄に、

> 債権の一部弁済であるとして受領する。
> 債権額の一部に充当する。

などと記載して、「家賃全額としてではなく、あくまで『客観的に相当な額』の一部として受け取るのだ」ということを明らかにすることができます。

なお、実際には、このような**留保**を付しても付さなくても、裁判で争われている「客観的に相当な額」には直結しません。ですから、決して「絶対に留保しなければならない」といったものではありません。「そういう方法もある」という程度の参考にしていただければという話です。

3－4－8　まとめ

以上のように、貸主が家賃の値上げを請求すると、その請求が借主に到達した時から、家賃が客観的に相当な額に値上りします。ただ、貸主の言い値が客観的に相当な額よりも安い場合には、貸主の言い値までしか値上りしません。

他方、借主は、この客観的に相当な額がいくらなのかが分かりませんので、結果的に「一部」になってしまうかもしれませんが、借主が相当だと思う額について弁済供託をすることができます（もちろん、弁済の提供など必要な条件を満たす必要はあります）。

ただし、弁済供託をした「借主が相当だと思う額」よりも「客観的に相当な額」のほうが高かった場合、両者の「差額」に年10％の遅延利息を付けて支払わなければならなくなります。

還付請求手続については、ほぼ基本型のとおりですが、借主が弁済供託した額が「客観的に相当な額」よりも低い場合には、受け取るべき債権の一部であるという内容の留保を付けて還付請求することもできます。

3－5　借主が亡くなった場合

3－5－1　事例3-3

事例3-1で、池田さん（借主）と井口さん（貸主）との間で交わした賃貸借契約の条件は、

・月末に

・翌月分の家賃5万円を

・現金で

・井口さんの家に持参して支払う

というものでした。

事例3-1では、井口さんが家賃の受領を拒否したということを理由として、池田さんが家賃について供託所に弁済供託をすることになりました。事例3-3では、その後のこととして、次の事情を付け加えた場合、池田S夫さんは、弁済供託をすることができるのでしょうか。

事例3－3

[池田さんが事例3-1の弁済供託をした後の事情]

池田さんは、その後も、毎月、家賃の弁済供託をし続けていました。

ところが、池田さんは、不慮の事故で急に亡くなってしまいました。

池田さんには、妻（池田W美）と、子供が2人（池田S夫、池田D子）いました。

池田S夫さんは、この部屋を井口さんから借りたままにしておきたいと考えています。

3－5－2 「借主の相続人」が弁済供託を続ければ、部屋を借りたままにすることができる

3－5－2－1 「賃借権」は相続の対象となる

まず、大前提として、事例3-3の賃貸借契約に基づいて池田さんが有していた「賃借権」は、池田さんが亡くなっても消滅せず、相続の対象となります。

ですから、池田S夫さんは、池田さんが亡くなった瞬間に、母親（池田さんの妻）と妹（池田D子さん）とともに、池田さんの賃借権を共同で相続することになります。

そして、その後、共同相続人の間で、池田さんの遺産をどのように相続するのかについて話合い（**遺産分割協議**）が行われるのが通常です。その結果として、池田S夫さんが、池田さんの賃借権を単独で相続することになるかもしれません。

3－5－2－2 「借主の地位」ごとワンセットで引き継ぐ（承継する）

こうして、賃借権が相続される場合には、遺産分割前の共同相続の場面でも、遺産分割後の場面でも、「借主の地位」ごとワンセットで引き継ぐことになります。これは、賃借権の相続の大きな特徴です。

つまり、賃貸借契約に基づく権利や義務はさまざまなものがありますが、こうしたさまざまな権利や義務について、「この権利（義務）は相続するけど、あの権利（義務）は相続しない」ということや、「この権利は私が相続するけど、あの権利はあいつが相続する」ということはできません。あくまで、借主としての権利と義務とを、ワンセットまるごと相続することになります（相続人が複数の場合には、共同で相続することになります）。

「借主が亡くなった瞬間に、借主が、元の借主から相続人にクルッと入れ替わる」というイメージを持っていただければと思います。

3－5－2－3　「借主の相続人」は弁済供託をすることができる

このように、賃借権の相続があると、共同相続人が借主の地位をそのまま引き継ぐことになります。

ですから、池田さんの共同相続人である池田Ｓ夫さんは、井口さんがこれまでどおり家賃の受領を拒んだとしても、池田さんがこれまで行ってきたのと同様に家賃の弁済供託を続ければ、この部屋を借りたままにすることができます。

3－5－3　弁済供託をするのは、家賃全額

相続人が複数いる場合、まずは、一般にもよく知られる民法の法定相続分（民900）に従った相続分に応じた権利・義務を、共同で相続するのが基本です。事例3-3の場合ですと、法定相続分は、配偶者である池田さんの妻が全体の２分の１です。池田Ｓ夫さんと妹の池田Ｄ子さんは、残り２分の１を平等に分けることになりますので、それぞれ全体の４分の１ずつ（1/2×1/2）となります。

この「まずは法定相続分で共同相続する」という考え方からすると、池田さんの賃借権を相続した池田Ｓ夫さんは、家賃月額５万円の４分の１、つまり、月額１万2500円を供託すればよさそうですよね。

しかし、結論から言いますと、池田Ｓ夫さんが弁済供託をする場合、供託しなければならない額は、あくまで家賃全額の月額５万円になります。

このような結論になるのは、相続の対象となっている賃借権の性質が原因です。

3－5－4　家賃を払う債務は、共同相続人が全額支払わなければならない債務

事例3-3のような「建物の賃借権」というものを、ごく単純化すると、「家賃全額を支払う義務を負うのと引き換えに、部屋全体を使う権利」ということになります。これを貸主側から見れば「家賃全額の支払を受けるのと

引き換えに、部屋全体を貸す義務」を負っているということになります。このように「家賃全額の支払義務（支払債務）」と「部屋全体を使用する権利」とが対になっていることが分かるかと思います。

ここでちょっと考えていただきたいのが、「家賃の４分の１しか支払わない場合に、建物を使用する権利はあるのか」ということです。この場合に、建物の４分の１であれば使用する権利があるなどということはありません。当然、建物全体が使えなくなります。常識的な結論ですよね。別の言い方をすると、実際には建物を一部しか使用しない場合であっても、全体を使用する場合であっても、家賃については全額を支払わなければなりません。

このように、建物「全体」の使用の権利が、家賃「全額」の支払義務（支払債務）とガッチリと結び付いているという特殊性があります。こうしたことから、賃借権を共同相続した場合の賃料支払債務については、長年にわたり判例実務上、その性質上分割できない債務（法律用語で「不可分債務」と呼びます）であると解釈されてきました。

しかし、令和２年４月施行の改正民法によって不可分債務の定義が変更されたため、これまでと同じように不可分債務（民430）と考えるのか、金銭債務である以上は可分であるので連帯債務（民436）と考えるのかは、今後

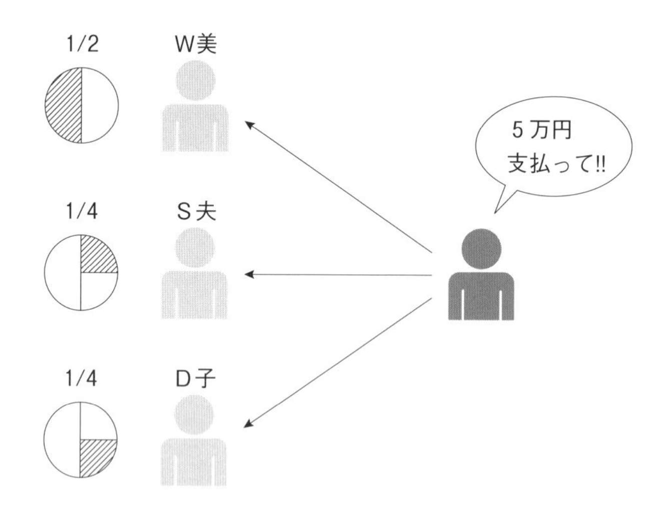

の解釈に委ねられることになりました。

ただ、いずれの解釈でも、「各共同相続人が、債権者である貸主に対して、家賃全額を支払う債務を負う」という結論自体は変わりません。ですから、事例３－３であれば、結局、貸主井口さんは、借主池田さんの共同相続人であるＷ美さん（法定相続分は２分の１）に対しても、池田Ｓ夫さんや池田Ｄ子さん（ともに法定相続分は４分の１）に対しても、家賃全額である５万円を請求することができますし、Ｗ美さんら各共同相続人はいずれも家賃全額である５万円を支払う義務を負うことになります（民430・436）。

３－５－５　供託書の作成等

３－５－５－１　債務の本旨に従った弁済の提供は、家賃全額の提供

家賃について弁済供託をするためには、債務の本旨に従って弁済の提供をし、債務の本旨に従った額を供託しなければなりませんでした（3-3-2-3、3-3-2-4参照）。

事例３-３において、池田さんの共同相続人である池田Ｓ夫さんが弁済すべき「債務の本旨」を再確認しますと、共同相続した場合の賃料支払債務の性質を考えれば、法定相続分に応じた月額１万2500円ではなく、あくまで全額である月額５万円ということになります。

ですから、供託所に弁済供託をすべき金額も、家賃全額である月額５万円となります。

３－５－５－２　家賃全額の供託は、共同相続人内部では「立替払い」

事例３-３では、池田Ｓ夫さんが家賃全額である月額５万円について弁済供託をすることになりますが、これは、いわば「池田Ｓ夫さんが、他の共同相続人の負担分を立て替えたうえ、共同相続人を代表して弁済供託をした」という状態です。

ですから、池田Ｓ夫さんは、弁済供託をしてから、池田さんの妻に全体の２分の１に当たる２万5000円を請求することができますし、池田Ｄ子さんに

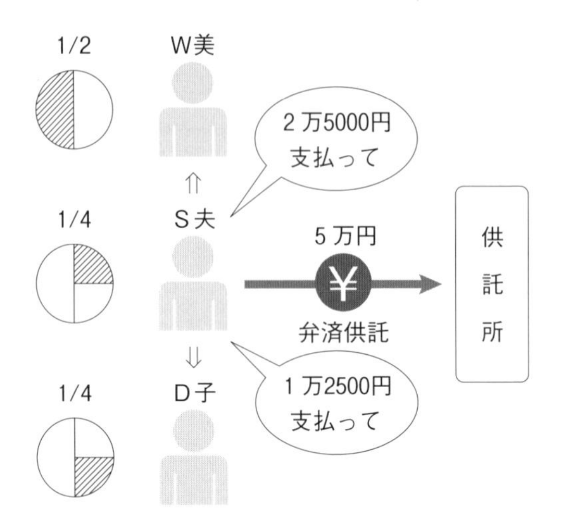

対しては全体の4分の1に当たる1万2500円を請求することもできます（法律用語で**求償**といいます）。

もちろん、あらじめ池田さんの妻から2万5000円を、池田D子さんから1万2500円を集めたうえで、自分で負担すべき1万2500円を加えた5万円を供託することもできます。

3－5－5－3　供託書の備考欄に事情を記載する

事例3-3のように、池田S夫さんが1人で全員分の弁済供託をした場合には、そのことを明らかにするため、【参考例⑨】のように、「備考」欄には、池田S夫さんが全相続人のために供託するという内容を記載してください。

なお、この1人で全員分の弁済供託をするという点ですが、場合によっては、池田さんの妻や、池田D子さんがこの部屋を借りたままにしておくことに反対であったり、連絡が取れず意思確認できないような事態もあり得ます。このような場合でも、池田S夫さんは、自分の意思のみで、1人で弁済供託をすることができます＊7。

【参考例⑨】 供託書

供託書・OCR用
（地代・家賃弁済）

□字加入 □字削除　係員印　受付　調査　記録　／頁　（第1号様式 印供第31号）

申請年月日	令和3年4月9日	供託カード番号 ( ) カードご利用の方は記入してください。
供託所の表示	熊本地方法務局	

供託者の住所氏名

住所
熊本市中央区大江○○○○
ハイツ井口202号室

氏名・法人名等
池 田 S 夫

代表者等又は代理人住所氏名

□別添のとおり
ふたりめからは別紙継続用紙に記載してください。

被供託者の住所氏名

住所
熊本市中央区京町○○○○

氏名・法人名等
井 口 ◇ ◇

□別添のとおり
ふたりめからは別紙継続用紙に記載してください。

■供託通知書の発送を請求する。

供託金額	百	十	億	千	百	十	万	千	百	十	円
						¥	5	0	0	0	0

㊞　年　月　日
□供託カード発行

↓ 濁点、半濁点は1マスを使用してください。

供託者カナ氏名	イ ケ タ ゛ エ ス オ

法令条項	民法第494条第1項第1号		
供託の原因たる事実：契約内容　賃借の目的物	熊本市中央区大江○○○○ハイツ井口202号室		
賃料	月50,000円	支払日	前月末日
支払場所	■被供託者住所　□供託者住所　□その他（　　）		
供託する賃料	令和　3年　4月分		
供託の事由	■令和　3年　3月31日提供したが受領を拒否された。		
	のため □受領することができない。□受領しないことが明らかである。□債権者を確知できない。		
□供託により消滅すべき質権又は抵当権			
□反対給付の内容			
備考	賃借人池田◇◇は令和3年3月10日死亡し，その相続人は池田W美，池田S夫及び池田D子であるが，池田S夫が全相続人のために供託をする。		

（注）1．供託金額の冒頭に¥記号を記入してください。なお，供託金額の訂正はできません。
2．本供託書は折り曲げないでください。

100000

3－5－6　還付請求の手続は、基本パターンのとおり

事例3－3の弁済供託では、供託書に記載された被供託者（井口さん）が還付請求を受けようというものであり、井口さんの住所についても、権利関係についても特に変更がありません。

ですから、還付請求の手続は、「還付を受ける権利を有することを証する書面」の添付が不要な基本パターンとなります（1－3－3－4、【参考例②】参照）。

3－5－7　参考：死亡前の未払家賃（混乱させるかもしれませんので注意してください）

今回、事例3－3を説明する中で、「賃借権を相続した相続人が負う家賃全額の支払債務」の性質についてお話ししました。

このお話は、時期で区別すると、「借主が死亡した後に発生した家賃の支払債務」について当てはまります。そして、事例3－3では、池田さんは、死亡するまで弁済供託をし続けていたため、未払家賃はなかったという設定でしたから、特に問題はありませんでした。

では、事例3－3の設定を少し変えて、「池田さんが死亡する1カ月前から弁済供託をしていなかった」という場合には、どうなるのでしょうか。

この場合には、事例3－3とは異なり、死亡する前にすでに発生した家賃支払債務（未払家賃）が存在します。実は、このような「死亡前」に発生していた金銭債務（金銭を支払う債務）や金銭債権（金銭を受け取る債権）については、預貯金債権を除き

① 死亡した瞬間に

② 法定相続分に従って当然に分割され

③ 各相続人が自動的に取得する

という取扱いをすることが、判例によって確立しています＊8。

そのため、この未払家賃については、池田さんが亡くなった瞬間に、妻が2分の1の支払義務を負い、池田Ｓ夫さんと池田Ｄ子さんが、それぞれ4分

の１ずつの支払義務を負うことになります。

死亡する前にすでに発生していた賃料支払債務なのか、死亡した後発生した賃料支払債務なのかで取扱いがまったく異なりますから、十分な注意が必要です。

3－5－8　まとめ

以上のように、借主が亡くなると、亡くなった後に発生する家賃支払債務については、その全額であれば、共同相続人の１人が弁済供託をすることができます。

弁済供託をする際には、供託書の備考欄に、他の共同相続人のために供託する旨を記載しておきます。

なお、亡くなった後に発生する家賃支払債務は不可分債務または連帯債務となりますが、亡くなる前にすでに発生していた未払家賃支払債務は可分債務となるというように、その扱いがまったく異なります。

第 4 章

債権者死亡にまつわる家賃債務の弁済供託

4－1　貸主が死亡した場合、誰にいくら支払うべきなのか

事例４－１

池田さんは、熊本市内で自転車販売業を営んでいますが、その店舗建物（３階建てビルの１階の一部）を長野さんから借りていました。長野さんは、住所を名古屋市内に置きつつ、所有する不動産がある名古屋市と熊本市を行ったり来たりする生活を送っていました。

池田さんが長野さんから賃借する条件は、テナント料月額20万円について、当月分を当月末日に支払うというものでした。支払方法は、長野さん名義の口座に振込入金をするものとされました。池田さんは、この条件で、かれこれ８年間借り続けています（令和２年４月１日以降に更新の合意をしました）。

他方、長野さんは、昨年から、老朽化したこの店舗建物を建て替えてテナント数を増やすことを計画していて、銀行からも融資の約束を取り付けていました。そのため、長野さんは、池田さんに対し、一時立退きを求めるため、建替工事中に店舗を一時移転するための補償を含めた条件を提示していましたが、費用面で池田さんと折合いがつきませんでした。長野さんも、つい感情的になって「この条件が飲めないのなら、出て行ってもらう」などと言ってしまい、それ以降、池田さんのテナント料の受領を拒否していて、振込入金先として指定していた銀行口座も解約してしまいました。

そのため、池田さんは、毎月末日になると、テナント料について名古屋法務局に弁済供託をしてきました。

ところが、池田さんは、自転車販売業の業績が悪かった５月に、どうしてもテナント料を工面できず、５月31日に５月分のテナント料の弁済供託をすることができませんでした。そうこうしているうちに、長野さんは、持病が急変して６月11日に亡くなってしまいました。

長野さんは、数年前には離婚しており、相続人は、熊本市内に住む息子のＡさんと、東京都千代田区内に住む息子のＢさんの２人でした。Ａさんは、長野さんの意向を知っているため、今後も池田さんのテナント料の受領を拒

否しなければと考えています。なお、AさんとBさんは８月15日に遺産分割協議をし、長野さんの店舗建物についてはAさんが単独相続することになりました。

こうした事情があった場合、池田さんは、テナント料の弁済供託を含め、どのような対処をすることができるのでしょうか。なお、現時点で８月25日であるとします。

4－1－1　①死亡前、②死亡後・遺産分割前、③遺産分割後という３つの時期に分けて考える

長野さん（貸主）が死亡した場合、池田さん（借主）は何をすることができるのでしょうか。

そのことを考える前提として、貸主が死亡した場合に、借主が、どの相続人に対して、賃料をいくら支払ったらよいのかを押さえておく必要があります。これは、逆の言い方をすると、貸主の各相続人が、借主に対して、賃料をいくら請求することができるのかという問題です。

ここをきちんと押さえておかないと、いったいどうすれば「債務の本旨に従って弁済の提供をした」と評価されるのかが分からなくなり、話がこんがらがってしまうからです。

この点については、「いつ発生した賃料なのか」という観点から分けて考える必要があります。考えるべき時期は３つです。具体的には、①死亡前、②死亡後・遺産分割前、③遺産分割後です。では、これからこの３つの時期

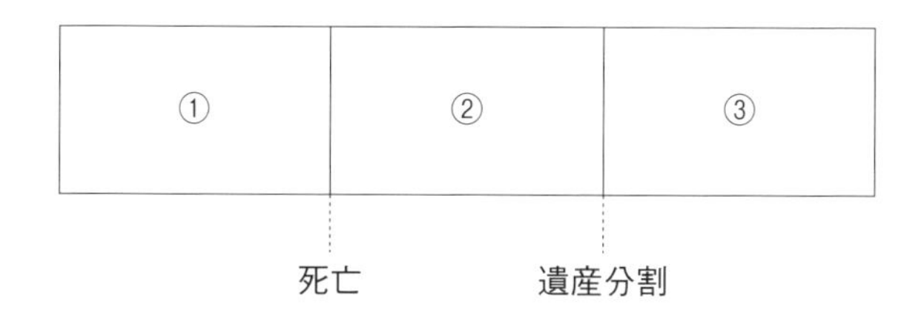

に分けて説明していきます。

4－1－2　①「死亡前」に発生していた未払いの賃料債権は、各相続人が法定相続分に従って取得する

まずは、①死亡前についてです。

今回の事例4‐1のように、貸主が死亡する前から、すでに借主が賃料を未払いにしていたということは結構ある話かと思います。

そして、未払賃料の支払請求権は、法律的に整理すると「貸主の借主に対する金銭債権」となります。履行期（賃料の支払日）はもう過ぎていますから、遅延損害金が日々発生している状態です。

こうした「金銭債権」が貸主が死亡する前から発生している場合の処理ですが、判例によって、金銭債権は、預貯金債権を除き、

　　貸主が亡くなった瞬間に
　　法定相続分に従って当然に分割され
　　各相続人が、法定相続分に応じた権利を取得する

と取り扱う実務が確立しています＊8。

今回の事例でいうと、5月分の未払テナント料20万円の支払請求権については、長野さんが亡くなった瞬間に、相続人である息子のAさんがその2分の1（10万円分）を、相続人である息子のBさんもその2分の1（10万円分）を取得することになります。

このように、死亡前にすでに発生していた未払いの賃料債権については、相続の対象となる財産ではあるものの、貸主が亡くなった瞬間に相続人が法定相続分に応じて取得してしまいます。ですから、相続人は、これ以上何も手続をする必要がありません。このことを別の角度から表現すると、「未払いの賃料債権は、遺産分割の対象にはならない」ということになります。

4－1－3　②死亡後・分割前に発生した賃料は、各相続人が法定相続分に従って取得する

4－1－3－1　各相続人が法定相続分に従って取得する

次は、②貸主が死亡してから、各相続人が遺産分割をするまでに発生した賃料についてです。

結論から言いますと、この期間の賃料債権についても、各相続人が、法定相続分に従って取得することになります＊9。

ただ、こうした結論が導かれる理由は、死亡前に発生していた未払いの賃料債権の場合とはまったく異なります。

4－1－3－2　遺産となるのは、大元の不動産

大前提として、遺産となるのは、貸主が亡くなった時点で存在しているものに限られます。しかし、貸主が死亡した後に発生した賃料債権は、当然のことながら、貸主が亡くなった時点ではまだ存在していません。ですから、遺産となることはありません。意外に思われるかもしれませんが、貸主が死亡した時点でまだ発生していない賃料債権は、そもそも相続の対象とはならないのです。

相続の対象になるのは、賃料を生み出す大元となる「不動産」です。事例4－1でいうと、長野さんが所有する店舗建物です。こちらは、貸主が死亡する瞬間も、貸主である長野さんの所有物として存在しますよね。

そして、貸主が亡くなると、もともと貸主が所有していた「不動産」は、遺産分割協議がまとまるまでの間、各相続人がその不動産全体を共同相続した状態になります。このときの各相続人の持分は、各相続人の法定相続分に応じたものとなります。事例4－1でいうと、長野さんが亡くなった瞬間から、遺産分割協議がまとまる8月15日までの間は、店舗建物を、Aさんが2分の1、Bさんも2分の1の割合で共同所有することになります。

では、賃料債権はどうなるのでしょうか。

4－1－3－3　不動産の所有者が、賃料債権を取得する

賃料債権は、「これを生み出す不動産」の所有者が取得するというのが、法律上の原則となっています（民88Ⅱ・89Ⅱ参照）。もし、その不動産を単独で所有していれば、賃料債権を独り占めできます。他方、その不動産を共同所有していれば、その持分に応じた賃料債権を取得することになります。

この原則は、相続の場面でも当てはまります。そのため、各相続人は、ある不動産を法定相続分に応じて共同相続すれば、その不動産から生じる賃料債権についても、その法定相続分に応じて取得することになります。

事例４－１でいうと、Ａさんが法定相続分に従ってテナント料の支払請求権の２分の１を取得し、Ｂさんもテナント料の支払請求権の２分の１を取得することになります。具体的には、合計40万円のテナント料の支払請求権（６月分と７月分）のうち、それぞれ20万円分ずつが取り分となります。

4－1－3－4　賃料債権についても、遺産分割と同じ機会に、誰が取得するかを話合いで決めることができる

ちなみに、ここまでお話ししたのは、「死亡後・遺産分割前の時点で、誰に、いくら支払ったらいいのか」という目で見た場合の考え方でした。

ただ、実際には、遺産分割が終わってからまとめて賃料を支払うという場合もあろうかと思います。こうした場合、「まだ誰も受け取っていない賃料債権」について、各相続人の間で譲渡することは自由です。

そのため、遺産分割と同じ機会に、賃料債権を誰にどの範囲で取得させるのかについて、相続人全員の話合いで決めることも、もちろん可能ですし、こうした取扱いは実務でもよく行われています。

4－1－4　③遺産分割後に発生する賃料は、建物を相続で取得した者が取得する

4－1－4－1　建物を相続で取得した者が取得する

最後に、③遺産分割後についてです。

遺産分割がされると、遺産となった不動産の所有者が最終決定されます。ですから、遺産分割後は、その不動産の所有者が、遺産分割後に発生する賃料債権を取得します。

そして、先ほど4-1-3-3でお話ししたことがそのまま当てはまるので、遺産分割の内容が、「その不動産を単独で所有する」というものになった場合には、単独所有者が賃料債権の全部を取得します。他方、「その不動産を複数の相続人で共同所有する」というものとなったのであれば、その持分の割合に従った賃料債権を取得することになります。なお、③の局面で言う「持分」というのは、法定相続分ではなく、遺産分割で決めた不動産所有権の割合のことです。

事例4-1で言うと、遺産分割協議によって、店舗建物をAさんが単独相続することになりましたから、8月分のテナント料からは、Aさんがその支払請求権を単独で取得することになります。

4-1-4-2　遺産分割がされても、遺産分割前に取得した賃料債権は、ひっくり返されない

なお、遺産分割の効力は、相続開始時にさかのぼるとされています（民909本文）。

ですから、事例4-1で言うと、AさんとBさんとが協議して8月15日に決めた遺産分割の内容は、長野さんが亡くなった6月11日からそのように決まっていたものとして扱うということです。したがって、Aさんは、最初（6月11日）から、店舗建物を単独で所有していたことになります。

そうすると、長野さんが亡くなってから実際に遺産分割をするまでの間に発生したテナント料についても、最初から店舗建物を単独所有していたことになるAさんが、全額取得することになりそうです。

しかし、思い出していただきたいのですが、この間に発生した賃料債権は、そもそも遺産ではありませんでした。そして、賃料債権が発生する都度（事例4-1で言うと毎月末日）、法定相続分に応じて分割されたものを各相続

人が取得してそれで終わりです。そのため、さきほどご紹介した判例＊9でも、法定相続分に従って賃料債権を分割したことは、その後にされた遺産分割の影響を受けないとしています。

4－1－5　まとめ

これまでの話をまとめると、

①　貸主死亡前……各相続人が法定相続分に応じて取得

・Aさん：10万円（5月分テナント料の2分の1）

・Bさん：10万円（5月分テナント料の2分の1）

②　貸主死亡後・遺産分割前……各相続人が法定相続分に応じて取得

・Aさん：20万円（6月・7月分テナント料の2分の1）

・Bさん：20万円（6月・7月分テナント料の2分の1）

③　遺産分割後……遺産分割で決めた相続分に応じて取得

・Aさん：毎月20万円（8月分以降のテナント料）

ということになります。

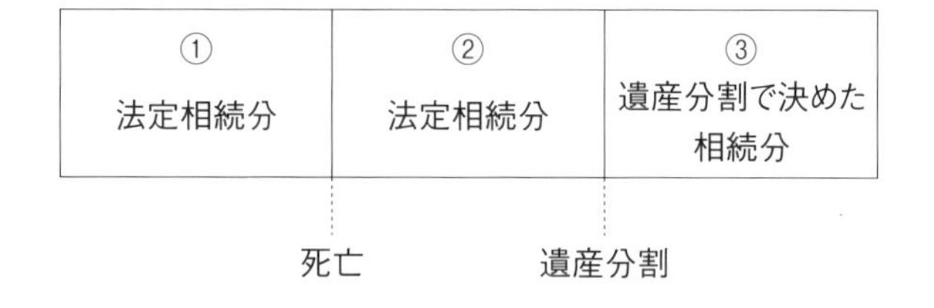

4－2　相続人全員が判明している場合

4－2－1　相続人全員が判明してはじめて、各相続人が取得する賃料債権の具体的な額も判明する

4－2－1－1　相続人全員が判明してはじめて、法定相続分を計算できる

前節でお話ししたように、賃料債権については、①貸主の死亡前、②貸主の死亡後・遺産分割前、③遺産分割後の３つの期間で分けて考えます。

この①②の時期に発生した賃料債権については、前節でもお話ししたように、各相続人が、法定相続分に従った割合の賃料債権を取得することになります。

そして、相続人全員が判明している場合には、各相続人の具体的な法定相続分は、民法の規定に当てはめればすぐに分かりますから、各相続人が取得する賃料債権の額なども自動的に判明します。

逆に、相続人全員が判明していない場合には、各相続人の具体的な法定相続分を計算しようがありませんから、各相続人が取得する賃料債権の額なども判明しません。

ここで、理解を深めるために、いまお話ししたことを逆からも眺めてみましょう。

4－2－1－2　相続人全員が判明していない場合、何が問題となるのか

法定相続分は、法定相続分を定めた民法第900条に従って決まります。

具体的には、相続人となる人の範囲が決まっていれば、その中に**配偶者**（夫にとっては妻、妻にとっては夫のこと）がいるのか、子どもがいるのか、子どもがいたとして何人なのかといった事情に応じて、法定相続分が、２分の１といった割合の形で求められるようになっています。

このように「割合」として計算で求める以上、全体（分母）が分からなけ

れば計算することはできなくなります。たとえば、クラスの中に男性が20人いたとして、そのクラスに男性が占める割合を計算してくださいという場合に、クラス全員の数（分母）が分からなければ計算しようがないのと同じです。そのため、「相続人が１人くらい分からなくたって、どうにかなるんじゃないのか」と思えるような場合もあるかもしれませんが、実際には、１人でも相続人の存否を把握できない場合には、各相続人の具体的な法定相続分を決めることができません。

たとえば、事例４-１で、「妻と別居しているのは間違いないが、戸籍上も離婚しているかは微妙」という状況に陥ったとします。そうすると、池田さんの立場からだと、この時点ではまだ、Ａさんの具体的な法定相続分が２分の１（離婚している場合）なのか、４分の１（離婚していない場合）なのかが判明しません。つまり、具体的な法定相続分が不明となります。

これに対し、「相続人は、ＡさんとＢさんですべてだ」ということが確実だと分かってさえいれば、仮にＢさんが行方不明であったとしても、Ａさんの法定相続分自体が２分の１であることは判明します。

４－２－２　相続人全員の氏名だけでなく住所まで判明している場合について

４－２－２－１　まずは、各相続人に対して改めて弁済の提供をする必要がある

相続人全員が判明している場合には、各相続人の法定相続分が分かります。

そのため、少なくとも遺産分割の前に発生した賃料（①と②の時期）については、どの相続人にいくら支払わなければならないのかということが具体的に分かるということになります。

そこで、相続人全員の氏名・住所が分かる場合には、ごく一般的な金銭債権のときと同じように、借主は、各相続人に対して、改めて弁済の提供をしなければなりません。

これは、貸主の死亡前には「貸主と訴訟係属中であるため受領しないことが明白である」として、口頭の提供すら不要だった場合であっても同様です。相続によって、当事者が、元の貸主から各相続人になったのをきっかけに、いったんリセットされると考えてください。

なお、①貸主の死亡前に既に発生していた未払賃料は、貸主に弁済の提供をしていた場合（口頭の提供すら不要だった場合を含みます）でなければ、遅延損害金が発生してるはずです。また、②貸主の死亡後・遺産分割前のものについても、弁済の提供をしないまま支払期限を過ぎているものがあるかもしれません。こうした場合には、貸主の相続人に対しては、法定相続分に従った賃料の額のほか、遅延損害金を加えた額を提供する必要がありますから、十分に注意してください（3-3-2-5、【参考例⑦】参照）。

4－2－2－2　もともと持参債務であれば、貸主死亡後も持参債務となる

ところで、事例4-1では、長野さんの銀行口座に振込入金するという支払方法の合意がされていましたが、これは支払場所の合意ではありませんでした。そのため、池田さんのテナント料の支払債務は貸主（債権者）の住所への持参債務となります（3-3-3-3参照）。

こうした契約内容は、相続によってもそのまま引き継がれます。ですから、池田さんのテナント料の支払債務は、依然として持参債務のままです。

このように、賃料支払債務が持参債務である以上、貸主が死亡した後も、借主は、法律上、相続人一人ひとりの住所に足を運んで賃料を提供する必要があることになります。もちろん、すべての相続人が近くに住んでいるとは限りませんから、実際には、相続人に連絡を取って、振込入金などの合理的な方法を取れないかと相談することになるのだと思います。ただ、相談に応じてもらえない場合もあるでしょうから、その場合には、あくまで「法律上の原則」に従って、各相続人の住所に持参して提供する必要があります。

4－2－2－3　受領拒否をした相続人についての賃料債務については、弁済供託をすることができる

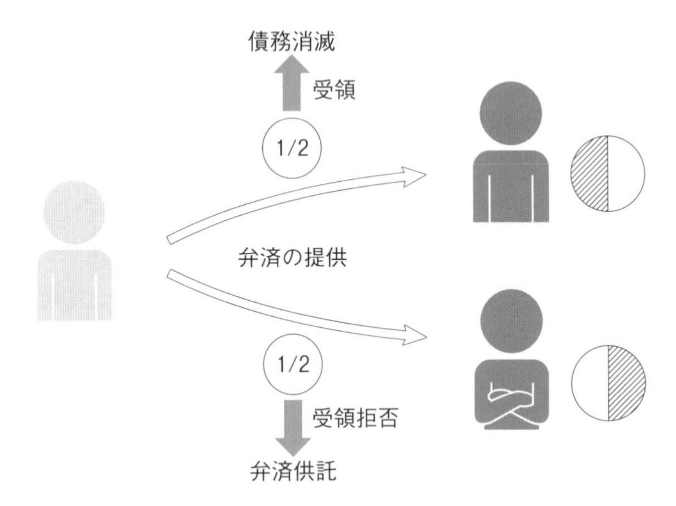

こうして、借主が、各相続人に対して弁済の提供をした場合、その反応はさまざまでしょう。「これまであったトラブルは、自分には関係ありませんから」などということで賃料を受領する相続人もいれば、「親と同じ方針にしますので、引き続き賃料は受け取れません」などとおっしゃる相続人もいるかと思います。

賃料を受領してもらえる場合については、それで債務が消滅して終わりになります。

これに対して、賃料を受領しない場合には「受領拒否」ということになりますから、受領拒否をした相続人の分については、弁済供託をすることができます。

事例４－１では、熊本市内に住むＡさんは、長野さんの遺志を引き継ぐことにしたため、池田さんから弁済の提供がされた際、その受領を拒否しました。ですから、池田さんは、Ａさんを被供託者として、Ａさんの住所がある熊本地方法務局に対し、Ａさん分のテナント料について弁済供託をすることになります。

4－2－2－4　弁済の提供と同様、弁済供託も各相続人ごとに個別に行う

事例4-1において、仮にBさんも受領を拒否した場合には、Bさん分のテナント料について、Bさんを被供託者として、別途弁済供託をすることができます。

ただ、このように「結果的に、貸主の相続人全員が受領を拒否した場合」であっても、テナント料全体について1つの弁済供託をするということはできません。あくまで受領拒否した相続人ごとに、別個独立した弁済供託をする必要があります＊10。

なお、事例4-1では、まず、東京都千代田区内にあるBさんの住所に出向いて弁済の提供を行う必要があります。この点については、場合に応じて、口頭の提供で足りる場合や、口頭の提供も不要である場合もあり得ます（3-3-3-6、3-3-3-8参照）。いずれにせよ、弁済の提供をしたうえで受領を拒否されれば、弁済供託をすることができるのですが、それは、あくまで東京法務局に対してということになります。

このように相続は貸主側の事情で起こるので、債務履行地や供託所について「え！　いきなり名古屋よりも遠い東京になっちゃうの！」と理不尽に思われるケースもあるかと思います。しかし、長野さんから「貸主の地位」を突然相続したAさんやBさんが「テナント料やこれにかわる供託金を受け取るんだから、面倒でも名古屋市内の実家に戻りなさい」と言われてしまうのも、酷な話です。そのため、結局は、民法の大原則に戻るしかないのです。

なお、このように遠隔地の供託所に供託しなければならなくなった場合には、オンラインによる「かんたん申請」を試されることをお勧めします（3-2-3参照）。

4－2－2－5　還付請求は基本型のとおり

事例4-1で還付請求する場合には、供託書に記載されたとおりの被供託者（熊本地方法務局に対するものはAさん、東京法務局に対するものはBさん）が還付請求するものです。

ですから、還付請求の手続は、「還付を受ける権利を有することを証する書面」の添付が不要な還付請求の基本パターンとなります（1-3-3-4、【参考例②】参照）。

4－2－3　一部の相続人の住所が判明していない場合には、受領不能を理由とした弁済供託をすることができる

4－2－3－1　弁済供託の理由は、受領不能となる

一部の相続人の住所が判明していなくても、相続人全員の氏名が判明しているので、この場合でも「各相続人が取得する賃料債権の具体的な額」は判明します。

ですから、住所が判明している相続人に対しては、当然、弁済の提供をしなければなりません（4-2-2-1参照）。その結果として受領を拒否された場合については、弁済供託をすることができます（4-2-2-3参照）。

では、賃料債務について弁済の提供をしようにも、その相続人の住所が判明していない場合は、どのように考えればいいのでしょうか。この場合には、賃料をどこに持っていったらいいか分かりませんから、そもそも弁済の

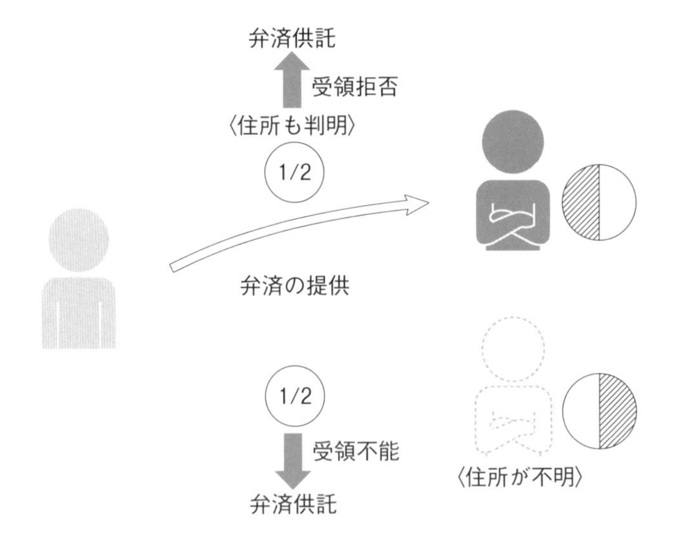

提供は不要です（というより、不可能ですよね）。

そして、「債権者（相続人）の住所が判明していない場合」は、「債権者の住所は分かっているけれど行方不明になっている場合」などの場合と同様に、債権者（相続人）が弁済を受領することができない場合に該当します。そのため、借主は、債権者が行方不明となっている場合と同様に、受領不能を理由とした弁済供託をすることができます（3-1-2-3参照）。

4－2－3－2　供託書の記載

ここでは、事例4-1で、Bさんの住所が、借主の池田さんからは不明であったという場合を想定して説明します。

テナント料の受領不能を理由とする弁済供託で使う供託書の様式は、次頁の【参考例⑩】のように、家賃の受領拒否を理由とする弁済供託の場合と同じ第一号様式を使います（【参考例⑤】参照）。多くの記載内容は共通しますが、もちろん違う部分もあります。

まず、用紙左側の「被供託者の住所氏名」欄です。氏名については分かっているので、「長野Ｂ」と書くことはできますが、住所は分かりませんから「住所不明」と記入することになります。

次に、受領不能の供託根拠法令ですが、受領拒否とは異なり、民法第494条第1項第2号ですので注意してください。

そして、「供託の原因たる事実」欄の中の「供託の事由」欄への記載の仕方については、受領不能に該当しますので、すでに印刷されている「受領することができない」という言葉の前に「○」を付けたうえ、その理由として、空欄の部分に、

賃貸人が死亡し、その相続人である被供託者の住所が不明である

などと補ってください。

なお、被供託者の住所と関連して、「供託所の表示」欄に何と記載したら

いいのか、つまり、どの供託所に弁済供託をしたらいいのかが問題となります。この点に関連するのですが、用紙右側の「備考」欄には、「死亡した賃貸人の住所氏名」を記載します。そして、この欄に記載した貸主の住所地を基準にして弁済供託をする供託所を決めます。事例４－１ですと、名古屋法務局となります。これは、次節でお話しする「相続人全員が判明していない場合」の供託所の決め方と共通する方法です（４－３－４参照）。

このように供託所は決まりますが、住所不明であることには変わりがありませんので、供託通知をすることはできません。もちろん、供託通知のための郵便切手の提出も不要となります。

それ以外の供託金納付などの手続については、他の弁済供託の場合と特に変わりがありません。

４－２－３－３　還付請求

Ｂさんが還付請求をしようとする場合、供託金払渡請求書の「請求者の住所氏名印」欄には、Ｂさんの氏名とＢさんの東京都千代田区内の住所を記載することになります。

これに対して、池田さんが作成した供託書の「被供託者の住所氏名」欄には、Ｂさんの氏名は記載されていますが、住所は記載されていません。した

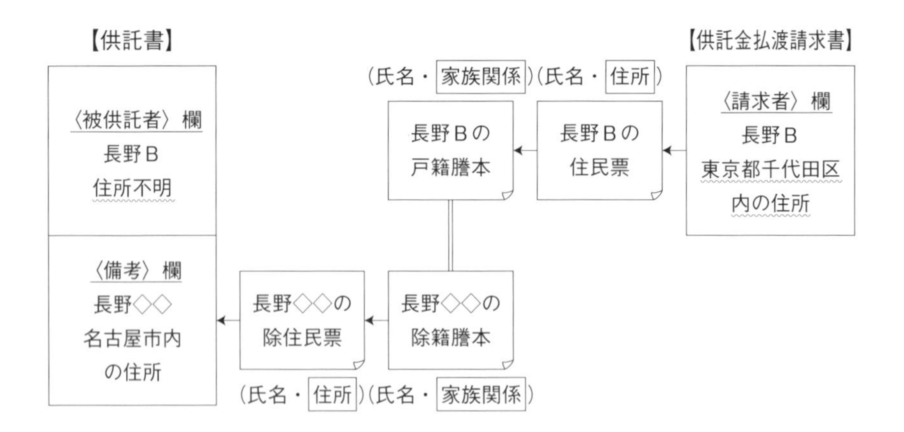

【参考例⑩】 供託書

供託書・OCR用

（地代・家賃弁済）

□字加入 □字削除 ｜ 係員印 ｜ 受付 ｜ 調査 ｜ 記録 ｜ ／ 頁 （第１号様式 印供第31号）

申請年月日	令和３年８月25日
供託所の表示	名古屋法務局

供託カード番号（　　　　）
カードご利用の方は記入してください。

供託者の住所氏名

住所：熊本市中央区大江○○○○

氏名・法人名等：池田◇◇

代表者等又は代理人住所氏名

□別添のとおり（ふたりめからは別紙継続用紙に記載してください。）

被供託者の住所氏名

住所：住所不明

氏名・法人名等：長野B

□別添のとおり（ふたりめからは別紙継続用紙に記載してください。）

□供託通知書の発送を請求する。

供託金額	百	十	億	千	百	十	万	千	百	十	円
					¥	3	0	0	0	9	1

印　年　月　日　□供託カード発行

↓ 濁点、半濁点は１マスを使用してください。

供託者カナ氏名：イケタ゛◇◇

法令条項	民法第494条第１項第２号		
供託の原因たる事実・契約内容・賃借の目的物	熊本市中央区大江×××× 長野ビル１階テナント 床面積 100平方メートル		
賃料	月200,000円	支払日	毎月末日
支払場所	◉被供託者住所 □供託者住所 □その他（　　）		
供託する賃料	令和3年5月分から7月分まで		
供託の事由	□　年　月　日提供したが受領を拒否された。		
	賃貸人が死亡し，その相続人である被供託者の住所が不明のため ◉受領することができない。□受領しないことが明らかである。□債権者を確知できない。		

□供託により消滅すべき質権又は抵当権

□反対給付の内容

備考：
死亡した賃貸人　名古屋市中区丸の内○○○○　長野◇◇
長野◇◇には，相続人として実子である長野Aおよび長野Bがいる。
５月分については提供が遅れた11日分（長野◇◇は６月11日に死亡した）につき，年３分の割合による遅延損害金181円が発生していた。このうち長野Bの法定相続分は91円である。

（注）１．供託金額の冒頭に¥記号を記入してください。なお，供託金額の訂正はできません。
２．本供託書は折り曲げないでください。

100000

がいまして、「還付を受ける権利を有することを証する書面」の添付が必要となります（2-2-5参照）。

実際にどのような書面が必要となるかですが、Bさんの住所自体は、還付請求の際の本人確認資料である印鑑証明書ではっきりとしています。そのため、結局、「Bさんが長野さんの相続人であるということが分かる書面」があればよいことになります。ケースバイケースですが、多くの場合、長野さんの**除籍謄本**や**除住民票**、Bさんの**戸籍謄本**や**住民票**などを添付することになろうかと思います（4-3-5参照）。もちろん、すべて必要な場合もあれば、一部が不要な場合、更に書類が必要になる場合もあります。

4－2－4　まとめ

以上のとおり、相続人全員が判明している場合には、各相続人の法定相続分が判明しますから、各相続人の具体的な賃料債権の額も分かります。

そのため、まずは、各相続人に対してそれぞれ弁済の提供をする必要があります。賃料債務は、通常持参債務ですので、各相続人の住所地に持参するのが原則となります。そして、弁済の提供を受けた相続人で受領拒否をした方がいれば、その相続人に対する弁済供託をすることになります。

他方、相続人全員は分かるものの、その住所までとなると分からない方が交ざっているということもあろうかと思います。その場合には、住所が不明な相続人について、受領不能を理由とする弁済供託をすることができます。この場合、その相続人の住所が不明ですので、亡くなった貸主の住所地を基準とした供託所に供託することになります。なお、還付請求をする場合には、「還付を受ける権利を有することを証する書面」として、戸籍謄本などを添付する必要があります。

4－3　相続人全員が判明していない場合

4－3－1　事例4－2

前節でお話ししたように、相続人全員が判明していれば、各相続人の法定相続分が明らかになり、各相続人が取得する賃料債権の具体的な額なども判明します。

これに対して、借主から見て相続人全員が判明していない場合には、各相続人の法定相続分が分かりません。というよりも、法定相続分を考える以前の状況でして、そもそも賃料債権を相続によって取得することになる債権者が誰なのか自体が分からないわけです。

そこで、事例4－1をベースにしつつ、相続人について池田さんが把握できたことを、次のように変えた事例で考えてみましょう。

事例4－2

［事実関係］

・池田さんの自転車販売業の業績は特に悪化しておらず、5月分のテナント料も工面できていた。

・長野さんが亡くなった日を、6月11日から5月11日に変更する。

※要するに、事例4－1とは異なり、「5月分賃料について遅延損害金は発生していなかった」ということです。

［池田さんが把握できた長野さんの相続人に関する情報］

・貸主だった長野さんには、配偶者がいない。

・Aさんは、長野さんの子どもの1人である。

・Aさんの口ぶりから、どうやら、長野さんには子どもがあと1人いるらしいが、本当にそうなのか、あるいはさらにもう1人いるのかが定かではない。

4－3－2　相続人全員が判明しない場合は、債権者不確知を理由とする弁済供託をすることができる

事例４－２の場合、池田さんとしては、Ａさんがテナント料についての債権者（相続人）の１人であるということが分かっているだけで、他の債権者がいるのかすら分からないことになります。

このような場合、借主である池田さんは、テナント料（債務）を弁済する意思も能力もあるのに、債権者が誰なのか分からないために、弁済の提供すらできずに困ってしまうという状態に陥ってしまいます。そのため、借主は、債権者不確知を理由とする弁済供託をすることができます*11（３－１－２－３参照）。

なお、債権者不確知を理由とする弁済供託をするためには、債権者を確知できないことについて過失がないことが必要です（民494Ⅱ但書）。そのため、少し調べれば簡単に判明する場合には、弁済供託が後日になって無効とされかねませんので、ご注意ください。

全員の法定相続分を足したら1/1になることは間違いないのだけれど……

4－3－3　相続人不明の場合の被供託者には、相続人全員が含まれるように記載する

相続人が不明の場合に、債権者不確知を理由として賃料の弁済供託をするときも、受領拒否・受領不能を理由として賃料の弁済供託をするときと同じ供託書の書式を使います。やはり、多くの記載内容は共通しますが、違う部分もあります。

まず、用紙左側の「被供託者の住所氏名」欄です。

相続人不明となる中でいちばん極端な場合は、相続人が１人も分からないというものです。この場合に弁済供託をする額は、当然、賃料全額となります。そして、供託書の「被供託者の住所氏名」欄には、氏名として、たとえば「長野◇◇の相続人」と記載し、長野さんの名古屋市内の住所を記載します。

相続人不明となる中で、いちばんよくある場合は、事例４-２のように、一部の相続人は分かっているものの、全員は分からないというものでしょう。この場合には、判明している相続人が「いずれにせよ、僕は受領するよ」などと言っているケースも予想されるところです。しかし、そのようにおっしゃる相続人がいたとしても、相続人の全員が判明していない以上、受領すると言っている相続人に支払うべき具体的な賃料の額が分からないので、弁済の提供すらできないのは変わりません。そのため、前節（４-２-２、４-２-３参照）で紹介したように受領拒否や受領不能の要件を満たす部分だけを供託するのではなく、相続人が１人も分からない場合と同様に「賃料の全額」を供託することになります。

そして、供託書の「被供託者の住所氏名」欄には、事例４-２のＡさんのように氏名住所が判明している相続人については、【参考例⑪-１】にあるとおり、ごく普通に「熊本市東区健軍◯◯◯◯　長野A」と記載します。氏名住所が判明している相続人が複数いる場合には、供託書の継続用紙である第九号様式【参考例⑪-２】を使って、こちらの「被供託者の住所氏名」欄に

【参考例⑪-1】 供託書

供託書・OCR用
(地代・家賃弁済)

□字加入 □字削除　｜係員印｜受付｜｜調査｜｜記録｜｜頁 1／2｜(第1号様式 印供第31号)

申請年月日	令和3年8月25日	供託カード番号 ( ) カードご利用の方は記入してください。
供託所の表示	熊本地方法務局	

供託者の住所氏名

住所
熊本市中央区大江〇〇〇〇
氏名・法人名等
池田◇◇
代表者等又は代理人住所氏名

□別添のとおり
ふたりめからは別紙継続用紙に記載してください。

被供託者の住所氏名

住所
熊本市東区健軍〇〇〇〇
氏名・法人名等
長野A

◯別添のとおり
ふたりめからは別紙継続用紙に記載してください。
◯供託通知書の発送を請求する。

法令条項		民法第494条第2項		
供託の原因たる事実	契約内容	賃借の目的物	熊本市中央区大江×××× 長野ビル1階テナント 床面積 100平方メートル	
		賃料	月200,000円	支払日 毎月末日
		支払場所	◯被供託者住所 □供託者住所 □その他 ( )	
	供託する賃料		令和 3 年 5 月分 から7月分まで	
	供託の事由		□ 年 月 日提供したが受領を拒否された。	
			賃貸人が死亡し，長野A以外の相続人の氏名・住所が不明のため □受領することができない。 □受領しないことが明らかである。 ◯債権者を確知できない。	
□供託により消滅すべき質権又は抵当権 □反対給付の内容				
備考			死亡した賃貸人 名古屋市中区丸の内〇〇〇〇 長野◇◇	

(注) 1. 供託金額の冒頭に¥記号を記入してください。なお，供託金額の訂正はできません。
2. 本供託書は折り曲げないでください。

供託金額	百	十	億	千	百	十	万	千	百	十	円
					¥	6	0	0	0	0	0

年 月 日 ㊞
□供託カード発行

↓ 濁点、半濁点は1マスを使用してください。

供託者カナ氏名：イケタ゛◇◇

100000

【参考例⑪-2】

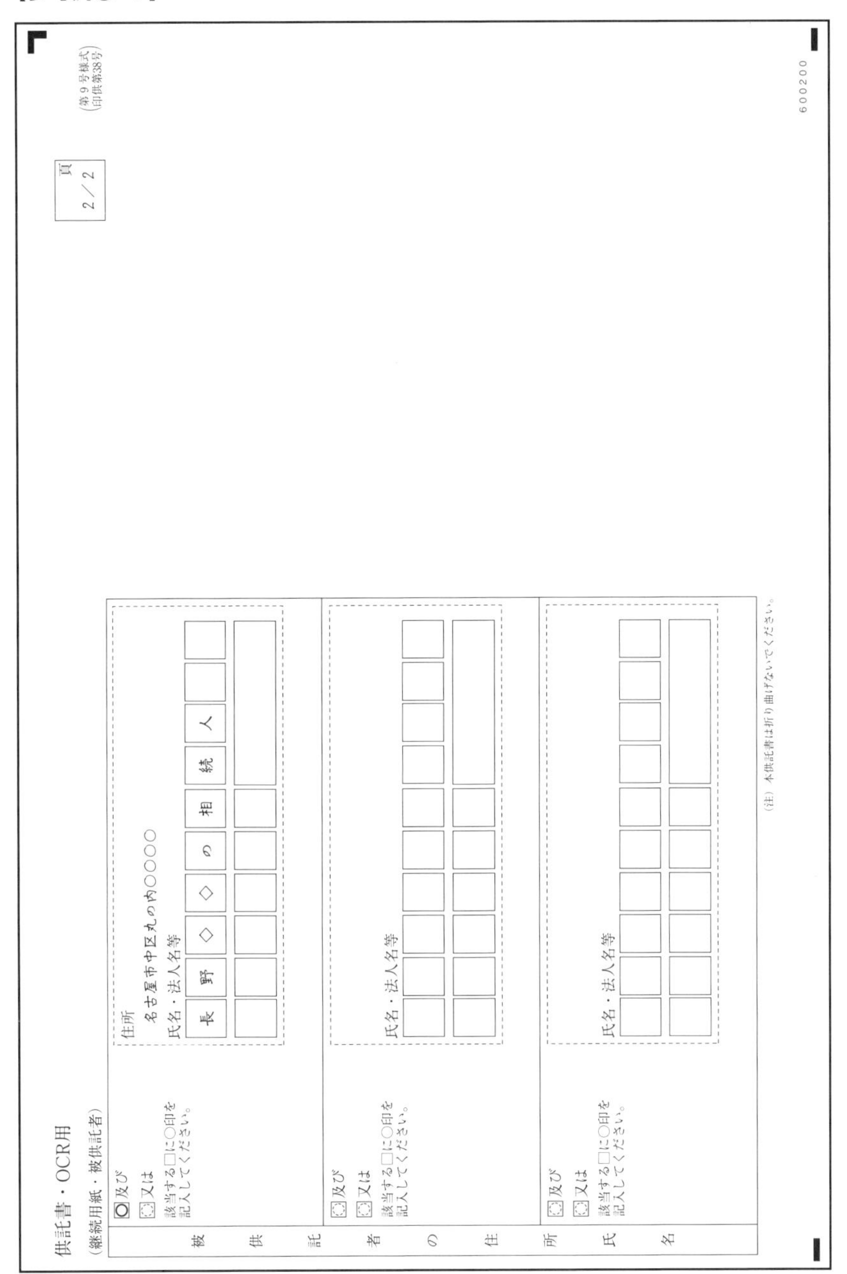

供託書・OCR用
(継続用紙・被供託者)

(第9号様式)
(印供第38号)

頁 2/2

600200

被供託者の住所氏名	
◯及び　□又は 該当する□に○印を記入してください。	住所 名古屋市中区丸の内○○○ 氏名・法人名等 長野◇◇の相続人
□及び　□又は 該当する□に○印を記入してください。	氏名・法人名等
□及び　□又は 該当する□に○印を記入してください。	氏名・法人名等

(注) 本供託書は折り曲げないでください。

「長野○○の相続人」と記載します。また、判明しない相続人の住所は記載のしようがありませんので、亡くなった長野さんの住所地をそのまま記載します。なお、この場合のポイントは、「被供託者の住所氏名」欄にある「**及び**」の部分に「○」を付けることです。こうすることで、被供託者が相続人全員であることが表されます。あと、このように供託書が複数枚となる場合には、各書式の右肩のところに、全体で何頁あるうちの何頁目なのかわかるように数字を記入してください。

4－3－4　供託書を記載する場合のその他のポイント

次に特徴的なのは、用紙右側の「供託の原因たる事実」欄の中の「供託の事由」欄への記載の仕方です。まず、債権者不確知に該当するので、すでに印刷されている「債権者を確知できない」の前に「○」を付けたうえ、その理由として空欄の部分に、

> 賃貸人が死亡し、その相続人の氏名住所が不明である

などと補ってもらえれば結構です。

それから、被供託者の住所と関連して、「供託所の表示」をどうするのか（どの供託所に弁済供託をするのか）が問題となります。

債権者不確知の場合で、持参債務であるときは、「被供託者の住所氏名」欄に記載した被供託者の誰か１人の住所地の最寄りの供託所に供託することができます。事例４-２の場合であれば、池田さんが熊本市内に住んでいますので、同じ熊本市内に住むＡさんを基準に考えて、熊本地方法務局に弁済供託をすればよいことになります。

仮に、ほかにも何人かの相続人が判明しているような場合でも、その相続人たちの住所の最寄りの供託所の中から、借主にとっていちばん都合のよい供託所を選んで供託することができます。

逆に１人も判明していない場合には、亡くなった貸主の住所地を基準に考

えればよいと扱われています（事例4－2の場合には長野さんを基準に名古屋法務局となります）。

それから、今回のような債権者不確知の場合の供託根拠法令は、民法第494条第2項となりますので注意してください。

それ以外の供託金納付などの手続については、他の弁済供託の場合と特に変わりありません。

なお、言うまでもありませんが、事例4－2のAさんのように、氏名住所が判明している相続人に対しては、供託通知をする必要があります（1－2－5－2参照）。そのため、供託通知をするよう請求する場合には、必要な郵便切手を供託所に提出する必要がありますので、注意してください。

4－3－5　還付請求では「還付を受ける権利を有することを証する書面」を添付することが必要

受領拒否の場合でも、受領不能の場合でも、供託書に被供託者として記載されていたのは、債務者も認める具体的な「債権者その人」でした。

しかし、事例4－2のように相続人全員が判明せずに債権者不確知となる場合には、供託書に被供託者として記載されているのは、言わば「債権者の候補者」です。そのうえ、不明な相続人の氏名については「〇〇の相続人」と記載されています。その結果として、当然のことながら、供託金払渡請求書の「請求者の住所氏名印」欄の記載は、供託書の「被供託者の住所氏名」欄の記載と一致しないことになります。

こうした次第で、供託官には、誰が真の債権者なのかが分かりませんから、「還付を受ける権利を有することを証する書面」を添付してもらって、そこのところをはっきりさせてもらう必要があります（2－2－5参照）。

添付すべき「還付を受ける権利を有することを証する書面」ですが、そもそも債権者不確知になった理由が、相続人全員が判明しないことにありましたので、貸主と相続人全員との関係が分かる書面が必要となります。

添付すべき書面の典型例は、戸籍謄本や除籍謄本、その**附票**などです（4－

2-3-3参照)。死亡後遺産分割前に発生した賃料については、これらの組合せで対処できることがほとんどだと思われます。

ただ、相続人全員が分かっても、遺産分割の内容までは分かりません。そのため、遺産分割が終わっているのであれば、戸籍謄本などに加えて**遺産分割協議書**をも添付する必要があります。

4－3－6　まとめ

相続人全員が判明していない場合には、債権者不確知を理由とする弁済供託をすることになります。

供託書には、判明している相続人については、その氏名住所を記載し、判明していない相続人については「住所不明　○○の相続人」と記載します。供託すべき供託所は、判明している相続人の住所地を基準にしてもいいですし、死亡した貸主の住所地を基準にしても構いません。

還付請求をする場合には、還付を受ける権利を有することを証する書面として、貸主と相続人全員との関係が分かる書面が必要となります。遺産分割後であれば、遺産分割協議書の添付も必要となります。

第 5 章

債権譲渡にまつわる
買掛金債務の弁済供託

5－1　債権者不確知を理由とする弁済供託

事例５－１

池田さんは、熊本市内で自転車部品などの卸売業をしていた開さんから、池田さんのお店で扱う自転車のパーツの一部を長年仕入れていました。

支払は「10日締めの翌月末日払い」という約束でした。

すると、７月20日、池田さんのお店に、開さんから１通の内容証明郵便が届きました。

封を開けると、中に入っていた通知書には、「私は、７月31日が支払期限となっている私の池田さんに対する売掛金債権150万円を、７月18日に荒川さんに譲渡した。支払期限までに、荒川さんに売掛金を支払ってほしい」という内容が書かれていました。

荒川さんは、熊本市内で大型のスポーツ用品店を営んでいる人物です。池田さんも、地元商店街の野球チームのメンバーとして、よくお酒を酌み交わす間柄でした。そのため、開さんが債権譲渡をしたことは意外でしたが、荒川さんに支払うのであれば安心してやりとりできると思っていました。

ところが、支払期限間近の７月27日になって、池田さんのところに、開さんからまた内容証明郵便が届きました。その内容は、「この前、７月31日が支払期限となっている売掛金債権を荒川さんに譲り渡したという債権譲渡通知書を送ったが、その後、荒川さんに騙されていたことが分かった。荒川さんとの間で結んだ債権譲渡契約は無効なので、荒川さんには、売掛金を絶対に支払わないでほしい」というものでした。

池田さんは、驚いて開さんと荒川さんに連絡をしましたが、どちらの言っていることも正しいように聞こえるため、何が本当のことなのか判断が付きません。だからといって、長年仕事上の付合いがある開さんの肩を持つことも、プライベートで仲の良い荒川さんの肩を持つこともできず困ってしまいました。池田さんは、弁済供託をすることはできないでしょうか。

5－1－1　債権者不確知の場合も、債務者は弁済しようがない状況にある

弁済供託の根拠法令である民法第494条第２項には、「弁済者が債権者を確知することができないとき」には弁済供託をすることができると規定されています。「債権者を確知することができない」というのは、債権者が誰なのかがはっきりとは分からないという意味です。

このような場合に弁済供託をすることが認められているのは、受領拒否や受領不能と同じ理由です。つまり、弁済するための資金を準備しているにもかかわらず、弁済することができず、債務から免れられない債務者を保護するという点にあります。

他方で、こうした債権者不確知には、債権者が誰なのかがはっきりしている受領拒否や受領不能とは異なる背景がありますので、この点についてお話しします。

もし仮に「債権者がＸさんなのかＹさんなのかが分からなかったとしても、支払期限が来た以上は弁済しなければなりません」という制度の国に住んでいたとします。この場合、債務者としては「ええい、この人が債権者だ」と決め打ちをして、どちらかに弁済するしか手段がありませんよね。

それでも、その判断がたまたま合っていて、真の債権者に弁済できた場合には、特に問題が生じません。

しかし、ひとたび判断が外れてしまった場合、真の債権者からは「お気の毒ですが、私が債権者なので、私に全額支払ってください。もちろん、遅延損害金も付けてくださいね」と言われてしまうでしょう。そして、そう言われてしまったら、真の債務者に全額弁済し直すしかありません。だからといって、決め打ちして最初に支払ってしまったお金を取り戻すのは、現実にはなかなか難かしいと思われます。

このように、債務者にはどうにもならない事情で、債務者がこうした一か八かの賭けをするところまで追い詰められる（**二重払いの危険**と言います）の

はあまりに不合理ということもあって、わが国では債権者不確知の場合に弁済供託をすることができるとされています。

5－1－2 債権者不確知となる3つのパターン

債権者が誰なのかはっきりと分からずに困る典型的なパターンは、大きく3つに分けられます。

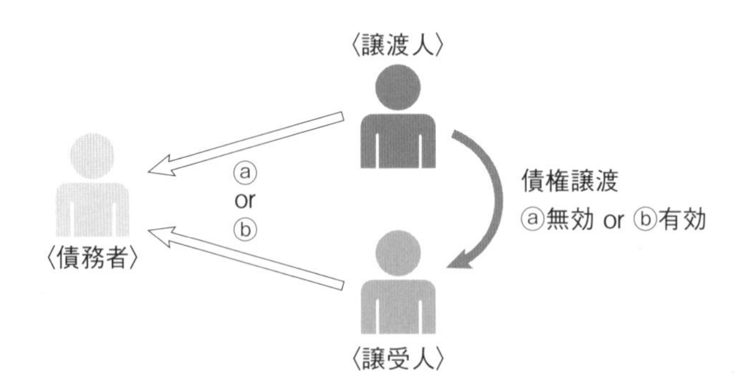

1つ目は、「自分が債務者となっている金銭債権」が譲渡（民466Ⅰ本文）されたものの、その後、「債権譲渡が有効なのか無効なのか」というトラブルが起きたパターンです。このパターンでは、債権者不確知が「債権の譲渡人（もともとの債権者）or 債権の譲受人」という形で現れるのが大半です。

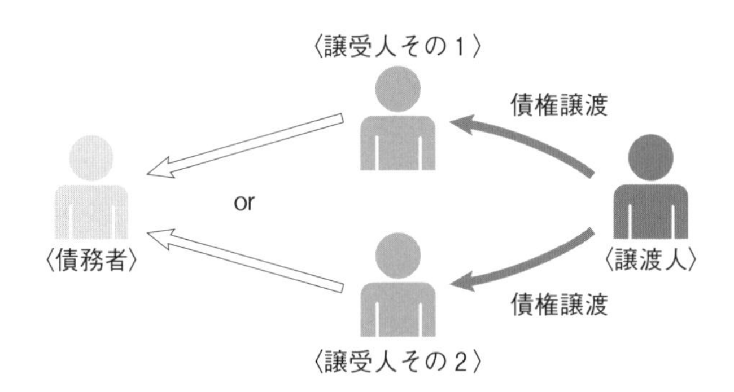

2つ目は、「自分が債務者となっている金銭債権」が二重に譲渡されるなどして、誰がその債権を行使できるのかというトラブルが起きたパターンで

す。このパターンでは、多くの場合、債権者不確知が「債権の譲受人その１ or 債権の譲受人その２」という形で現れることになります。

１つ目と２つ目のパターンは、いずれも「債務者が現金を持って待合せ場所で待っていると、「私が債権者だ」という人物が２人現れて、どちらに支払えばいいのか見当が付かずに困っている」というイメージを持つと分かりやすいかと思います（3-1-2-3参照）。

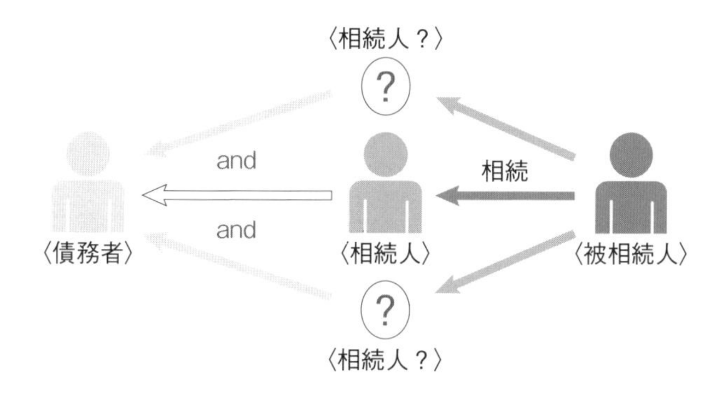

最後に、３つ目ですが、「自分が債務者になっている債権」の債権者が死亡して相続が発生したものの、相続人全員が分からないというパターンです。このパターンについては、第４章で説明していますので、詳しくはそちらを参照してください（4-3参照）。

さて、今回の事例5-1では、池田さんを債務者とする売掛金債権が、債権者であった開さんから譲受人である荒川さんにいったん譲渡された後、この債権譲渡が有効なのか無効なのかということが争われています。そして、池田さんが、開さんと荒川さんの両方に話を聞いたものの、どちらの話が本当なのか判断がつかず、債権者がどちらなのかがわからない状況に陥っています。ですから、先ほどの３つのパターンで言うと、１つ目のパターンだということになります。

なお、２つ目のパターンについては、後ほど説明します（5-2参照）。

5－1－3　債権者不確知を理由とする弁済供託の方法

5－1－3－1　弁済の提供をする必要はない

債権者不確知の場合、受領拒絶の場合とは違い、債権者がはっきりと分からないわけですから、弁済の提供をしようがありません。

ですから、事例5-1で言うと、池田さんは、支払うべき売掛金を、債権の譲渡人である開さんや、譲受人である荒川さんのところに持っていくといった無駄なことをする必要はありません。むしろ、そんなことをして、万が一どちらかに受領されてしまったら、話が余計にややこしくなってしまいます。

ごくシンプルに、供託書を作成して、しかるべき供託所で弁済供託の手続をすれば、それでOKということになります。

5－1－3－2　供託書を作成するうえでの注意点

供託書ですが、事例5-1を例に考えた場合、売掛金債権が問題となっていますので、第四号様式を使うことになります。具体的には【参考例⑫-1】のとおりです。

まず、用紙左側の「申請年月日」欄、「供託者の住所氏名」欄、「供託金額」欄、それから用紙右側の「法令条項」欄についてですが、これらは、特に問題がないかと思います。

次に、「被供託者の住所氏名」欄についてです。事例5-1の場合、債務者の池田さんとしては「債権者は、荒川さんか開さんのどちらかだから、この2人ならどちらでもいいよ」というつもりで弁済供託をすることになるはずです。そのため、被供託者は、「荒川さん又は開さん」であると考えます。

そこで、【参考例⑫-1】にあるとおり、供託書の「被供託者の住所氏名」欄には、開さんの住所氏名を記載したうえ、「別添のとおり」の前に「○」を付けます。そして、供託書の継続用紙である第九号様式を使って、【参考例⑫-2】のとおり「**又は**」の前に「○」を付けたうえで「被供託者の住所

【参考例⑫-1】 供託書

供託書・OCR用

（雑）

□字加入 □字削除

係員印	受付		調査		記録		頁 1／2

（第４号様式 印供第34号）

申請年月日	令和２年７月31日	供託カード番号 （　　　） カードご利用の方は記入してください。
供託所の表示	熊本地方法務局	

供託者の住所氏名

住所
熊本市中央区大江○○○○

氏名・法人名等
池田◇◇

代表者等又は代理人住所氏名

□別添のとおり
ふたりめからは別紙継続用紙に記載してください。

被供託者の住所氏名

住所
熊本市中央区手取本町○○○○

氏名・法人名等
開◇◇◇

◎別添のとおり
ふたりめからは別紙継続用紙に記載してください。

◎供託通知書の発送を請求する。

供託金額	百	十	億	千	百	十	万	千	百	十	円
				¥	1	5	0	0	0	0	0

㊞ 年　月　日
□供託カード発行

↓ 濁点、半濁点は１マスを使用してください。

供託者カナ氏名：イケタ゛◇◇

法令条項	民法第494条第２項

供託の原因たる事実

供託者は，被供託者開◇◇◇に対し，売買代金150万円の債務（弁済期：令和２年７月31日，支払場所：被供託者住所）を負っているところ，本月20日，下記の確定日付ある債権譲渡通知書が送達された。ところが，当該債権について，本月27日，譲渡人である被供託者開◇◇◇から，当該債権譲渡通知書は詐欺により作成されたものであり，本来譲渡の意思はなく，取消しの意思表示をしたため無効であるから，当方に支払されたい旨の文書が送達された。他方，譲受人である被供託者荒川◇◇からも，支払請求を受けており，被供託者間で債権の帰属について争いがあることから，供託者は過失なくして真の債権者を確知することができないので，供託する。

記

譲渡金額　150万円　　送達年月日　令和２年７月20日
譲渡人　開◇◇◇　　譲受人　荒川◇◇

□供託により消滅すべき質権又は抵当権

□反対給付の内容

備考

（注）1．供託金額の冒頭に¥記号を記入してください。なお，供託金額の訂正はできません。
2．本供託書は折り曲げないでください。

020000

【参考例⑫-2】

(第9号様式 印供第38号)

頁 2／2

供託書・OCR用

(継続用紙・被供託者)

被供託者の住所氏名		
	□及び ◯又は 該当する□に○印を記入してください。	住所 熊本市中央区水前寺○○○○ 氏名・法人名等 荒 川 ◇ ◇
	□及び □又は 該当する□に○印を記入してください。	氏名・法人名等
	□及び □又は 該当する□に○印を記入してください。	氏名・法人名等

(注) 本供託書は折り曲げないでください。

600200

氏名」欄に荒川さんの住所氏名を記載します。もちろん、どちらの様式の「被供託者の住所氏名」欄に、譲渡人・譲受人どちらの住所氏名を記載しても構いません。供託書本体（第四号様式）のほうに書いたからといって、その人が有利になるなどということは、一切ありません。

次に、「供託の原因たる事実」欄についてですが、【参考例⑫-１】にあるような感じで、「どうして債権者が誰なのかが分からなくなったのか」という事情が分かる程度に記載してください。事例５-１であれば、記載のポイントは、譲渡通知が到達した後に、債権譲渡が無効であったという通知がされたために債権者不確知となったということですね。

なお、改正前の民法第494条では「弁済者が過失なく債権者を確知できないとき」と表現されていましたが、今回の改正で同条第２項但書として「弁済者に過失があるときは、この限りでない。」と表現されることになりました。こうした条文の文言の変化により、「弁済者に過失がないこと」については、供託の有効性を争う者（典型例は債権者）が主張・立証責任を負うことになりました。ただ、債権者不確知による弁済供託では、結局は弁済者に過失がないことが前提とされています。ですから、参考例⑫-１にもあるとおり、「供託の原因たる事実」欄には、「供託者は過失なくして真の債権者を確知できないので」といったフレーズを記載しておくべきでしょう。

そのほか、供託金の提出など手続については、他の弁済供託の場合と特に変わりありません。

次に、「供託所の表示」欄についてお話しします。弁済供託では、法律で、供託を、債務の履行地の供託所にしなければならないとされています（民495Ⅰ）。そして、金銭債務の履行地は、原則として債権者の住所地です。そのため、債権者の住所地の最寄りの供託所が、「供託所の表示」欄に記載すべき供託所となります（３-３-３-２参照）。

事例５-１では、開さんも荒川さんも熊本市内に住んでいるので、弁済すべき供託所は、熊本地方法務局ということで特に問題はありません。

では、たとえば、荒川さんの住所が福岡市内にあった場合にはどのように考えたらよいのでしょうか。結論から言いますと、被供託者いずれかの住所地の最寄りにある供託所を選択することができます＊12。つまり、荒川さんの住所地の最寄りである福岡法務局か、開さんの住所地の最寄りである熊本地方法務局かを自由に選べるということです。

最後に、供託通知書の発送を請求する場合についてです。事例5－1のような場合、被供託者は、開さんと荒川さんの2人です。そのため、供託通知は、この両名に対して行う必要があります（民495Ⅲ）。そこで、弁済供託を申請する際には、供託書の「被供託者の住所氏名」欄にある「供託通知書の発送を請求する。」の前に「○」を付けたうえ、被供託者両名に対して供託通知書を発送するのに必要な郵便切手を提出する必要があります。

それ以外の供託金納入などの手続については、他の弁済供託の場合と特に変わりありません。

5－1－4　還付請求をするには、確定判決の謄本や相手方の承諾書などの添付が必要

5－1－4－1　債権者不確知を理由とする弁済供託の場合、還付を受ける権利を有することを証する書面の添付が必要

前にもお話ししたとおり、供託金払渡請求書の「請求者の住所氏名印」欄の記載が、供託書の「被供託者の住所氏名」欄の記載と完全に一致していれば、還付請求をするにあたって「還付を受ける権利を有することを証する書面」の添付が不要な「還付請求の基本パターン」になります（1－3－3－4参照）。

逆に、完全には一致しない場合は、「還付を受ける権利を有することを証する書面」の添付が必要なパターンとなります（2－2－5参照）。

事例5－1で言うと、仮に開さんが還付請求をする場合、その供託金払渡請求書の「請求者の住所氏名印」欄には開さんの住所氏名が記載されています。しかし、池田さんが作成した供託書の「被供託者の住所氏名」欄には、開さんの住所氏名だけでなく、荒川さんの住所氏名も記載されています。

したがって、債権者不確知を理由とする弁済供託について還付請求をする場合には、還付請求の基本パターンには当たりません。ですから、必ず「還付を受ける権利を有することを証する書面」を添付しなければならないということになります。

5－1－4－2　還付を受ける権利を有することを証する書面の具体例

事例5-1では、債権者不確知となった原因が、「債権譲渡の有効性が不明であるため、開さんと荒川さんのどちらに債権が帰属するのかが分からなくなった」ということにありました。そのため、還付を受ける権利を有することを証する書面は、「結局、債権がどちらに帰属するのか」という決着を付けるものでなければなりません。

決着を付ける方法としては、①裁判をして判決を出してもらう、②裁判の中で当事者同士で和解してどちらに債権が帰属するのかを決める、③当事者同士で話し合ってどちらに債権が帰属するのかを決めるといった方法が考えられます。

そこで、還付を受ける権利を有することを証する書面としては、実際にどのように決着を付けたのかに応じて、①**確定判決の謄本**、②**和解調書**等、③（開さんが還付請求する場合には）荒川さんが作成した「開さんが権利者であることを認める」という内容の**承諾書**などの添付が必要となります。

注意していただきたいのは、①②の裁判の当事者には、供託書に記載された被供託者の全員が含まれている必要があるということです。事例5-1の場合ですと開さんと荒川さんの２人です。仮にもう１人加えた３人で債権の帰属を争っている事例で、その３人が被供託者として記載されている場合であれば、その３人が裁判の当事者となっているものでなければなりません。１人でも欠けているものであれば、「結局、債権が誰に帰属するのか」という問題に決着が付いていないことになるので、還付請求は認められないことになります。

もう１つの注意点ですが、裁判制度を利用しない③の承諾書についても、

①②と同様の理由から、被供託者とされた相手方全員分の承諾書が必要となります。なお、承諾書は、還付請求が認められるかどうかを左右する重要な書類であるものの、承諾するという内容が記載してあれば、その体裁は問いません。ただ、このことは、誰でも簡単に作れてしまうという問題を生じさせてしまいます。そのため、相手方がきちんと納得して作成したものであることを明らかにするために、相手方の印鑑証明書等まで必要となります（規24Ⅱ）。

5－1－5　まとめ

自分が債務者となっている債権が譲渡された場合で、その債権の譲渡人と譲受人との間で、その債権譲渡の有効性が争われているときには、債務者は、債権者不確知を理由とする弁済供託をすることができます。

供託する際のポイントは、弁済の提供が不要であること、供託書の被供託者欄には「譲渡人又は譲受人」という内容を記載すること、弁済供託をすべき供託所は、譲渡人の住所地を基準にしてもよいし、譲受人の住所地を基準にしてもよいということなどです。

そして、還付請求をする場合には、還付を受ける権利を有することを証する書面として、①判決書謄本、②和解調書、③相手方の承諾書などを添付する必要があります。③の承諾書の場合には、相手方の印鑑証明書まで必要となります。

5－2　二重譲渡の場合

5－2－1　事例5-2

これまで、事例5-1では、債権者不確知を理由とする弁済供託のうち、債権譲渡の有効性が問題となるという1つ目のパターン（5-1-2参照）についてお話ししてきました。

事例5-2では、5-1-2で紹介した2つ目のパターン、つまり、「自分が債務者となっている金銭債権が二重に譲渡されるなどして、誰がその債権を行使できるのかというトラブルが発生しているパターン」についてお話ししたいと思います。

ここでも、事例5-1のうち、開さんから債権譲渡をしたという内容の通知が到達した後の状況について、次のように変えたらどうなるのかを考えてみましょう。

事例5－2

［開さんからの最初の通知が届いた後の事情］

- 開さんからの最初の通知は、確定日付はあるものの内容証明郵便ではなく、一般の郵便だった。
- 池田さんのもとには、7月20日に、開さんからもう1通、別の郵便が届いた。
- 郵便の内容は、「私は、7月31日が支払期限となっている私の池田さんに対する売掛金債権を、7月19日に京都府内に住む石田さんに譲渡した。期限までに、石田さんに売掛金を支払ってほしい」というものであり確定日付のあるものだった（なお、荒川さんへの譲渡は7月18日だった）。
- 池田さんは、7月20日にお店を留守がちにしていたため、7月20日に届いた2つの郵便（荒川さんに譲渡した旨の通知と、石田さんに譲渡した旨の通知）のどちらが先に到着したのかがよく分からない。

5－2－2　二重譲渡の事案では、譲渡通知が先に債務者に到達したほうが優先する

事例5-2のように、債権者が、自分が持っている1つの金銭債権を、ある人に譲渡するだけでなく、別の人にも二重に譲渡することがあります。もちろん、二重だけでなく、三重・四重に譲渡することもあり得ます。先に債権譲渡がされていると、後の債権譲渡がただちに無効になるということはありません。先にされた債権譲渡も、後にされた債権譲渡も、一応は有効なものとして取り扱われます。

こうした場合、荒川さんや石田さんのような譲受人は、大抵はお金を出してその債権を買った人たちです。そのため、当然のことながら、全員が全員「私こそが真の債権者だ」として、池田さんのような債務者に対して支払を求めることになるでしょう。だからといって、池田さんに、「荒川さんにも、石田さんにも支払ってください」などという二重払いをさせるわけにはいきません。

まず、債権者（開さん）から債務者（池田さん）に対する譲渡通知が「確定日付のある証書」によってされているものが優先します（民467Ⅱ）。この「確定日付のある証書」というのは、公的機関によって日付が入れられたものです（結果的に、遅くともその日までには作成されていたということがはっきりします）。一般的には、内容証明郵便が用いられ、その場合の「確定日付」は、郵便局で受付をしてもらった日になります。なお、税金を滞納した場合に税務署から差押通知が届く場合がありますが、この場合は税務署という公的機関が作成しているので、その作成日が確定日付になります。また、供託金の還付請求権が債権譲渡された場合には、供託所に譲渡通知が届きますが、供託所ではこの通知に受理印を押しますから、仮に譲渡通知が一般の郵

便であっても、この押印日が確定日付とされることになります。

次に、確定日付のある証書による譲渡通知がされているもの同士では、確定日付が先になっているものではなく、あくまで「先に債務者のもとに譲渡通知が到達したものが優先する」というルールが確立しています＊13。

5－2－3　譲渡通知の到達が先後不明の場合には、債権者不確知を理由とする弁済供託をすることができる

5－2－3－1　到達したのが「同時」だと分かっている場合には、債権者不確知を理由とする弁済供託をすることはできない

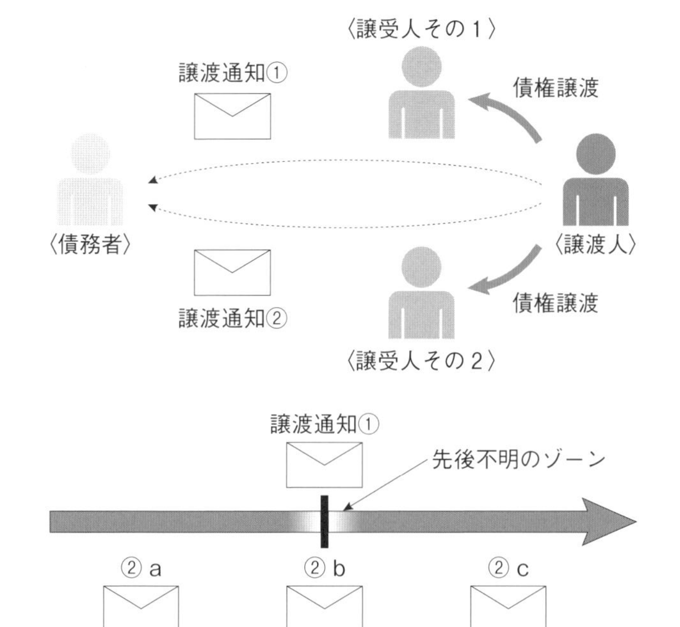

どの譲渡通知が先に到達したのかは、ほかならぬ債務者がいちばんよく知っているはずです。そのため、債権が二重に譲渡された場合であっても、

債務者が「どの譲受人が優先するのか」、つまり、「どの譲受人に弁済したらいいのか」が分からなくて困るということはあまり多くないでしょう。

そのため、債権が二重譲渡された場合でも、基本的には、債権者不確知を理由とする弁済供託をすることはできません（図の②a、②cのパターン）。

では、2通の譲渡通知が債務者のもとに「同時に到達した場合」はどうなるのでしょうか。結論から言いますと、この場合には、債権者不確知を理由とする弁済供託をすることはできません（図の②bのパターン）。

たしかに、債権が二重に譲渡され、2通の譲渡通知が同時に到達した場合には、どちらの譲受人も優先せず、債権者不確知であるということになりそうです。しかし、こうした場合については、判例*14で、各譲受人は債務者に全額の支払を請求することができるし、債務者としても、どちらか一方の譲受人に全額を支払えばよいとされています。そのため、結局、債務者としては、どちらに弁済するのが正解なのかと迷う余地がありませんから、そもそも弁済供託をする必要が認められないのです*15。

なお、「譲渡通知が同時に到達するなんて、そんなの偶然だろ」と思われるかもしれませんが、譲渡通知を出すのは1人の譲渡人（債権者）ですから、2通の譲渡通知を同時に投函することはあり得ることです。しかも、宛先は1人の債務者です。そのため、2通の譲渡通知が同じ配達員によって届けられる、つまり、同時に到達するということも十分起こることなのです。

5－2－3－2　到達の先後が不明な場合には、債権者不確知を理由とする弁済供託をすることができる

では、事例5-3のように、譲渡通知が同時に到達したのかもしれないものの、どちらかが先に到達したかもしれないという「譲渡通知の到達の先後が不明な場合」には、どうなるのでしょうか。結論から言いますと、この場合には、債権者不確知を理由とする弁済供託をすることができるとされています*16。

「同時到達」の場合と「先後不明」の場合とでは、一見すると差が少ない

ようにも思えます。しかし、同時到達の場合には、債務者自身が「同時に到達した」ということがはっきりと分かっています。これに対して、先後不明の場合には、債務者自身にも何が真実なのかが分かっていません。これは、債務者の視点に立てば、大きな違いといえます。

つまり、もし裁判で証拠を突き詰めれば、事例5-3で言うと、荒川さんが優先するという結論になるかもしれませんし、石田さんが優先するという結論になるかもしれません。しかし、裁判をしたとしても、結局どちらの通知が先に到達したのか決着が付かない場合もあります（この場合には、判例*17により、荒川さんと石田さんとで折半することになります）。ところが、結果として裁判がどういう結論になるのかは、「弁済供託をしようとする時点の池田さん」には、まったく見当も付きません。

そのため、「先後不明」の場合に、債務者である池田さんが「ええい、荒川さんに全額支払ってしまえ」と決め打ちをして弁済をしても、その判断が間違っていれば、後日、二重払いさせられる可能性があります。ここが、決め打ちをして支払っても、後日二重払いさせられるおそれのない「同時到達」の場合との大きな違いです。

このように、先後不明の場合には、債務者である池田さんに、支払期限の時点で誰に支払うか決めろというのは酷ですから、債権者不確知を理由とする弁済供託をすることが認められているのです。

5－2－4　供託書の作成等

供託書の注意点は、事例5-1の場合とあまり変わりません（5-1-3参照）。

「供託の原因たる事実」欄に記載する内容が、事案に応じて【参考例⑬-1】【参考例⑬-2】のように少し変わる程度です。事例5-3の記載のポイントは、債権を二重に譲渡されたということと、その譲渡通知の到達が先後不明であるために債権者不確知となったことです。

供託金の提出などの手続についても、他の弁済供託の場合と特に変わりあ

【参考例⑬-1】

供託書・OCR用
（雑）

字加入 □ 字削除 □ | 係員印 | 受付 | 調査 | 記録 | 頁 1／2 （第4号様式 印供第34号）

申請年月日	令和2年7月31日	供託カード番号 ( ) カードご利用の方は記入してください。
供託所の表示	熊本地方法務局	

供託者の住所氏名

住所
熊本市中央区大江○○○○

氏名・法人名等
池田◇◇

代表者等又は代理人住所氏名

□ 別添のとおり（ふたりめからは別紙継続用紙に記載してください。）

被供託者の住所氏名

住所
京都府宇治市宇治○○○○

氏名・法人名等
石田◇◇

◎ 別添のとおり（ふたりめからは別紙継続用紙に記載してください。）

◎ 供託通知書の発送を請求する。

供託金額	百	十	億	千	百	十	万	千	百	十	円
				¥	1	5	0	0	0	0	0

印 年 月 日
□供託カード発行

↓ 濁点、半濁点は1マスを使用してください。

供託者カナ氏名：イケタ゛◇◇

法令条項	民法第494条第2項

供託の原因たる事実

供託者は，熊本市中央区手取本町○○○○ 閑◇◇◇に対し，金150万円の売掛金債務（弁済期：令和2年7月31日，支払場所：債権者住所）を負っているところ，下記の確定日付ある債権譲渡通知書が相次いで送達された。しかしながら，各債権譲渡通知の送達の先後関係が不明であり，債務者の過失なくして真の債権者を確知できないので供託する。

記

〔債権譲渡通知書の表示〕
1 譲渡金額 150万円，送達日 令和2年7月20日
　譲受人 石田◇◇，譲渡人 閑◇◇◇
2 譲渡金額 150万円，送達日 令和2年7月20日
　譲受人 荒川◇◇，譲渡人 閑◇◇◇

□ 供託により消滅すべき質権又は抵当権

□ 反対給付の内容

備考

（注）1．供託金額の冒頭に¥記号を記入してください。なお，供託金額の訂正はできません。
2．本供託書は折り曲げないでください。

020000

【参考例⑬-2】

供託書・OCR用

（継続用紙・被供託者）

頁 2／2

（第9号様式 印供第38号）

被供託者の住所氏名

□及び
◯又は
該当する□に○印を記入してください。

住所
熊本市中央区水前寺○○○○

氏名・法人名等
荒川◇◇

□及び
□又は
該当する□に○印を記入してください。

氏名・法人名等

□及び
□又は
該当する□に○印を記入してください。

氏名・法人名等

（注）本供託書は折り曲げないでください。

600200

りません。

5－2－5　還付請求の手続

還付請求にあたっては、やはり、還付を受ける権利を有することを証する書面の添付が必要です。

還付を受ける権利を有することを証する書面としては、①被供託者全員を当事者とする訴訟の確定判決の謄本や、②和解調書の謄本などのほか、③他の被供託者全員からの承諾書とその印鑑証明書が挙げられます。

5－2－6　ま と め

自分が債務者となっている金銭債権が二重に譲渡された場合で、各債権譲渡の譲渡通知が送達した先後が不明であるときは、債務者は、債権者不確知を理由とする弁済供託をすることができます。

供託する際のポイントですが、「供託の原因たる事実」欄に記載する内容を除いて、債権譲渡の有効性が争われている場合（5-1-3参照）とあまり変わりがありません。

そして、還付請求をする場合には、「還付を受ける権利を有することを証する書面」が必要です。

5－3 譲渡制限特約が付いた債権が譲渡された場合

5－3－1 事例5－3

事例5－1は、「開さんの池田さんに対する売掛金債権」が荒川さんに譲渡されたところ、開さんと荒川さんとの間で、債権譲渡の有効性が争われたという事例であり、池田さんはその争いに巻き込まれた感じでした。

事例5－2は、開さんが「開さんの池田さんに対する売掛金債権」を荒川さんや石田さんに二重譲渡されたところ、その譲渡通知のいずれが先に池田さんのところに到達したのか不明となったという事案であり、やはり池田さんがその争いに巻き込まれた感じでした。

ただ、債権譲渡がされたことに伴って供託する場合というのは、事例5－1のように債権譲渡の有効性が争いになったり、事例5－2のように債権譲渡の優劣が争いになる場合だけではありません。

そこで、事例5－1を、「開さんから債権譲渡をしたという内容の通知が到達した場面」から後の状況などについて、次のように変えたらどうなるのかを検討してみましょう。

事例5－3

［債権譲渡を禁止する合意があった］

- 池田さんは、開さんと取引を始めた頃、開さんとの間で、「開さんの池田さんに対する売掛金債権を、第三者に譲渡してはならない」という合意をしていた。
- 荒川さんは、数年前に熊本から福岡に進出したスポーツ用品店を経営している人物であるが、現在は福岡市内に住んでいて、池田さんとはまったく面識がない。
- 開さんは、池田さんに対して、「池田さんとの間の合意については、債権譲渡の前に荒川さんには説明しなかった」と言っている。
・池田さんは、荒川さんに何度か電話をしたものの、いまのところ連絡がとれず、本当のところが分からない。

5－3－2　譲渡制限特約付債権が譲渡された場合、債務者は無条件で供託することができる

5－3－2－1　譲渡制限特約付債権の譲渡は、有効となる

債権譲渡をするのは自由というのが、民法上の大原則です（民466Ⅰ本文）。

しかし、この原則を貫くと、債務者（事例5－3で言うと池田さん）としては、債権者が「人柄を含めて信頼したからこそ取引を始めた譲渡人（開さん）」から、ある日突然、「見知らぬ強面のお兄さん（荒川さん）」に変わったとしても、いっさい文句を言えないことになってしまいます。

また、債務履行地は、原則として債権者の住所地になりますが（3－3－3－2参照）、たとえば譲渡人の住所地が「債務者の住所地の近所（熊本市内）」だったのに、ある日突然、「新幹線に乗っていくような離れたところ（福岡市内）」という譲受人の住所地になってしまう可能性もあります。

このように、先ほどの大原則を貫くといろいろな不都合が生じることもあるので、債務者を保護するために、実務上、債権の譲渡を禁止したり制限したりする合意（以下「譲渡制限特約」といいます）が債権者と債務者との間で交わされています。

従前は、こうした特約に反した債権譲渡が行われた場合、その債権譲渡は原則無効とされていました（改正前の民466Ⅱ本文）。

しかし、この取扱いが今回の民法改正で180度変わりました。つまり、債権譲渡の契約が令和２年４月１日以降に締結された場合には、その債権が譲渡制限特約付であっても債権譲渡が有効とされるということです（改正後の民466Ⅱ・改正民法附則22）。

5－3－2－2　譲渡制限特約付債権が譲渡されても、原則として債権者不確知とならない

今回の改正以前は、譲渡制限特約付債権の譲渡が原則無効であったため、譲受人が譲渡制限特約付債権であることについて知っているのか（悪意なのか善意なのか）、知らなかったことに落ち度があるとして重大なのか（重過失なのか無重過失なのか）によって、「債権者」が、「譲渡人」とされたり「譲受人」とされたりしました。

そのため、債務者が、譲受人が善意無重過失かどうか分からない場合には、債権者が譲渡人なのか譲受人なのか判断できなくなりますから、債権者不確知による弁済供託をすることができるとされていました。

しかし、今回の改正によって、譲受人が譲渡制限特約付債権であることについて悪意重過失の場合には、譲受人に対する債務の履行を拒んだり、譲渡人に弁済することができるなどとされたものの（民466Ⅲ）、「債権者」は「譲受人」で確定されることになりました（民466Ⅱ）。

つまり、令和２年４月１日以降に債権譲渡された場合については、その債権に譲渡制限特約があったとしても「債権者が譲渡人なのか譲受人なのか分からない」という事態はいっさい生じなくなったのです（附則22）。

5－3－2－3　譲渡制限特約付債権の債務者は、供託して債務を免れることができる

ここまででお話してきたように、今回の民法改正により、債権者が譲渡制限特約に反して債権譲渡をしたとしても、債務者は「債権者不確知による弁済供託」をすることはできなくなりました。

しかし、「自分で選んだ相手方とだけ取引をしたい」、「勝手に債務履行地を変えられたくない」という債務者の利益は、やはりこれまでと同様に守られる必要があります。

そこで、改正民法では、こうした利益を守るために、譲渡制限特約付債権が譲渡された場合に、債務者が、その債権の全額に相当する金銭を供託でき

るという、弁済供託に準じた制度が新設されました（民466の２）。

この供託をするに当たっては、譲受人の善意悪意は問題とされず（民466の２Ⅰ）、さらには債務者の過失（民494Ⅱ但書）も必要とされていません。また、この供託をするに当たっては、あらかじめ弁済の提供をする必要もありません。

5－3－3　供託書の作成等

譲渡制限特約付債権が譲渡された場合の供託書を作成する際のポイントです。

供託所は、事例５－１や５－２と同様、第四号様式を使うことになります。具体的には【参考例⑭】のとおりです。

まず、供託所については、譲渡された債権の債務履行地が、もともと譲渡人の住所地であれば譲渡人の住所地を基準にしても構いませんし、譲受人の住所地を基準にしても構いません（民466の２Ⅰ括弧書き）。つまり、事例５－３の場合も、事例５－１と同様に、債務者（池田さん）は、譲渡人（開さん）の最寄りである熊本地方法務局にするのか、譲受人（荒川さん）の最寄りである福岡法務局にするのかを自由に選べます。

次に、被供託者としては、必ず譲受人（事例５－３であれば荒川さん）を記載してください。譲渡人を被供託者とすることはできません（民466の２Ⅲ参照）。

それから、供託金額は、通常の弁済供託の場合と同様、その時点で支払わなければならない「全額」とされています（民466の２Ⅰ）。もし履行期を過ぎていれば、当然遅延損害金も供託しなければなりません。

供託根拠法令は、「民法第466条の２第１項」になります。

供託原因事実については、【参考例⑭】にあるような感じで、「債権に譲渡制限特約が付されていたのに、その債権が譲渡された旨の通知が来た。」という事情が分かるように記載してください。

最後に、供託通知書の発送を請求する場合についてです。弁済供託の場

【参考例⑭】

供託書・OCR用
（雑）

□字加入 □字削除　係員印　受付　調査　記録　頁 ／　（第４号様式 印供第34号）

申請年月日	令和２年７月31日	供託カード番号 (　　　) カードご利用の方は記入してください。
供託所の表示	熊本地方法務局	

供託者の住所氏名

住所
熊本市中央区大江○○○○

氏名・法人名等
池田◇◇

代表者等又は代理人住所氏名

□別添のとおり
ふたりめからは別紙継続用紙に記載してください。

被供託者の住所氏名

住所
福岡市中央区舞鶴○○○○

氏名・法人名等
荒川◇◇

□別添のとおり
ふたりめからは別紙継続用紙に記載してください。

◯供託通知書の発送を請求する。

供託金額	百	十	億	千	百	十	万	千	百	十	円
				¥	1	5	0	0	0	0	0

印　年　月　日
□供託カード発行

↓ 濁点、半濁点は１マスを使用してください。

供託者カナ氏名：イケタ゛◇◇

法令条項	民法第466条の２第１項

供託の原因たる事実

供託者は，熊本市中央区手取本町○○○○開◇◇◇に対し，令和２年６月10日付け売買契約に基づく売買代金150万円の債務（弁済期：令和２年７月31日，支払場所：開◇◇◇住所）を負っているところ，本月20日，下記の確定日付ある債権譲渡通知書が送達された。

ところが，上記債権には，譲渡制限特約が付されていることから，債権の全額に相当する金150万円を供託する。

記

譲渡金額　200万円　　送達年月日　令和２年７月20日
譲渡人　開◇◇◇　　譲受人　被供託者

□供託により消滅すべき質権又は抵当権

□反対給付の内容

備考

（注）1．供託金額の冒頭に¥記号を記入してください。なお，供託金額の訂正はできません。
2．本供託書は折り曲げないでください。

020000

合、通知の対象は、住所氏名が判明する被供託者でした（民495Ⅲ、1－2－5－2参照）。しかし、新設されたこの供託の場合には、被供託者である譲受人だけでなく譲渡人に対しても遅滞なく供託の通知をしなければなりません（民466の2Ⅱ）。ですから、「供託通知書の発送を請求する。」の前に「○」を付ける場合には、譲渡人と譲受人の両者に対して供託通知書を発送するのに必要な郵便切手を提出する必要があります。

これ以外の供託金納入などの手続については、通常の弁済供託の場合と同じです。

5－3－4　還付請求の手続

この供託で還付請求をすることができるのは、譲受人だけです（民466の2Ⅲ）。

事例5－1や事例5－2では、「還付を受ける権利を有することを証する書面」として承諾書などが必要でした（5－1－4、5－2－5参照）。

しかし、この供託では、被供託者も還付請求者も、同じく「譲受人」となります。ですから、原則として「還付を受ける権利を有することを証する書面」が不要な「還付請求の基本パターン」となります（1－3－3－4、【参考例②】参照）。したがいまして、例えば「譲渡人の承諾書」などを添付する必要はありません。

5－3－5　一定の場合には供託しなければならなくなることがある

事例5－3のような場合には、債務者（池田さん）は、譲受人（荒川さん）に弁済しても構いませんし、譲受人（荒川さん）を被供託者とする供託（民466の2Ⅰ）をしても構いませんでした。つまり、債務者（池田さん）の自由な選択に委ねられるということです。

しかし、事例5－3でも、①譲渡人（開さん）について破産手続開始の決定があった場合には話が違ってきます。

具体的には、②譲渡人（荒川さん）が債権の全額を譲り受けており、かつ、③譲受人（荒川さん）がその他の第三者にも譲り受けたことを対抗できるという条件が揃っている場合に、④譲受人（荒川さん）が債務者（池田さん）に債権全額を供託するよう請求したときには、債務者（池田さん）は、債権全額を供託しなければならないのです（民466の３）。

この制度も、今回の民法改正で新設されました。

この場合の供託書の記載例は、【参考例⑭】とほとんど変わりません。変わるのは、供託根拠法令が「民法第466条の３」となることや、供託原因事実に今お話した①や④の要素が現れるぐらいです。具体的には、【参考例⑭】の「ところが、上記債権には、譲渡制限特約が付されている」以降に、「ところ、同月23日、開◇◇◇について破産手続開始の決定があり、被供託者から供託するよう請求を受けたので、債権の全額に相当する金150万円を供託する。」などと記載することになります。

5－3－6　まとめ

自分が債務者となっている金銭債権について譲渡制限特約が付されている場合にもかかわらず、その債権が譲渡された場合には、債務者は、今回の民法改正で新設された民法第466条の２第１項による供託をすることができます。

供託をする際のポイントは、被供託者欄には譲受人を記載すること、供託すべき供託所は、譲渡人の住所地を基準にしてもよいし、譲受人の住所地を基準にしてもよいということなどです。

そして、還付請求をする場合には、「還付を受ける権利を有することを証する書面」は不要です。

また、譲渡人について破産手続開始の決定があった場合に、一定の条件を備えた譲受人から請求されたときには、民法第466条の３による供託をしなければなりません。

なお、応用編ですが、譲渡制限特約付債権が債権譲渡されたものの、その譲渡自体の有効性が争われている場合も想定されます（事例５－１と事例５－３とが組み合わさったような事例)。こういう場合には、債権者不確知の民法第494条第２項と今回新設された民法第466条の２第１項（または民法第466条の３）の両方を供託根拠法令とした供託をすることもできます。ちなみに、二種類以上の供託根拠法令に基づく供託を一般に「**混合供託**」と言い、他にもさまざまなケースがあります（たとえば、債権譲渡の有効性が争われている債権についてさらに差押えがあった場合、債権者不確知の民法第494条第２項と、第三債務者がする執行供託の民事執行法第156条第１項の両方を供託根拠法令とする混合供託をすることができます)。

第6章

不法行為に基づく損害賠償債務の弁済供託

6－1　不法行為に基づく損害賠償債務の弁済供託

事例６－１

池田さんは、かつての高校球児で、いまでも地元商店街の人を中心に結成された野球チームに所属しており、自宅近くの空き地でバットの素振りをするのが日課です。

ある日の夜、霧雨ではありましたが、いつものように熱心にバットの素振りをしていたところ、濡れた手からバットがすっぽ抜けて飛んでいきました。そこに、運悪く、熊本を観光で訪れていた泉さんが通りかかりました。そして、飛んでいったバットが、泉さんの額に命中しました。泉さんは、脳しんとうを起こして、その場に倒れ込んでしまいました。

泉さんは、池田さんが呼んだ救急車で病院に搬送されました。池田さんもこの病院に駆けつけると、治療を受け終えたばかりの泉さんに対し、平身低頭で謝りました。しかし、泉さんは、額を５針縫う怪我を負わされて２週間の安静が必要と診断されたことに加え、以前から計画を練っていた３泊４日の観光旅行を初日で台無しにされたため、激怒してしまいました。

こうした経緯もあって、泉さんは、治療費や温泉旅館などのキャンセル料、しばらく欠勤しなければならなくなった休業損害や慰謝料などもろもろ込みで、損害額が100万円にのぼっていると主張しました。池田さんは、全面的に自分が悪いと頭を下げ続けましたが、いくらなんでも100万円は高すぎであり、40万円くらいが相場だと思っていました。

泉さんは、治療にあたった医師に説得されて、これ以上観光を続けることはあきらめ、来たばかりの熊本市を後にして、自宅のある千葉市に帰ることにしました。

池田さんは、その後も、泉さんと電話で交渉を続け、この事件から１カ月後には、手みやげを持って泉さんの家を訪れました。そして、池田さんは、40万円に遅延損害金を加えたものを支払おうとしましたが、泉さんに「そんな額では受け取れません」と言われて断られてしまいました。

池田さんは、受領拒否を理由とする弁済供託をしたいと考えていますが、可能でしょうか。
なお、客観的に正しい損害額は51万円とします。

6－1－1　弁済の提供の基本型は、被害者の住所地に、「損害額」と「遅延損害金の額」を合計した現金を持参するというもの

不法行為というのは、加害者がわざと（**故意**で）被害者に損害を負わせた場合（多くは犯罪行為です）と、加害者が不注意で（**過失**により）被害者に損害を負わせた場合とがあります（民709）。事例6－1は、池田さんが過失によって泉さんに損害を負わせたパターンですね。

そして、不法行為を行った加害者は、被害者に対して**不法行為に基づく損害賠償債務**という金銭債務を負います（民709、民722・民417）。

金銭債務ですから、債務履行地は、原則どおり被害者（債権者）の住所地です（3－3－3－2参照）。事例6－1で言うと、千葉市内にある泉さんの住所地ということになります。

被害者がいつから加害者に損害賠償や遅延損害金を請求することができるのかについては、判例上、「損害の発生と同時に、なんらの催告を要することなく、遅滞に陥るものと解するのが相当」とされています*18。つまり、その履行期は不法行為時と同時であり、被害者は、不法行為があった直後から損害賠償請求をすることができます。遅延損害金についても、起算日を不法行為の発生当日として（つまり例外的に初日を参入するということです）、法定利率で計算した額を請求することができます（遅延損害金の起算日・法定利率については3－2－2－5参照）。

そのため、加害者が債務の本旨に従った弁済の提供をするためには、「損害」の額に、こうした「遅延損害金」の額を加えた額の現金を、被害者の住所地に持参しなければなりません（3－3－2－5、3－3－3－4参照）。

事例6－1であれば、池田さんは、千葉市内にある泉さんの住所地に、「損

害額＋１カ月分の遅延損害金の額」に相当する現金を持参すれば、債務の本旨に従って弁済の提供をしたことになります。

そして、事例6-1では、損害額について交渉が決裂して、泉さんが受領を拒否したのですから、池田さんは、受領拒否を理由とする弁済供託をすることができそうです。

ただし、この話には大前提があります。それは、加害者が損害額を１円単位で分かっているということです。

6－1－2　客観的な損害額を正確に把握するのは難しい

事例6-1では、客観的な損害額が51万円という設定でした。しかし、この「客観的な損害額」というのは、実は、当事者の言い分が食い違ってしまうと、途端に正確な額を把握するのが難しくなるという厄介な代物です。

この「損害」というのは、①不法行為が起こったことで出さざるを得なくなった費用（治療費や旅行のキャンセル代など）だけでなく、②不法行為が起こったことで得られなくなった収入（休業損害など）のほか、さらに③慰謝料まで含みます。

①は、実際に財布から出て行った費用です。そのため、その額は、領収証などである程度明らかにすることもできるでしょう。ただ、「損害」に含まれるのは、「不法行為がなければ払わなかったものすべて」ではなく、「不法行為があったから払ったもののうち、常識の範囲のもの」となります。被害者が「これも損害だよ」と主張していても、突飛な印象を受けるものについては、対象外になるおそれがあるということです。具体的にどこまでがOKで、どこからがNGなのかは、実際には微妙な話となることもあります。ですから、①についても、損害の額を、疑問なく１円単位で割り出せるとは限りません。

②についても、サラリーマンであれば休業損害をある程度正確に割り出せるかもしれませんが、自営業者だと算定はなかなか難しくなります。「重要な取引に行けなくなった」という場合などには、どのように算定するのかが

さらに難しくなります。

③の慰謝料に至っては、判断する個人個人で相当評価が分かれます。そのため、判断する人によって損害額が大きく変わってくることが十分あり得ます。

このように、損害額を「おおむね」というところまでは割り出せることもあるかもしれませんが、いずれにせよ、1円単位ではっきり分かるということは、ほとんどありません。これは、加害者（債務者）だけでなく、被害者（債権者）にとっても同じです。

ですから、損害額について争いになってしまったら、結局は、証拠を突き合わせたうえで、裁判で決着をつけてもらうしか方法がないのです。

ここが、債務の額をあらかじめ当事者で合意しておく「契約」の場合との大きな違いです。

6－1－3　加害者が相当だと思う額を提供・弁済供託するしかない

すでにお話ししたとおり、「債務の本旨に従って弁済の提供をしなければ、弁済供託をすることができませんよ」というのがルールでした（3-3-2-4参照）。

他方、6-1-2で見たように、裁判でもしない限り加害者が「客観的な損害額」を知る術はありません。それにもかかわらず、「客観的な損害額＋遅延損害金の額」の現金を持参する必要があるというルールを貫くのであれば、不法行為に基づく損害賠償債務については、事実上、弁済供託をすることが禁じられているのと同じことになってしまいます。

しかし、加害者が、考えられる手立てを尽くして損害額を誠実に計算して、それ相応の現金を持参したとしても、債務の本旨に従って弁済の提供をしたと評価されず、弁済供託をすることもできないというのは、明らかに行きすぎでしょう。

とはいえ、加害者の言い値であれば、「そんな馬鹿な」という安い額でも、債務の本旨に従って弁済の提供をしたことになるというのもまた、明らかに行きすぎです。

そこで、実務では、加害者（債務者）が相当だと思う損害額の現金を持参した場合には、債務の本旨に従って弁済の提供をしたと評価し、受領拒否を理由とする弁済供託をすることを認める取扱いをしています*19。

ただ、いくら加害者が相当だと思っていたり、言い張っていたりしていても、客観的な損害額に比べてあまりにも安い額だった場合には、供託官の判断で弁済供託が受理されないことはあり得ます。また、仮にいったん弁済供託が受理されたとしても、その後、裁判の段階で、裁判官に「供託は無効である」などと判断されてしまうおそれもあります。

事例6-1では、池田さんが相当と考えて泉さんに提供した損害額が40万円であったのに対し、後日裁判で明らかになった客観的な損害額は51万円でした。こうした場合には、常識的に考えれば、大抵、一応は「債務の本旨に従って弁済の提供をした」と評価されるのではないでしょうか。そのため、池田さんは、泉さんに受領を拒否された「40万円＋遅延損害金」について弁済供託をすることができます。

6－1－4　供託書の作成等

6-1-1でお話ししたとおり、事例6-1では、債務履行地は、千葉市内にある被害者の泉さんの自宅ということになります。そのため、供託すべき供託所は、千葉地方法務局となります。

供託書の用紙ですが、不法行為に基づく損害賠償債務について弁済供託をする際には、家賃の弁済供託に使っていた第一号様式ではなく、【参考例⑮】にあるとおり、第四号様式という「その他の金銭供託」のためのものを使ってください。

そして、用紙右側の「供託の原因たる事実」欄には、【参考例⑮】にあるように、大きく2点の内容、

① いつ、どのようなシチュエーションで被供託者に損害を負わせ

【参考例⑮】 供託書

供託書・OCR用
（雑）

□字加入 □字削除 ｜ 係員印 ｜ 受付 ｜ 調査 ｜ 記録 ｜ ／ 頁
（第４号様式　印供第34号）

申請年月日	令和２年６月１日	供託カード番号（　　　）カードご利用の方は記入してください。
供託所の表示	千葉地方法務局	

供託者の住所氏名	住所 熊本市中央区大江○○○○ 氏名・法人名等 池田◇◇ 代表者等又は代理人住所氏名	□別添のとおり ふたりめからは別紙継続用紙に記載してください。
被供託者の住所氏名	住所 千葉市中央区中央港○○○○ 氏名・法人名等 泉◇◇◇	□別添のとおり ふたりめからは別紙継続用紙に記載してください。 ◯供託通知書の発送を請求する。

供託金額	百	十	億	千	百	十	万	千	百	十	円
					¥	4	0	1	0	4	9

年　月　日 ㊞
□供託カード発行

↓ 濁点、半濁点は１マスを使用してください。

供託者カナ氏名	イ	ケ	タ	゛	◇	◇

法令条項	民法第494条第１項第１号
供託の原因たる事実	供託者は，令和２年４月30日午後８時頃，供託者方に隣接する空き地において，金属バットで素振りをしていたところ，誤って手から離れた同金属バットを，折から同所を徒歩で通りかかった被供託者の額に命中させ，被供託者の額に全治２週間の挫傷を負わせた。以後，供託者は被供託者と損害賠償方法について協議を重ねたが，賠償額について合意に達しなかった。そこで，供託者は，令和２年５月31日に，供託者が相当と考える損害賠償金相当額金40万円および事故の日から同日まで年３分の割合による遅延損害金1049円の合計金40万1049円を被供託者住所において被供託者に現実に提供したが，その受領を拒否されたので，供託する。
□供託により消滅すべき質権又は抵当権 □反対給付の内容	
備考	

（注）１．供託金額の冒頭に¥記号を記入してください。なお，供託金額の訂正はできません。
２．本供託書は折り曲げないでください。

020000

たのか

という不法行為の具体的な内容と、

② 弁済の提供をしたものの受領を拒否された

ということを記載する必要があります。

6-1-1でも触れましたが、不法行為に基づく損害賠償債務の場合には、ほぼ間違いなく遅延損害金が必要になります。そのため、②弁済の提供をした場面については、遅延損害金がいくらであるのかということと、その遅延損害金も一緒に提供したのだということも忘れずに記載してください（3-3-2-5、3-3-2-6参照）。

それ以外の供託金納付などの手続については、他の弁済供託の場合と特に変わりありません。

6－1－5 還付請求の手続

6－1－5－1 還付の基本パターンのとおり

事例6-1は、供託書に記載された被供託者（泉さん）が還付請求を受けようというものです。

ですから、還付請求の手続は、「還付を受ける権利を有することを証する書面」の添付が不要な、還付請求の基本パターンとなります（1-3-3-4、【参考例②】参照）。

6－1－5－2 一部であるとの留保を付けて還付請求をすることができる

泉さんのような被害者（債権者）は、裁判などで「客観的な損害額」が確定してから還付請求をすることもできますが、それ以前であっても、供託された直後から還付請求をすることができます。

というのも、被害者と、池田さんのような加害者（債務者）との間で問題となるのは、あくまで「客観的な損害額が、供託された額よりも高いのか。高いとして、それはいくらか」という点です。つまり、加害者も、弁済供託をした額の範囲で損害賠償債務を負うこと自体は当然に認めています。そのため、この部分を被害者が受領することには、理論上も実際上も、何一つ問題がありません。

ただ、たとえば裁判などで真正面から「客観的な損害額」を争っている真っ最中に、被害者が主張している額よりも安い額の供託金の還付を受けると、場合によっては、「なんだかんだ言って、加害者が言っている額で満足しているんでしょ」などと受け取られかねないといった不安を感じることもあるでしょう。

そういう場合も考慮して、供託金払渡請求書の「備考」欄に、「損害賠償の全額としてではなく、あくまでも「その一部」として受け取るのだ」という留保を記載することができます（3－4－7参照）。

なお、「一部である」という留保を付けずに還付請求したからといって、「供託された額が全体であると認めて還付した」などという意味にはなりません。「一部である」という留保は、あくまで念のためにするものと理解してください。

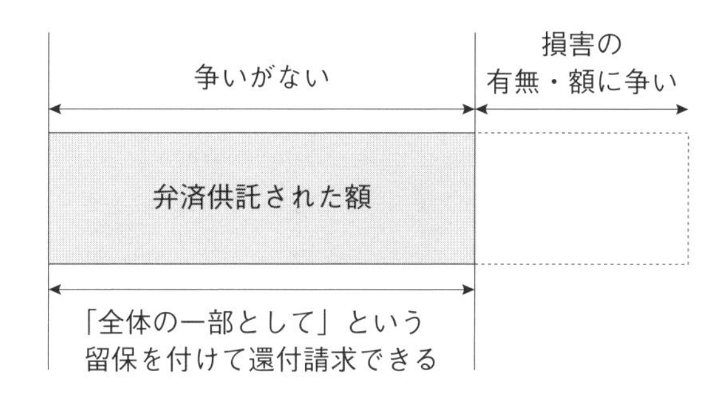

6－1－6　後日、供託金額よりも損害額のほうが多かったことが判明した場合

加害者が「相当だと思う額」を供託したとしても、後日、「供託していた額では足りなかった」という結果になることは、しばしば起こることです。事例6－1でいうと、11万円足りなかったということになります。

こうした場合、池田さんが実際に「40万円に遅延損害金を加えた額」につ

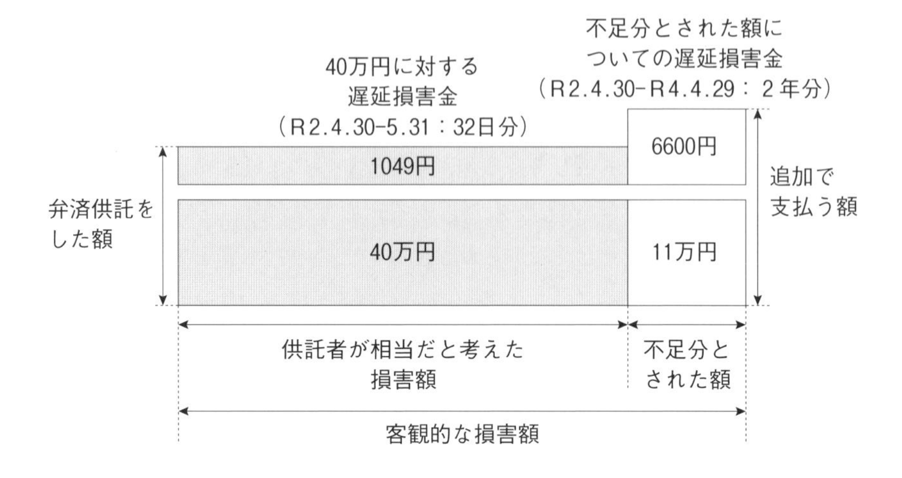

いてした弁済供託については、もちろん有効と扱われます。ですから、損害額51万円のうち、この40万円分については、債務不履行責任が生じません。なお、この供託された40万円と遅延損害金については、被害者（債権者）が還付請求することになると思われます。

これに対して、客観的な損害額51万円との差額である「11万円」については、池田さんは、弁済の提供をしていませんでしたから、「不法行為をした日」からずっと債務不履行だったということになります。そのため、この11万円については、泉さんに対し、「不法行為をした日から法定利率で計算した遅延損害金」を付けたうえで支払わなければなりません。

たとえば、裁判を経たこともあって、支払うのが事故が起きてからちょうど２年後（事例６－１の場合、民143Ⅱ本文により２年後の「４月30日」ではなくその前日の「４月29日」になります）になった場合には、池田さんは、実際に弁済供託をした「40万円＋遅延損害金」とは別に、泉さんに対し、差額の11万円に遅延損害金6600円（11万円の法定利息３％を２年分）を加えた11万6000円を支払わなければなりません。

なお、こうした差額の計算ができるということは、客観的な損害額がいくらなのかについて、裁判などで決着が付いているはずです。そのため、泉さんがこの11万6000円を受け取らないということは考えにくいので、供託制度を使わずに直接泉さんに支払うことになるものと思われます。

6－1－7　まとめ

以上のとおり、不法行為に基づく損害賠償債務については、加害者（債務者）が相当と思う損害額に遅延損害金を加えた額の現金を、被害者（債権者）の住所地に持参すれば、債務の本旨に従って弁済の提供をしたと評価されます。

そのため、被害者が受領を拒否したときには、加害者は、提供した額の供託金について、受領拒否を理由とする弁済供託をすることができます。

6－2 被害者の住所が分からない場合に弁済供託することができるか

6－2－1　事例6－2

事例6－1では、池田さんが泉さんと直接電話で交渉をし、最終的には池田さんが千葉市内にある泉さんのご自宅に行って弁済の提供をしたという設定になっていました。

この部分を、次のように変更した場合でも、池田さんは弁済供託をすることができるのでしょうか。

事例6－2

[支払場所についての合意]

泉さんは、仕事で忙しい身でしたので、池田さんとの件については、親しくしている大川弁護士に解決を一任することにしました。大川弁護士は、東京都千代田区九段南で法律事務所を開いています。

そこで、泉さんは、自宅に戻った後、携帯電話で、池田さんに対して、今後は大川弁護士と交渉してほしいこと、損害賠償金については大川弁護士の事務所で大川弁護士に渡してほしいことを伝えました。

その際、池田さんは、泉さんに住所を尋ねました。しかし、泉さんからは、「お金は弁護士事務所で大川弁護士が受け取るから、あなたに住所を教える必要はない。千葉県内に住んでいるとしか言えない」などと言われてしまいました。ただ、着信履歴から、泉さんの携帯電話番号は分かりました。

[泉さんの弁護士との交渉が決裂]

池田さんは、その後、大川弁護士と交渉を続けましたが、結局金額面で折り合えず、交渉は決裂してしまいました。

そのため、池田さんは、受領拒絶を理由とする弁済供託をしたいと考えていますが、可能でしょうか。

6－2－2　被害者の住所が分からないと、債務履行地が分からない

6-1-1でも触れましたが、不法行為に基づく損害賠償債務の債務履行地は、原則として債権者住所地、つまり被害者の住所地です。

そのため、事例6-2のように、被害者の住所がまったく分からないと、債務履行地が分かりませんから、弁済の提供をしようにもできなくなってしまいます。

たしかに、事案によっては「受領しないことが明白」ということで弁済の提供が不要なケースもあります（3-3-3-8参照）。しかし、そのケースでも、債務履行地がまったく分からなければ、結局、「どの供託所に対して弁済供託したらいいのか」を判断できず、行き詰まってしまいます。

また、「被害者の行方が分からない」ということで、受領不能を理由とする弁済供託をしようと考える場合でも、債務履行地がまったく分からない以上は、同じ問題が生じてしまいます。

なお、参考までに債務履行地（住所）がずばり分かっていなくても、「市区町村」まで分かっている場合には、どの供託所に供託をすればいいのかについては判明します。というのも、弁済供託は、債務履行地がある市区町村にある最寄りの供託所にすればよいからです（3-2-1-5参照）。ただ、事例6-2では、「千葉県」までしか判明していませんから、いずれにせよ、池田さんには、千葉県内のどの供託所で弁済供託をすればよいのかは分かりません。

このように、被害者の住所がまったく分からないと、債務履行地が分からないということがネックになって、弁済供託をすることがかなり難しくなります。

6－2－3　支払場所の合意があれば、弁済供託をすることは可能

先ほど6-2-2で触れたのは、債務履行地について特に合意を交わしていなかった場合の原則論です。

これに対し、不法行為が発生した後に、加害者と被害者とで、債務履行地について合意をしている場合には、合意した支払場所が債務履行地となります（3-3-3-2参照)。

また、損害金等を被害者の指定する預金口座へ振込入金することにした場合に、「支払場所を、その口座が開設された銀行の支店の所在場所とする」という合意をすることもできます（3-3-3-3参照)。

事例6-2では、池田さんと泉さんとの間で、「大川法律事務所を支払場所とする合意」がされていると見ることができます。

そうしますと、池田さんは、大川法律事務所に、自分が相当と思う額の損害金等を持参していれば、債務の本旨に従って弁済提供をしたと評価することができます。

そして、泉さんの代理人である大川弁護士との交渉が決裂しているわけですから、大川法律事務所の所在地を基準として、東京法務局に、受領拒否を理由とする弁済供託をすることもできます。

6－2－4　供託書には、被害者の特定に役立つ事項を記載する

6－2－4－1　被害者の住所を「住所不明」と記載する

供託書に記載する内容は、【参考例⑯】のとおりです。【参考例⑮】と見比べていただきたいのですが、その内容はほとんど同じです。

ただ、決定的に違う部分があります。それは、被供託者に関する記載です。

事例6-2のような場合では、被害者の住所が分からないものの、債務履行地についての合意があったため、弁済供託をすることができました。しか

【参考例⑯】 供託書

供託書・OCR用
（雑）

申請年月日	令和２年６月１日
供託所の表示	東京法務局

供託カード番号
（　　　　　　）
カードご利用の方は記入してください。

字加入 / 字削除 / 係員印 / 受付 / 調査 / 記録 / ／頁（第４号様式）（印供第34号）

供託者の住所氏名

住所
熊本市中央区大江○○○○

氏名・法人名等
池田◇◇

代表者等又は代理人住所氏名

□別添のとおり
ふたりめからは別紙継続用紙に記載してください。

被供託者の住所氏名

住所
千葉県以下不明

氏名・法人名等
泉◇◇◇

□別添のとおり
ふたりめからは別紙継続用紙に記載してください。

□供託通知書の発送を請求する。

供託金額	百	十	億	千	百	十	万	千	百	十	円
					¥	4	0	1	0	4	9

年　月　日　㊞
□供託カード発行

↓　濁点、半濁点は１マスを使用してください。

供託者カナ氏名：イケタ゛◇◇

法令条項　民法第494条第１項第１号

供託の原因たる事実

供託者は，令和２年４月30日午後８時頃，供託者方に隣接する空き地において，金属バットで素振りをしていたところ，誤って手から離れた同金属バットを，折から同所を徒歩で通りかかった被供託者の額に命中させ，被供託者の額に全治２週間の挫傷を負わせた。以後，供託者は被供託者の代理人弁護士大川◇◇と損害賠償方法について協議を重ねたが，賠償額について合意に達しなかった。そこで，供託者は，令和２年５月31日に，供託者が相当と考える損害賠償金相当額金40万円および事故の日から同日まで年３分の割合による遅延損害金1049円の合計金40万1049円を，支払場所として合意した上記大川◇◇の事務所において上記大川◇◇に現実に提供したが，その受領を拒否されたので，供託する。

□供託により消滅すべき質権又は抵当権

□反対給付の内容

備考

被供託者の代理人弁護士　大川◇◇
上記弁護士大川◇◇の事務所　東京都千代田区九段南○○○○
被供託者の電話番号　090-××××-××××

（注）１．供託金額の冒頭に¥記号を記入してください。なお，供託金額の訂正はできません。
２．本供託書は折り曲げないでください。

020000

し、被害者、つまり被供託者の住所が分からないということには変わりがありません。

そのため、供託書の「被供託者の住所氏名」欄には、被供託者の氏名を記載することはできますが、住所については、正直に「住所不明」と記載するしかありません。事例６-２であれば、「千葉県以下不明」と記載することになります。

6－2－4－2　単に「住所不明」と記載するだけだと、被害者が供託金を受領できないおそれがある

このようにお話しすると、「被供託者の住所を不明と記載しておけばいいのね」と思われるかもしれませんが、話はそう簡単ではありません。

事例６-２でいうと、池田さんとしても、泉さんに対しては大変申し訳なく感じていて、「40万円については、自分の責任で支払わなければならない」ということを心底思っているはずです。

しかし、供託書に泉さんの住所について単に「住所不明」と記載するだけでは、後日泉さんが還付請求をしても供託金を受領できずに困ってしまうという、池田さんの意にも反した結果となる可能性が高いのです。

6－2－4－3　問題は「被供託者＝還付請求者」ということが明らかにならないこと

泉さんが還付請求をする場面を思い浮かべてください。この場合、供託金払渡請求書の「請求者の住所氏名印」欄には、「泉さんの氏名」と千葉県内にある「泉さんの住所」とが記載されますよね（１-３-３-２参照)。そして、供託官は、泉さん個人の印鑑証明書を見て、この記載に間違いがないことを確認することになります（１-３-４-２参照)。

次に、供託官は、供託金払渡請求書の「請求者の住所氏名印」欄の記載と、供託書の「被供託者の住所氏名」欄の記載とを見比べることになります。しかしながら、供託書の「被供託者の住所氏名」欄には、「泉さんの氏

名」のほかには、「千葉県以下不明」という記載があるだけです。このように住所の記載に食い違いがありますから、供託官は、「供託書に被供託者として記載された泉さん」が「還付請求をしている泉さん」と同一人物であるかどうかを判断することができません。

この場合でも、供託書上に、被供託者を特定するのに役立つ記載が何かあれば、なんとかなります。以前、「貸主の相続人の住所が分からないので、受領不能を理由とする弁済供託をする」という事案を紹介しました。こうした事案では、供託書の備考欄に、亡くなった貸主の住所氏名を記載するという説明をしましたよね（4-2-3-2参照）。こうした記載があれば、この記載を出発点にして、除籍謄本などの「還付する権利を有することを証する書

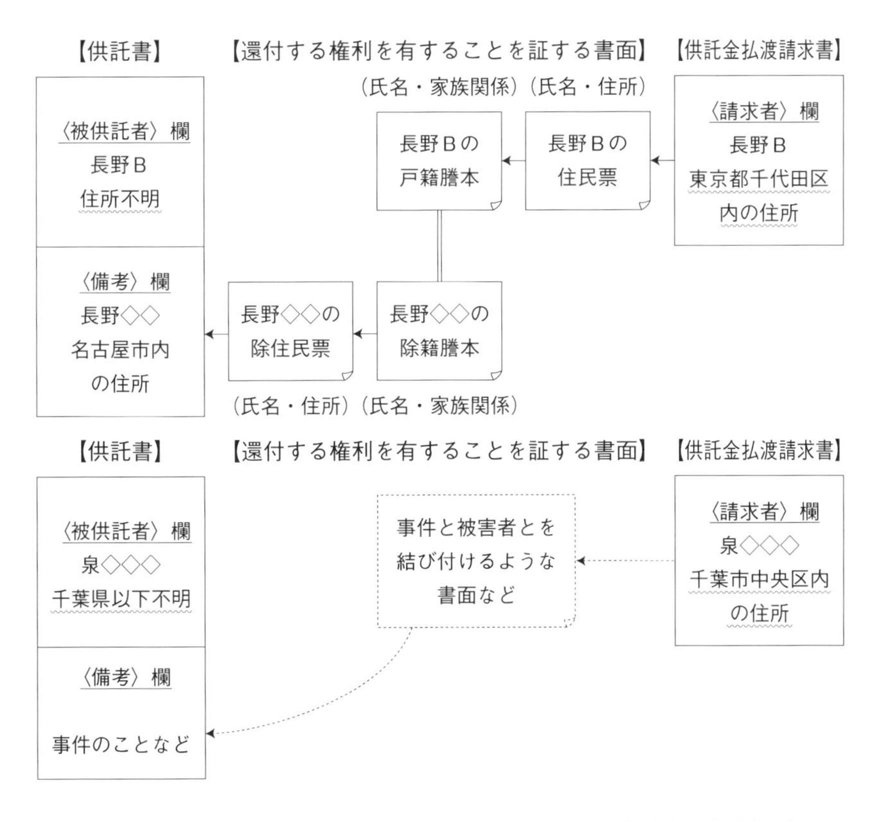

面」を複数つないでいって、「被供託者＝還付請求者」であることを明らかにすることができます。

しかし、こうした手がかりになる記載がなければ、どうしようもありません。結果として、「弁済供託はされたけれど、決して被害者の手元には届かない」ということになってしまうのです。

6－2－4－4　還付請求に備えて被供託者に関する事柄をできる限り記載しておく

そこで、供託書に「被供託者の住所氏名」をきちんと記載できない以上は、被害者が供託金を受領できるようにするため、被供託者を特定するのに役立つ記載を可能な限り多くしてください。

具体例は、事案によって相当異なると思いますが、たとえば、

・被害者の性別・年齢・生年月日・職業・電話番号など
・不法行為をした場所
・被害者に代理人がいるのであれば、その代理人の氏名・事務所の所在地など
・刑事事件になっている場合には、担当している警察署・担当警察官の氏名など
・刑事裁判を受けているのであれば、その事件番号など

が考えられます。

事例6-2ですと、さきほどの【参考例⑯】のように、泉さんの携帯電話番号・不法行為をした場所・大川弁護士の氏名と事務所の所在地を、「供託の原因たる事実」欄や「備考」欄に記載しています。

6－2－4－5　供託通知をする

事例6-2のように、被供託者の住所が分からない場合には、供託官に対して、供託通知をするように請求することはできません。

しかし、事例6-2では、被害者である泉さんの代理人をしている大川弁

護士の事務所が分かっていますから、池田さんとしては、自ら、送付先住所を泉さんの代理人である大川弁護士の事務所として、泉さん宛てに供託通知をすべきです（民495Ⅲ）。

こうした供託通知をしなければ、泉さんも、泉さんに交渉を任された大川弁護士も、池田さんが弁済供託をしたということに気付くきっかけがなくなってしまい、放置されることになってしまいますからね。

6－2－5　還付請求では、自分が事件の被害者であることを証する書面が必要

6-2-4-3でもお話ししたとおり、供託書の「被供託者の住所氏名」欄に、被害者の氏名は記載されているものの、住所が記載されていない場合には、「還付する権利を有することを証する書面」を添付する必要があります。

仮に、供託書が【参考例⑯】のように記載されているのであれば、還付する権利を有することを証する書面としては、

・供託申請日以前に、泉さんが大川弁護士に対して交付した委任状
・「電話番号の利用者が泉さんであること」が分かるような書面

などが考えられます。

もし、【参考例⑯】のような被供託者の特定に役立つ記載がないような場合ですと、これまたケースバイケースではありますが、たとえば「供託の原因たる事実」に記載された不法行為の被害者が還付請求者であることを明らかにする書面として、

・加害者と交渉にあたっている代理人弁護士の証明書（その弁護士の印鑑証明書が必要です）
・刑事事件になっている場合であれば、警察署や検察庁などから送付されたり交付されたりした文書（事件の被害者本人だからこそ渡されるような文書）

などが考えられます。

いずれにせよ、こうして挙げたのはほんの一例です。実際には、具体的な

事案ごとに、供託書の記載内容と照らし合わせて、個別に考えていくしかありません。

6－2－6　まとめ

以上のように、被害者の住所がまったく分からない場合でも、別途、債務履行地が判明する場合には、その債務履行地を基準とした供託所に、弁済供託をすることは可能です。

しかし、供託書の「被供託者の住所氏名」欄に、被供託者の住所を記載できないため、被供託者が還付請求をしても、供託金を受領できない状況に陥るおそれがあります。

そのため、供託する際には、被供託者の特定に役立つような情報をできるだけ多く記載することが不可欠です。

そして、被害者が還付請求する際には、供託者が供託書にどのような情報を記載したのかに左右されますが、その記載と自分とを結び付ける書類を「還付する権利を有することを証する書面」として添付する必要があります。

6－3　被害者保護のための制度

6－3－1　事例6－3

ここでも不法行為に基づく損害賠償債務の弁済供託についてお話ししますが、事例6－1や事例6－2とはまったく別の事案をお示しすることにします。

あなたが「私」の立場だったらどう思うかという目で検討していただければと思います。

事例6－3

私は、残業を終えると、満員電車に揺られるなど約1時間かけ、午後11時30分頃に最寄りの駅を降りた後、自宅にいちばんの近道となる駅前から1本入った通りで被害に遭いました。

背後から聞き慣れない若い声で「おい」と呼びかけられ、反射的に振り向いた瞬間、ごつんという鈍い音がして、私は道路に仰向けにひっくり返りました。何が起こったのか分かりませんでしたが、間もなく右耳辺りに生ぬるい液体が伝わり落ちてくる感覚がしたので、右目から右頬にかけてを殴られ、ひどく出血していることが分かってきました。ただその場面では、痺れているような感じが強くて、不思議と痛みはありませんでした。

そのとき、私に呼びかけたと思われる若い男が、私のカバンを開いて何かを探している姿に気付きました。そして、その若い男は、仰向けに倒れている私の腰の辺りで、私の体をまたいで座り、私の上着の内ポケットを探り始めました。慌てるふうでもなく、妙に落ち着いてニヤニヤしていたので、よっぽど手慣れているのだと思いました。

その若い男は、すぐに私の財布を見つけて奪いました。その去り際、本当に嬉しそうに「この財布、ブランド物じゃん。うわ、ほんとカモネギだよ、こいつ」と言っていました。いま思い返しても、本当にはらわたが煮えくり返る思いがします。

その若い男は、事件の約２時間後、原付バイクを運転中に交通違反で検挙されたところ、所持品から私の財布が出てきたことから、そのまま警察に逮捕されたそうです。

私はというと、事件の翌日から、事情聴取や現場検証など、毎日のように捜査への協力を求められました。薬を飲んでもズキンズキンと怪我が痛む中、「犯人に適正な処罰を与えなければ」という一心で捜査に協力してきました。怪我もありましたが、こうした捜査協力が必要だったこともあって、２週間はほとんど仕事に行けませんでした。

結局、犯人は、強盗傷人罪で起訴されました。検事から聞いた話だと、犯人は、21歳の大学生で、私をその辺りで拾った金属バットで手加減なく殴ったのだそうです。

そして、動機については「翌日後輩と飲みに行くのに、後輩におごる金が無かったから」と言っているそうです。きっと、正直に言っているんでしょうけど、到底許せるような話ではありません。

被告人が起訴された後、検事から、被告人の弁護人が示談交渉をしたいと言っているという連絡がありました。私は、検事に、とても示談交渉をするような状態ではないから「交渉の席に着くつもりはない」と伝えてもらいました。また、私の住所などの連絡先は、今後も決して被告人側には明かさないでほしいと依頼しました。

被告人の刑事裁判が始まる１週間くらい前になって、検事から、被告人が損害賠償する代わりに、私の地元の法務局に300万円を供託したということを教えてもらいました。

私は、被告人の刑事裁判（裁判員裁判）を傍聴しました。久しぶりに見た被告人は、涙を流しながら「反省をしている」と繰り返していました。また、被告人が友人からかき集めた300万円を供託したときの供託書正本とかいう書類も、弁護人側の証拠として提出されていました。

裁判長は、裁判の最後に読み上げた判決の中で、被告人に有利な事情として、被告人が反省していることや、私に損害賠償できてはいないものの、

300万円も供託していることを考慮したと言っていました。

裁判の結果は、懲役３年・５年間執行猶予の有罪判決でした。そのため、被告人は、判決言渡しと同時に釈放されました。

その後２週間で判決が確定するということでしたので、私も「刑事事件も決着が付いたのだから、この際、民事のほうも終わらせよう」と冷静に考え直し、300万円について供託金を受領して、すべて清算したいと考えました。

そこで、判決確定から１週間後、被告人が供託したという地元の法務局に行ってみましたが、供託官からは、「供託金300万円については、３日前に、供託者が全額取り戻していますから、あなたはもう受け取ることはできませんよ」と言われ、目の前が真っ暗になりました。

私は、いったいどうしたらよかったのでしょうか。

６－３－２　弁済供託制度の悪用

事例６-３の読後感は、かなり悪いものだったのではないでしょうか。事例６-３のうち、こうした弁済供託制度の悪用とも言える部分については、実際にあったケースを下敷きにしています。

ところで、刑事裁判で被告人の刑の重さを決めるにあたって、「300万円を弁済供託をしたこと」が、被告人に有利に考慮されたということは、「被告人は実際に300万円を手放した。後は、被害者さえ受け取る気になれば、被害者の手元に300万円がいく。そうであれば、示談したのと同じように考えてもよい」と評価されたのだと考えるのが自然でしょう。

それにもかかわらず、刑務所に行かずに済むことが確定した途端、供託金300万円を取り戻して、被害者には１円も渡らないようにしたというのでは、「裁判所を騙した」と言われても仕方がありません。

では、どうしたら、このような許し難い行為を防止できるのでしょうか。

6－3－3　被供託者が弁済供託を受諾する

第1章から第6章第2節まで、弁済供託の供託申請と還付請求の手続について、いろいろな場合で説明してきました。

ここまで説明する機会がありませんでしたが、実は、加害者（供託者）は、いったん弁済供託をした供託金を供託所から**取戻し**をすることができます（民496Ⅰ前段）。ただ、一定の条件を満たす場合には、供託金を取り戻せなくなります。その条件というのは、

・被害者（債権者）が供託を受諾したこと

・供託を有効と宣告した判決が確定したこと

・供託によって、債権を担保していた質権や抵当権が消滅したこと

というものです（民496Ⅰ前段・Ⅱ）。

そのため、被害者の立場から、事例6－3のような事態を防止しようとするのであれば、「供託を受諾する」という方法が最もシンプルで効果的です。

供託を受諾するための具体的な方法ですが、まず、「供託金について還付請求をする」という方法が考えられます。ただ、刑事裁判になるような事件の被害者が受領拒否をする理由は、提示された損害額に納得がいかないという場合だけではなく、「心の傷が癒えないため、まだ示談のようなことを考える気にならない」「示談によって被告人の罪が軽くなるのは許せない」「お金で解決できるような被害内容ではない」など、事案ごとに実にさまざまです。そのため、事実上、還付請求（一部留保する場合も含みます）をすることが選択肢となり得ないケースがしばしば見られます。

そのような場合には、「供託所に、**供託受諾書**を提出する」という方法をお勧めします（規47）。この方法は、還付請求とは完全に別個に行うことができます。具体的には、供託者と被供託者の住所氏名、供託番号、受諾の年月日、供託を受諾する旨を記載した書類を供託所に提出するという手続です。必ず書面でしなければならず、口頭ですることはできません*20。

この方法によっても、加害者は、確定的に供託金の取戻しをすることがで

きなくなります。

6－3－4　供託者が取戻請求権を放棄する

被告人・弁護人側としても、刑事裁判の中で、検察官や裁判所から「弁済供託をしたとはいうものの、その後取戻しをするかもしれない」などと主張された場合などに、「本当にそのような意図はないのだ」ということを立証する必要に迫られることがあるかもしれません。

その際には、供託金取戻請求権を放棄することをお勧めします。**取戻請求権**は、いったん放棄すると完全に消滅し、後日撤回することはできないというのが先例*[21]となっています。

具体的には、供託する際に、供託書の「備考」欄に、「供託金取戻請求権を放棄する」という内容のことを記載しておくことになります。

また、供託した後であっても、供託所に対して、供託金取戻請求権の**放棄書**を、供託者（被告人）の印鑑証明書とともに提出するという方法をとることができます。

6－3－5　被害者の住所等の秘匿

6－3－5－1　住所等の秘匿制度の概要

被害者が供託金の還付請求をするにあたっては、供託金払渡請求書には、請求者の氏名住所を記載する必要があります（1-3-3-2参照）。

他方で、こうした供託金払渡請求書については、後日、**利害関係人**が**閲覧**することができることになっています（規48Ⅰ）。この「利害関係人」には、供託者つまり加害者本人も含まれます。

そのため、事例6-3のように、被害者が絶対に自分の住所を加害者に知られたくないと思っていても、いったん還付請求してしまうと、この閲覧制度を通じて、加害者に住所を知られてしまうおそれがありました。

そこで、平成25年9月以降は、犯罪被害者などから**住所等の秘匿の申出**があった場合には、還付請求の際に、「供託金払渡請求書に記載する住所を都道府県までにとどめる」という運用が行われています。

また、閲覧の際も、供託官が、「閲覧対象となる書類に記載された被害者の住所等をマスキングして、記載内容が分からない状態にする」ということができるようになりました。

つまり、被害者の申出により閲覧制度を通じて加害者に住所を知られることを防止できるようになったということです*22。

6－3－5－2　秘匿制度を求める手続

住所等の秘匿の申出は、**上申書**等を供託官に提出して行います（9-3-3参照）。

上申書等には、被害者の住所氏名、供託番号、住所等の秘匿を求める理由、秘匿を求める部分（住所等）、申出年月日を記載することになります。上申書等の提出にあたっては、印鑑証明書の添付や運転免許証などの提示といった本人確認資料も必要となります（2-2-4参照）。

なお、住所等の秘匿は、利害関係者への閲覧を認めるという原則に対する例外措置ですから、むやみには認められません。そのため、原則として、実際に犯罪被害に遭ったこと・住所等の秘匿を求めていること・秘匿を求める必要性があることなどを示す公的書類の添付が必要とされます。

もっとも、加害者が犯罪被害者を被供託者として弁済供託をする場合には、供託書の「供託の原因たる事実」には、通常は「被供託者に犯罪被害を与えた」ということと「被害者が住所等を秘匿していて供託できない」という内容が記載されていると思われます。これらは、供託者が記載したものです。つまり、供託者も認めている事実関係ですので、そのまま供託官の判断の前提とすることができます。したがいまして、こうした記載が十分な場合には、先ほどお話しした公的書類の添付は不要です。

これに対し、残念ながら記載が不十分な場合には、原則どおり何らかの公的書面の添付が必要となります。ケースバイケースの対応となると思われますので、供託所にご相談されることをお勧めします。

第 7 章

第三債務者がする執行供託の全体像

7－1　債権の差押えによる債権回収の概要

もし、あなたが池田さんの立場だったら、次のようなシチュエーションをどのように乗り切りますか。

事例７

３月６日午前10時ちょうどに熊本市内にある店を開けた。平日だということもあり、まだ誰も店を訪れていない。

開店から１時間ほどして、店の出入り口のベルがやっと鳴る。今日最初の客だと思い、威勢よく「いらっしゃいませ」と言いながら振り返ったが、入ってきたのは女性の郵便配達員だった。

一瞬驚いた表情が見えたが、すぐに何事もなかったように「池田さんでよろしいですか」と確認してきた。そのため、かえって決まりの悪い思いをしながら、少し厚みのある封書を受け取る。

立ち去る彼女に「お疲れさまです」と声をかけると、店内の椅子にゆったり腰掛けて、コーヒーをすすりながら封書の差出人を確認する。

「京都地方裁判所‼　裁判所って、俺は訴えられたのか⁉」

目に飛び込んできた文字があまりに意外で、思わず頭が真っ白になってしまった。

訴えられるような覚えはまったくない。そのため、「これは振り込め詐欺じゃないのか？」だとか、「いたずらにしては、手が込んでるよなあ」などと思えてくる。他方で「そうは言っても、言いがかりのような訴えかもしれんしなあ。迷惑だなあ。困ったなあ」などとも思えてくる。

ぐるぐる考えているうちに、背中を流れ落ちる冷たい汗に気づく。

意を決して、落ち着かない指先に力を入れて封を開けてみた。中には何枚もの書類が入っている。そして、いちばん最初に見付けたのが「債権差押命令」というタイトルの書類だった。

「差押命令って、訴えられたんじゃなくて、俺の財産が差し押さえられたのか？　差し押さえられるようなものは、何もないぞ。あ、ひょっとして商品とか運転資金とか、そういうこと？　いやいや、支払は全部してるし、待ってもらっているところなんか１つもないぞ。何かの間違いじゃないか？いや、何かの間違いだ。そうに違いない。ん？　債権って何だ？」などと、必死に自分を落ち着かせる。

封筒の中に入っていた書類にざっと目を通したところ、どうやらこの書類で「債務者」とされているのは、事業立上げの時に資金をお借りした加納さん（京都市在住）のようだ。

そして、この書類で「第三債務者」とされているのが、自分のようだ。

どうも、篠田さんという岐阜市在住の人が、加納さんに元金150万円の請負代金債権を持っていて、債権回収のために、加納さんの池田さんに対する貸金債権を差し押さえたらしい。

差し押さえられたのは、どうやら合計151万円の範囲ということが分かってきた。

たしかに、今月25日には、加納さんに対して200万円を返済する約束になっている。それで、やっと「篠田という人がこの債権を差し押さえた」という話が見えてきた。

「店の商品や運転資金を持っていかれるわけではない」ということが理解できたので、少しほっとしながら、加納さんに確認の電話をする。

加納さんは、電話口でただただ平謝り。はっきりとは口にしないが、言葉の端々から加納さんの資金繰りが悪いことがうかがい知れる。

すると、加納さんと話しているうちに、名古屋市在住の森さんという人も、加納さんに70万円の売掛金債権を持っていて、「近く貸金債権を差し押さえる」などと言っているらしいことが分かってきた。

話を聞いているうちに、「差押えって、何を勝手なことを言ってるんだ。本当に迷惑な話だ」とだんだん腹が立ってきた。そして、「で、俺は、いったい、いつどこで誰にいくら払ったらいいわけ？　ただ、いずれにせよ、もともと払うことが決まっていた200万円以上は、ビタ１文絶対に払わんぞ。絶対にだ」と心に決めた。

7－1－1　第三債務者は、供託所に執行供託をすれば解放される

事例7の池田さんのような、差押えを受けた債権（**差押債権**といいます）の債務者のことを**第三債務者**といいます。

そして、第三債務者がする供託のパターンは、

- 自分の債務について供託所に供託してもよいパターン（裏を返せば、差押債権者に支払っても構わないパターン）
- 義務的に供託しなければならなくなるパターン

のいずれかになります。

いずれのパターンであっても、第三債務者は、自分の負っている債務に相当する額を、供託所に供託しさえすれば、「見知らぬ差押債権者と対応させられる」という煩わしさから解放されます。また、供託した範囲で債務からも解放されます。

こうした供託のことを、**第三債務者がする執行供託**といいます。

なお、第三債務者がする執行供託は、さまざまな種類がある執行供託のうちの1つです。**執行供託**というのは、債権回収のために不動産・動産・債権などの差押えをしたり、こうした財産を現金化して配当するといった一連の**執行手続**の中で行われる供託のことをいいます。この執行手続において、供託所は、執行手続を行う裁判所等の補助的な役割（供託金の受渡し）を担うことになります。

さて、これまで第1章から第6章では、いろいろな弁済供託のパターンをお話ししてきましたが、第7章から第9章では、話をガラリと変えて、この「執行供託のうち第三債務者がするもの」についてお話ししていくことにします。

7－1－2　第三債務者がする執行供託の概要

篠田さんは、加納さんに対する請負代金債権について、加納さんから担保を取っていませんでした。こうした金銭債権者のことを、**一般債権者**といいます。

そして、一般債権者は、債権回収がどうなるか不透明になってきた場合、担保がありませんから、債権回収を確実にしようといろいろな方法を考えます。その方法の１つが、債務者が持っている債権から回収する**債権執行**です。要するに、第三債務者（一般債権者から見ると「債務者の債務者」）にお金を出してもらって、そのお金から回収するという方法です。

債権執行の手続は、大きく３つのステージに分けることができます。

事例７でいうと、最初のステージは、①篠田さん（**差押債権者**）が、裁判所の**差押命令**によって、「加納さん（単に債務者と呼ぶことも多いですが、本書では区別を明確にするため**執行債務者**と呼びます）の池田さん（第三債務者）に対する貸金債権（差押債権）」を差し押さえるというものです。

２つ目のステージは、②差押えを受けた池田さん（第三債務者）が、供託所に対して、差押債権の全部または一部に相当する額のお金を供託するというものです。

最後のステージは、③裁判所が供託金を分配する額を決めて、その支払を供託所に委託するというものです。この結果、篠田さんは、分配されたお金

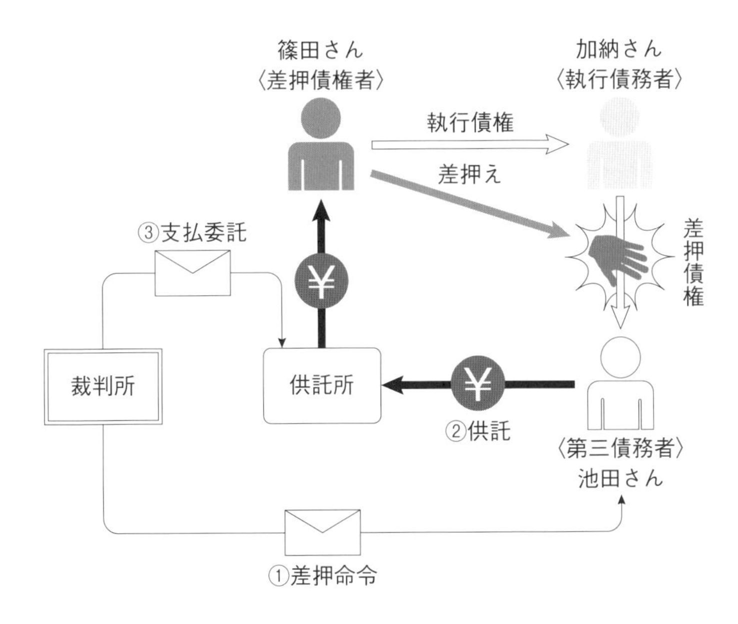

を供託所から得て、加納さんに対する債権（**執行債権**）の回収を果たします。

なお、２つ目のステージ・３つ目のステージに行かず、１つ目のステージの後に、篠田さん（差押債権者）が池田さん（第三債務者）から直接取立てをすることができる場合もあります。

７－１－３　第三債務者に差押命令が送達されるまでの大まかな流れ

事例７では、第三債務者である池田さんのところに差押命令が届けられる場面を紹介しました。そこで、この差押命令がどういうルートをたどって池田さんのところに送達されたのかについてお話しします（最初のステージ）。

まず、事例７で篠田さんが債権の差押えをするためには、大前提として、篠田さんが回収しようとしている「篠田さんの加納さんに対する貸金債権（執行債権）」について、**債務名義**が必要です。

債務名義というのは、

・**確定判決**（執22①）

・**仮執行宣言付判決**（執22②）

・金銭の一定の額の支払を目的とする請求について公証人が作成した公正証書で、債務者が直ちに強制執行に服する旨の陳述が記載されているもの（**執行証書**、執22⑤）

・和解調書（執22⑦参照）

などです。いずれも、「今すぐに差押えなどの強制執行手続に入ってもよいですよ」ということが明らかになっている書面です。

事例７では、篠田さんと加納さんは、請負契約を結んだ際に、すでに公証役場で執行証書を作成していました。そこで、篠田さんは、この執行証書を債務名義とすることにし、さっそく公証役場に行って、公証人に執行証書へ**執行文**を付与してもらいました（執26）。

次に、差押命令申立てをする場合の管轄裁判所は、通常、執行債務者の住所地を管轄する裁判所となります（執144Ⅰ、民訴４）。そこで、篠田さんは、

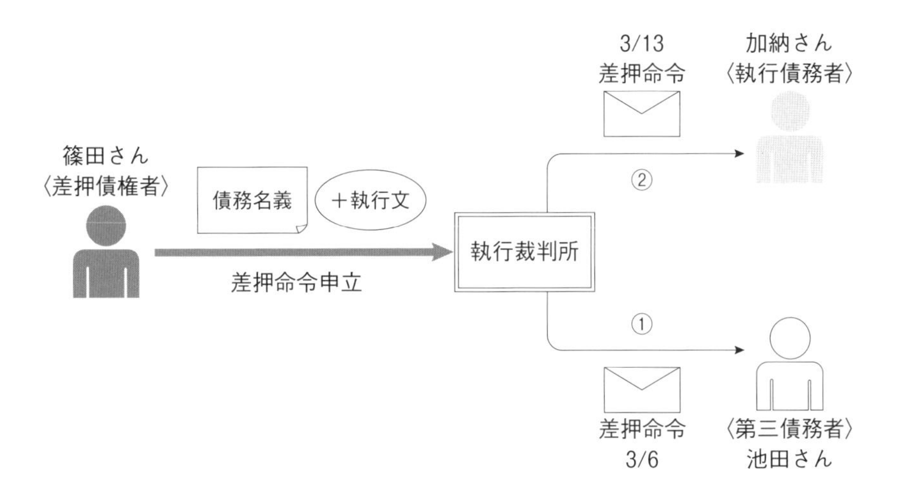

加納さんの住所地である京都市を管轄する京都地方裁判所に、債権差押命令の申立てをしました。

京都地方裁判所では、必要な手続を経たうえで差押命令を発すると、これを池田さん宛てに送達しました（執145Ⅲ）。送達されたのは、事例7にもあったとおり3月6日でした。

そして、加納さん（執行債務者）のところにも、この1週間後の3月13日に、池田さん（第三債務者）に送達されたのと同じ差押命令が送達されました（執145Ⅲ）。

なお、今回の京都地方裁判所のように、差押命令を発した裁判所のことを、**執行裁判所**と呼びます。

7－1－4　当事者が置かれた状況

7－1－4－1　差押えによって、差押債権の弁済・処分が禁じられる

差押命令の効力は、差押命令が第三債務者に送達された時から生じます（執145Ⅴ）。事例7では、篠田さんの申立てを受けて京都地方裁判所が発した差押命令は、池田さんに送達された3月6日午前11時頃からその効力が生じたことになります。

すると、第三債務者である池田さんは、差押命令の効力が生じた瞬間から、執行債務者である加納さんに弁済することが禁じられます（執145Ⅰ）。仮に加納さんに弁済したとしても、篠田さんに二重払いすることになるだけです（民481Ⅰ）。

また、執行債務者である加納さんも、第三債務者である池田さんに売掛金を支払うよう求めることはもちろん、この売掛債権を別の人に譲渡することなどの処分が禁じられます（執145Ⅰ）。

このように、差押命令によって、池田さん（第三債務者）と加納さん（執行債務者）の動きが法的に凍結されますので、篠田さん（差押債権者）が回収しようと狙っているお金は、池田さん（第三債務者）のところにとどまったままの状態で固定されることになります。

7－1－4－2　先行する差押債権者としては、先行逃げ切りをして第三債務者から直接取り立てたい

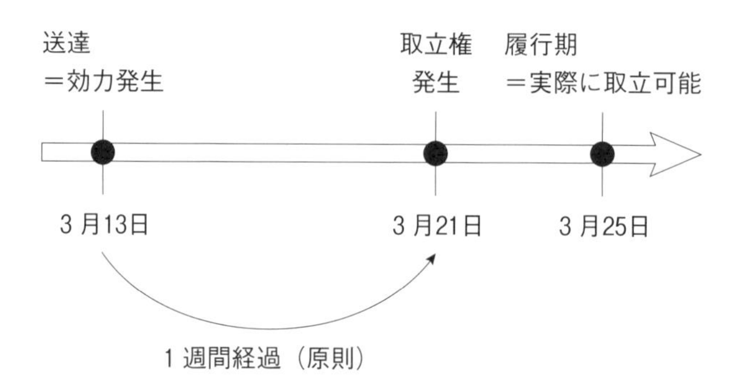

先行する差押債権者が望む1つの典型例は、「差押命令申立てをしてから比較的短期間のうちに、直接第三債務者から取り立ててしまう」という、先行逃げ切り型の債権回収を成功させることです。では、どのタイミングで取立てができるようになるのでしょうか。

まず、加納さん（執行債務者）のところに差押命令が送達されてから1週間を「経過」すると、篠田さん（差押債権者）が池田さん（第三債務者）から

直接取り立てることができる**取立権**を獲得します（執155Ⅰ、なお取立権の発生時期については令和２年４月１日施行の民事執行法改正で「例外」と「例外の例外」が新設されましたが、詳しくは第９章で説明します）。事例７ですと、加納さんに送達された３月13日から**初日不算入**で計算しますので（執20・民訴95Ⅰ・民140本文）、８日目の３月21日になったところから取立権を獲得することになります。なお、この１週間が経過する日が、場合によっては土日祝日であったり、12月29日から翌年１月３日の間ということも起こり得ます。その場合には、その翌日に期間が満了することになります（民訴95Ⅲ準用）。

ですから、篠田さんは、基本的には３月21日以降であれば、加納さんに貸した150万円に、差押えをするのにかかった費用（**執行費用**）を加えた額を、池田さんから直接取り立てることができるようになります（執155Ⅰ）。ちなみに、差押債権者（篠田さん）は、執行裁判所から送られてくる「送達通知書」によって、差押命令が執行債務者（加納さん）に到達した日を正確に知ることができ（執規134）、取立権の発生日についても知ることができるようになっています。

なお、執行費用は、事例によって異なります。ただ、事例７以降では、説明の便宜上、執行債権の額（元金のほか、利息・遅延損害金を含みます）と執行費用との合計額が「151万円」だったとして話を進めます。

このように、事例７では３月21日に取立権を獲得するものの、池田さんの

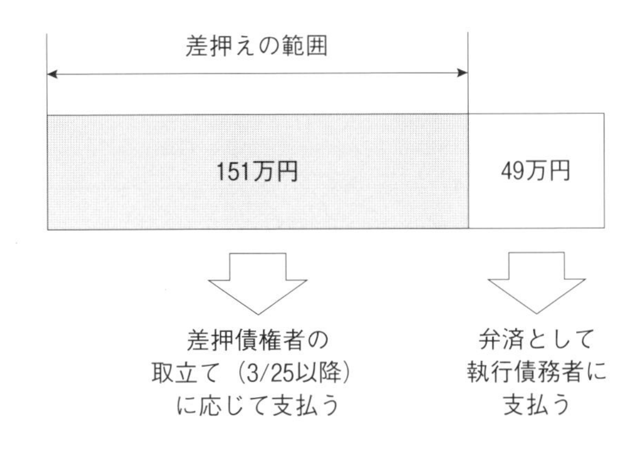

加納さんに対する貸金返還債務の履行期は、あくまで３月25日です。法律上、履行期が到来しなければ取り立てることができません（執30Ⅰ）。そのため、事例７では、篠田さん（差押債権者）が実際に執行債権の回収をすることができるようになるのは、最短で３月25日になります。

ここまでの話を池田さん（第三債務者）の立場から見ると、３月25日以降に篠田さん（差押債権者）が取立てをすれば、これに応じて151万円を支払うことができるということです。この場合、残額の49万円については、もちろん加納さん（第三債務者にとっての債権者）に弁済しなければなりません。

７－１－４－３　遅れを取った差押債権者としては、なんとか配当等の手続に滑り込みたい

先ほど７-１-４-２でお話ししたことだけを聞くと、債権の差押えをしさえすれば、いつも短期間でニコニコ満額回収できるようにも思えますが、世の中はそんなに甘くありません。債権の差押債権者が、短期間のうちに満額回収できるためには、重要な条件が１つあります。その条件は、

別の債権者が滑り込んでこなかったら

というものです。

事例７では、名古屋市在住の森さんという債権者が、加納さんに対する売掛金70万円を回収するために、篠田さんと同じ貸金債権を差し押さえようと狙っています。もし、森さんを差押債権者とする差押命令が発せられてしまうと、「篠田さんの執行債権150万円と、森さんの執行債権70万円」を「差押債権200万円」でまかなう必要が出てきます。もちろん足りません。こういう場合を、差押えの競合といいます（詳しくは、８-１-５-５、８-２-２-２でお話しします）。

こうした場合、執行裁判所が供託金を分配するにあたっては、**債権者平等**という考え方に基づいて、基本的には、回収しようとしている執行債権の額に応じて**按分**することになります。

按分というのは、事例７でいうと、200万円を「篠田さん150万円：森さん

70万円」という割合で分けるということです。執行費用などのもろもろを無視してざっくり単純計算すると、

篠田さんが136万3636円 $\left(=200万円\times\frac{150万円}{150万円+70万円}\right)$ で、

森さんが63万6364円 $\left(=200万円\times\frac{70万円}{150万円+70万円}\right)$

となります。

ここで逆に森さんの立場に立って考えてみますと、配当等の手続に滑り込めるかどうかで、「配当等として約63万円を受け取れるか、篠田さんが回収した残りの49万円（=200万円－151万円）からしか回収できなくなってしまうのか」という大きな差が出てしまいます。

そのため、遅れを取った差押債権者が望む１つの典型例は、「なんとしてでも配当等の手続に滑り込んでしまおう」というものになります。

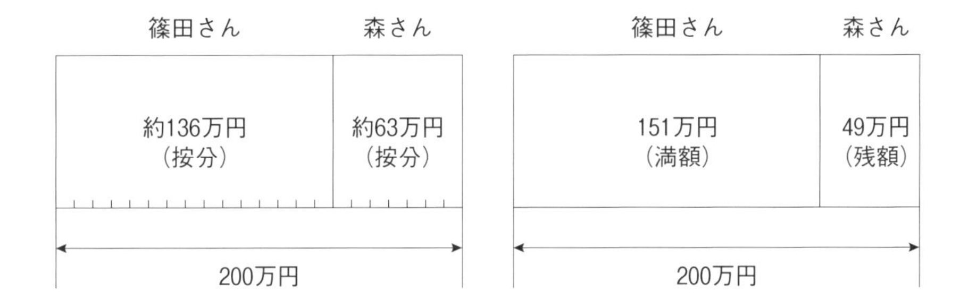

7－1－4－4　配当等の手続に滑り込めるタイムリミットは、「第三債務者が執行供託するまで」など３つのシチュエーション

森さんは、いつまでに滑り込めば、加納さんの池田さんに対する貸金債権から回収できる額を、「49万円」ではなく「約63万円」とすることができるのでしょうか。

結論から言いますと、「先行する差押えがまだ最初のステージにとどまっているうちに、自分が得た差押命令が第三債務者に送達されればセーフ」と

なります。具体的なタイムリミットは、次の３つです。１つ目は、

① 第三債務者が、先行する差押債権者の取立てに応じて支払う時点

です（事例７であれば３月25日以降にあり得ます）。要するに、先行する差押債権者が独り占めしてしまったら、もう後の祭りだということです。

２つ目が、本書で中心的に取り扱う、

② 第三債務者が、執行供託をする時点

というものです（執165①、事例７であれば３月25日以降にあり得ます）。これは、第三債務者が執行供託をすることで、執行手続が完全に２つ目のステージに進んでしまってからでは遅いということです。ちなみに、第三債務者が執行供託をすることでタイムリミットとなることを、法律用語で「**執行供託の配当加入遮断効**」と呼びます。

３つ目は、１つ目と２つ目の中間的な感じですが、

③ 第三債務者が、先行する差押債権者の取立てに応じなかったため、第三債務者に取立訴訟が提起された場合、その訴状が第三債務者に届く時点

です（執165②、事例７であれば３月25日以降にあり得ます）。

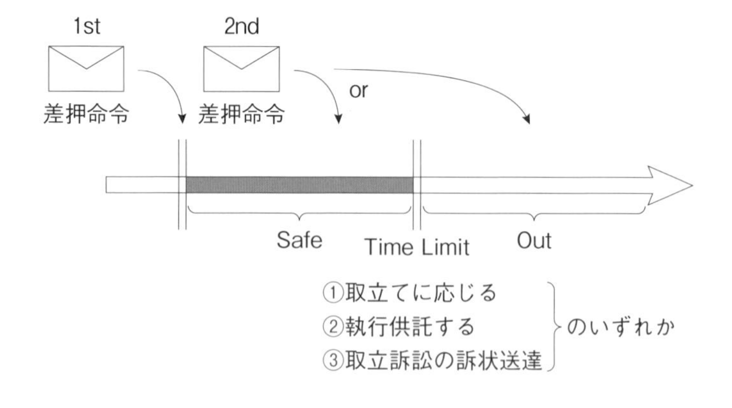

以上の次第で、森さんの差押命令が、これらの３つのタイムリミットまでに、池田さん（第三債務者）のところに送達されれば、森さんは、供託金の分配を受けられます。逆に、間に合わなければ供託金からは１円も受け取れなくなります。たとえば、池田さんが「さて供託所に供託をしに行くか」と考えて店を出る直前に、配達員が森さんの差押命令を持ってきた場合には、まさに滑り込みセーフということになるわけです。

他方、先行する篠田さんとしては、とにかくタイムリミットまでに森さんが滑り込んでこないことを祈るしかありません（なお、篠田さんが望むような「抜け駆け」「独り占め」は、あまり好ましくないというのが法の建前です。念のため）。

７－１－４－５　第三債務者としては、さっさと執行供託するのがいちばん楽

これまで、篠田さん（先行する差押債権者）と森さん（遅れを取った差押債権者）の立場から説明してきました。

最後に、池田さん（第三債務者）の立場からお話しします。

詳しくは第８章でお話ししますが、事例７の場合、池田さんが取り得る選択肢は、

①　森さんの差押命令が送達される前

　　a　篠田さんの取立てを待って、取立てに応じる

　　b　篠田さんの取立てを待って、取立てに応じず、取立訴訟となる

　　c　執行供託をする

②　森さんの差押命令が送達された後

　　d　執行供託をする（義務的）

という４パターンです。

aの場合、池田さんは、見知らぬ篠田さんの本人確認をしたうえで、篠田さんが本当に取立権を得たのかを判断し、自己責任で取立てに応じなければなりません。

また、bの場合、被告として裁判に対応しなければならなくなります。

これに対し、ｃの場合、供託所に執行供託をすれば、後は差押命令に同封されていた書類に必要事項を記入して裁判所に送り返すだけで手続は終了します。差押債権者に対しては「もう、供託しましたから」とだけ答えれば済みます。加えて、森さんの差押命令が送達されてしまうと、ｄの場合となって、どのみち供託をしなければならなくなります。

そうしますと、差押債権者とあれこれ連絡を取らなくてはならなくなるａやｂよりも、さっさと執行供託をしてしまうのが、結局はいちばん面倒が少なくて楽だということになります。

7－2　第三債務者がする執行供託の概要

7－2－1　陳述書を執行裁判所に送る（供託申請とは直接関係がない）

差押命令が送達された際、多くの場合で「**陳述書**」という用紙が同封されています。この用紙は、第三債務者に対し、差押債権（差押えを受けた債権）が実際に存在するのかといった説明を求める手続（**陳述催告**）のためのもので、執行裁判所が用意したものです。

この手続は、差押債権者が陳述催告を希望した場合に行われます（執147Ⅰ）。というのも、事例7の差押債権が「弁済によって消滅している」といったことが判明した場合に、いちばん影響を受けるのは、ほかならぬ篠田さん（差押債権者）だからです。篠田さん（差押債権者）としては、急いで別の債権の差押えをするといった方針転換をしなければ、債権回収できなくなるおそれがあります。こうした事態を想定して、執行裁判所に対して第三債務者に実際のところを教えてもらうよう申立てをするわけです。

この陳述書に記載する内容は、法令で定められていて、具体的には、差押債権の存否・種類・額、弁済の意思の有無、他の差押債権者の有無などです（執規135Ⅰ）。

事例7ですと、池田さんの加納さんに対する貸金返還債務200万円が残っていて、池田さんはもちろん全額返済するつもりがあります。そして、まだ他の差押命令は送達されていません。そこで、池田さんは、差押命令に同封された陳述書の用紙の欄内に、こうした事情を記載していくことになります。

そして、この陳述書は、差押命令が第三債務者に送達された日から2週間以内に執行裁判所に届くように郵送する必要があります（執147Ⅰ・民97Ⅰ）。これは、第三債務者が執行供託をする場合であっても、しない場合であっても同じです。もし、陳述書を送らなかったり、陳述書に嘘を書いたりして差押債権者が損害を被った場合には、差押債権者に損害賠償を支払う必要が出てくることもあります（執147Ⅱ）。

なお、差押命令に陳述書の用紙が同封されていない場合もあります。この場合には、そもそも陳述することが求められていませんので、わざわざ陳述書を作って送る必要はありません。

7－2－2　供託申請の流れ

7－2－2－1　供託申請

供託手続をする場合には、弁済供託の場合と同様に、必要事項を記載した供託書を作成する必要があります（1-2-2参照）。記載する内容は、多くの部分で弁済供託の場合と共通します。では、全体像を見てみましょう。

【参考例⑰】は、事例7で篠田さんの差押命令が送達された段階で、差し押さえられた額（151万円）のみについて執行供託をした場合（8-1-2-5参照）のものです。

まず、供託書は、【参考例①】や【参考例⑫】などでも使った第四号様式を使用します。

用紙左側の「申請年月日」欄、「供託者の住所氏名」欄、「供託金額」欄については、特に問題がないと思います（1-2-2-3参照）。

次に、用紙右側の「法令条項」欄は、この場合の供託根拠法令である**民事執行法第156条第1項**を記載します。

そして、民事執行法第156条第1項では、「債務の履行地の供託所に供託することができる」と規定しています。そして、池田さんの加納さんに対する200万円の貸金返還債務は、持参債務です。そのため、債務履行地は、京都市内にある加納さんの住所地となります（3-3-3-2参照）。したがって、用紙左上にある「供託所の表示」欄には、「京都地方法務局」と記載することになります。

次に、「供託の原因たる事実」欄です。ここに記載すべきポイントは、【参

考例⑰】にもあるとおり、

㋐　供託者（第三債務者）が、執行債務者にどのような債務を負っているのかということ

㋑　差押命令が送達されたこと

㋒　差押命令の具体的な内容

の３点となります。

最後に、【参考例⑰】の「被供託者の住所氏名」欄についてです。この欄を見て「あれっ？」と思われた方もいらっしゃるかと思いますが、空欄になっていますよね。実は、被供託者の記載が必須となる弁済供託とは異なり、執行供託の場合には、この欄に何も記載しないことが多々あります。というのも、第三債務者がする執行供託は、最終的に被供託者に還付させることを目的とした弁済供託とは異なり、執行裁判所が差押債権者等に配当等をするための資金を保管しておくという性格が強い制度だからです。今回の事例では、加納さん（執行債務者）が供託金を受け取る余地はありませんので、この欄には何も記載する必要がありません。

また、【参考例⑰】のように「被供託者の住所氏名」欄に何も記載する必要がない場合には、供託通知をする必要もありません。

ちなみにですが、第三者がする執行供託では、事案によって、この「被供託者の住所氏名欄」の記載の要否のほか、「法令条項」欄や「供託の原因たる事実」欄の記載内容が変わってきます。そのため、第８章では、よくある場面について、こうした欄に何を記載することになるのかをお話しすることにします。

なお、供託の申請方法や供託金の納付方法については、弁済供託のときと特に変わりありません（1-2、2-1参照）。

７－２－２－２　執行裁判所に事情届をする

第三債務者がする執行供託は、そもそも執行裁判所が配当をするためのものでした。しかし、第三債務者が何も連絡しなければ、執行裁判所は、第三

【参考例⑰】 供託書

供託書・OCR用

（雑）

字加入　字削除

係員印　受付　調査　記録　／　頁

（第４号様式）
（印供第34号）

申請年月日	令和３年３月25日	供託カード番号（　　　）カードご利用の方は記入してください。
供託所の表示	京都地方法務局	

供託者の住所氏名

住所

熊本市中央区大江○○○○

氏名・法人名等

池田◇◇

代表者等又は代理人住所氏名

□別添のとおり
ふたりめからは別紙継続用紙に記載してください。

被供託者の住所氏名

住所

氏名・法人名等

□別添のとおり
ふたりめからは別紙継続用紙に記載してください。

□供託通知書の発送を請求する。

供託金額	百	十	億	千	百	十	万	千	百	十	円
				¥	1	5	1	0	0	0	0

年　月　日　㊞

□供託カード発行

↓　濁点、半濁点は１マスを使用してください。

供託者カナ氏名：イケタ゛◇◇

法令条項	民事執行法第156条第１項

供託の原因たる事実

供託者は，京都市上京区荒神口通○○○○加納◇◇に対し，平成27年３月23日付けの金銭消費貸借契約に基づく金200万円の貸金債務（弁済期：令和３年３月25日，弁済場所：加納◇◇住所）を負っていたが，上記貸金債権について下記の差押命令が送達されたので，差押債権額に相当する金151万円を供託する。

記

差押命令の表示

京都地方裁判所令和３年(ル)第777号，債権者岐阜市金竜町○○○○篠田◇◇，債務者加納◇◇，第三債務者供託者とする債権差押命令，執行債権額金151万円，差押債権額金151万円，令和３年３月６日送達。

□供託により消滅すべき質権又は抵当権

□反対給付の内容

備考

（注）１．供託金額の冒頭に¥記号を記入してください。なお，供託金額の訂正はできません。
２．本供託書は折り曲げないでください。

200000

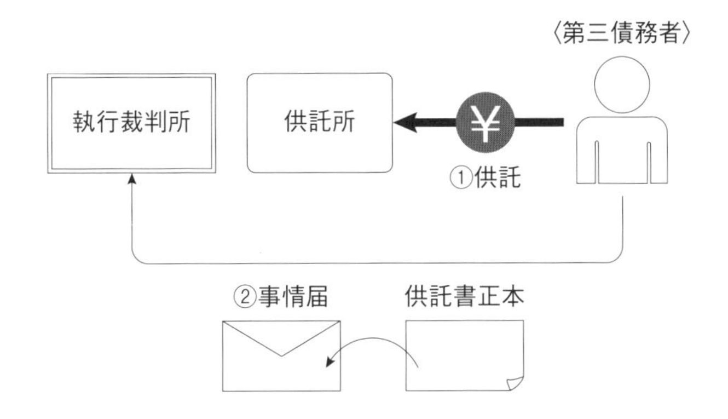

債務者が供託したのかどうかを知る術がありません。

そこで、池田さん（第三債務者）は、執行供託を終えた後、京都地方裁判所（執行裁判所）に対して、**事情届**と呼ばれる届出をしなければなりません（執156Ⅲ）。

事情届をするための用紙は、差押命令に同封されています。そこで、この用紙の欄に従って必要事項を埋めた事情届を執行裁判所に提出します。この際には、供託書正本を忘れずに添付してください（執規138Ⅱ）。

執行裁判所は、この事情届を確認したうえ、内容に不備がなければこれを受理して、供託金を分配する手続に進みます。事情届や供託書正本の内容に不備があると、池田さん（第三債務者）は内容の訂正を求められることがあります。また、間違った債務について執行供託がされているような場合には、事情届が不受理となって、池田さん（第三債務者）が供託手続をやり直さなければならなくなることもあります。

7－2－2－3　供託費用の請求

池田さん（第三債務者）が執行供託をする場合、加納さん（執行債務者）に口座振替で弁済する場合に比べると、供託手続に必要な郵送費などの費用（**供託費用**）が余分にかかることになります。

そのため、第三債務者は、義務的に供託しなければならない場合（8-2-

2、8-2-3、8-2-6参照）に限って、執行裁判所に対し、法令で定められた額の供託費用の請求をすることができます。具体的には、供託書の提出費用、供託金の提出費用、供託書正本の交付を受けるために要する費用、供託書・事情届の作成費用、事情届の提出費用などです（民事訴訟費用等に関する法律28の2Ⅰ）。

実際に供託費用として支給される額は、数千円程度となるケースが多いようです。

供託費用は、事情届を提出するまでに請求しなければなりません（同法律28の2Ⅱ）ので、通常は、事情届をするのと一緒に請求することになります。

事例7ですと、池田さん（第三債務者）はまだ義務的に供託しなければならない段階にはありません。そのため、残念ながら供託費用の請求をすることはできません。

7－2－3　払渡しまでの流れ

7－2－3－1　事情届がされると、執行裁判所が供託金を分配する手続をする

第三債務者が執行供託をした後、執行裁判所に事情届がされて、これが受理されると、執行裁判所は、第三債務者が供託した供託金を分配するための手続を始めます（執166Ⅰ①）。

この手続には、**弁済金交付手続**と**配当手続**という2種類があります。

「弁済金交付手続」というのは、事例7のように、主に差押債権者が1人である場合の手続です。2人以上であっても、供託金で「執行債権や執行費用」のほか、供託金を分配するための「**手続費用**」までまかなえる場合には、この手続が行われます（執166Ⅱ・執84Ⅱ）。

これに対して、「配当手続」は、供託金では「執行債権・執行費用」と「手続費用」とをまかなえない場合の手続です（執166Ⅱ・執84Ⅰ）。こちらは、差押債権者が複数の場合の多くで行われることになります。

いずれの手続を経ることになるにせよ、結局は、執行裁判所が「供託金の

中から、どの差押債権者にいくら分配するのか」を決めることになります。なお、配当の手続では、以前にも触れましたが、誰の差押命令が先に送達されたのかとは関係なく、すべての差押債権者が平等に扱われ、執行債権の額に応じて供託金が按分されることになります（7-1-4-3参照）。

7－2－3－2　払渡しは供託所で行う

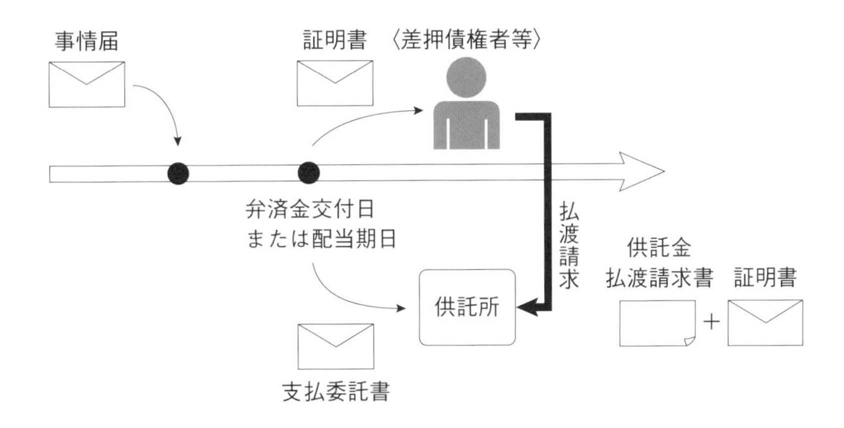

執行裁判所は、供託金をどのように分配するのかを決めますが、執行裁判所がその支払をするわけではなく、実際に支払をするのは供託所です。

まず、執行裁判所は、弁済金交付手続であれば、弁済金交付日までに**弁済金交付計算書**を作成し、配当手続であれば、配当期日までに**配当表**を作成して、誰にいくらを分配するのかを決めます。

そして、執行裁判所は、出頭した差押債権者に（場合によっては執行債務者にも）、【資料⑨】のような**証明書**を交付します（規30Ⅰ）。これは、配当等の結果として誰にいくら分配されることになったのかを個別に明らかにするもので、弁済金交付計算書や配当表に基づくものです。事例7では、篠田さんは、執行裁判所から、「池田さんが執行供託をした供託金の中から、151万円を受け取れる」という内容の証明書を受け取りました。

また、執行裁判所は、交付計算書や配当表に基づいて、【資料⑩】のよう

【資料⑨】 証明書

<table>
<tr><td colspan="2">証　明　書</td></tr>
<tr><td>受取人氏名住所</td><td></td></tr>
<tr><td>供　託　番　号</td><td>年度金（証）（国）第　　　号</td></tr>
<tr><td colspan="2">払渡しを受けるべき供託金及び供託金利息，供託有価証券
及び附属利賦札又は供託振替国債の表示</td></tr>
<tr><td colspan="2"></td></tr>
<tr><td colspan="2">上記のとおり証明する。

年　　月　　日

官庁又は公署　　　㊞</td></tr>
</table>

【資料⑩】 支払委託書

<table>
<tr><td colspan="4">支　払　委　託　書</td></tr>
<tr><td>供託番号</td><td colspan="3">年度金第　　　号</td></tr>
<tr><td>供託金額</td><td colspan="3"></td></tr>
<tr><td colspan="2">払渡しを受ける者</td><td colspan="2">左の者の受け取る供託金及び利息</td></tr>
<tr><td>氏　　名</td><td>住　　所</td><td>供　託　金</td><td>利　　息</td></tr>
<tr><td></td><td></td><td></td><td></td></tr>
<tr><td></td><td></td><td></td><td></td></tr>
<tr><td></td><td></td><td></td><td></td></tr>
<tr><td></td><td></td><td></td><td></td></tr>
<tr><td colspan="4">の事由により，
上記のとおり払渡しを必要とするので，委託する。

年　　月　　日
官庁又は公署　　　㊞

法務局　御中</td></tr>
</table>

備考　事由の記載として，「内渡し」又は「事件完結」の旨を括弧書で記載すること。

な**支払委託書**を作成して、これを事情届の際に添付されてきていた供託書正本と一緒に供託所に送ります（執規145・61、規30Ⅰ）。これは、文字どおり、執行裁判所が供託所に対して、「支払委託書」に記載されたとおりに供託金の払渡しをするよう委託するものです。事例7で言えば、京都地方法務局は、京都地方裁判所の委託を受けて、篠田さんに151万円を交付することになります。

7－2－3－3　払渡しの手続

差押債権者も、供託金の払渡しを請求する以上、供託金払渡請求書を作成します。

事例7の篠田さんの場合であれば、【参考例⑱】のように記載します。こちらも用紙自体は、【参考例②】と同じものです。

弁済供託の場合と異なるのは、用紙右側にある「払渡請求事由及び還付取戻の別」欄です。弁済供託のときには、「還付」欄の「1．供託受諾」のところに「○」を付けましたが、執行供託の払渡しの場合には、【参考例⑱】のように「3.」に「○」を付けたうえ、その後ろに「配当」と記載することになります。

他の記載内容は、弁済供託の還付請求のときと変わりがありません（1-3-3参照）。

次に、供託書には、篠田さんの氏名住所はまったく記載されていませんでしたから、篠田さんが供託金の払渡しを受けるためには「還付する権利を有することを証する書面」を添付しなければなりません。この場合に添付するのは、執行裁判所から受け取った「証明書」となります（規30Ⅱ）。

なお、債権執行の一環として「証明書」を添付して供託金の払渡しを請求することについては、被供託者の還付請求と区別するため、本書では、「**支払委託に基づく払渡請求**」と呼ぶことにします。

最後に、供託金の払渡請求にあたっては、弁済供託における還付請求の場合と同じように、原則として、印鑑証明書等の本人確認書類の添付や提示が

【参考例⑱】 供託金払渡請求書

請求年月日	令和３年６月30日	受付番号	第　　　号	年　月　日
供託所の表示	京都地方法務局	整理番号	第　　　号	認可　㊞

請求者の住所氏名印	岐阜市金竜○○○○ 篠田◇◇　㊞ （代理人による請求のときは，代理人の住所氏名をも記載し，代理人が押印すること。）

払渡請求事由及び還付取戻の別	還付	１．供託受諾　２．担保権実行　③．配当
	取戻	１．供託不受諾　２．供託原因消滅　３．

隔地払，国庫金振替，預貯金振込を希望するときはその旨	１．隔地払 銀行　店 受取人 ２．国庫金振替	３．預貯金振込 振込先　銀行　店
		預貯金の種別：普通・当座・通知・別段
		預貯金口座番号：
		預貯金口座名義人（かな書き）：

供託番号	元本金額	利息を付す期間		利息金額
３年度金第716号	1,510,000円	年　月　から 年　月　まで	月	円
年度金第　号		年　月　から 年　月　まで	月	
年度金第　号		年　月　から 年　月　まで	月	
年度金第　号		年　月　から 年　月　まで	月	

備考	
元　件	
利	
計	

元本合計額			百	十	万	千	百	十	円
		¥	1	5	1	0	0	0	0

（注）元本合計額の冒頭に￥記号を記入し，又は押印すること。

上記金額を受領した。
年　月　日
受取人氏名　㊞
（代理人により受け取るときは，本人の氏名及び代理人の氏名印）

必要となります（2－2－4参照）。ちなみに、支払委託に基づく払渡請求に限ってですが、たとえば請求者が自然人の場合で、払渡請求の額が10万円未満のときは、こうした本人確認書類が不要とされています（規26Ⅲ⑤）。

7－2－4　まとめ

以上のとおり、第三債務者は、陳述催告されていれば、執行供託をするかどうかにかかわらず、陳述書を執行裁判所に送る必要があります。

第三債務者が執行供託をする場合には、差押債権の債務履行地を基準とする供託所で手続をすることになります。供託書を作成して窓口申請をしてもいいですし、郵送申請しても構いません（2－1－5参照）。また、「かんたん申請」などのオンライン申請をしても構いません（2－1－4参照）。

そして、第三債務者は、執行供託をしたら執行裁判所に供託書正本を添付して事情届をすることになります。この際、義務的に執行供託をする場合には、供託費用を請求することもできます。

その後、執行裁判所が、供託金の分配を決めます。差押債権者は、執行裁判所が決めた分配に従って供託金の払渡しを請求することができます。この場合、供託金払渡請求書には、原則として執行裁判所が作成した「証明書」を添付する必要があります。

第 8 章

第三債務者がする執行供託①
（貸金債権の差押え等）

8－1　差押えの競合がない場合

8－1－1　事例8（基本となる事例）

事例8は、事例7とほぼ同じ事例です。ただ、森さんの債権額について、事例7で70万円としていたのを、事例8では40万円とした点が異なっています。

これから第8章の前半（8-1-2～8-1-5）では、主に「差押えが1つだけ（**単発**）」という場合について扱います。具体的には、単発の差押えがあった場合（8-1-2）、単発の仮差押えがあった場合（8-1-3）、単発の滞納処分による差押えがあった場合（8-1-4）です。そして、これらの亜種として、複数の差押え等があるものの競合しない場合（8-1-5）についてもお話しします。

事例8は、こうした各場合を説明するための、「事例の基本設定となる部分」だと思ってください。

事例8

池田さんは、自転車販売業を始めるにあたって、いろいろな人から開業資金を借りていて、お店を開いた後、その利益の中から少しずつ返済してきました。

加納さんは、池田さんがこうして開業資金を借りたうちのひとりです。京都市内にある和小物の小売店を経営しています。池田さんは、加納さんから10年前に1000万円を借りましたが、その後は予定どおり数回に分けて返済していました。そのため、現時点でも残っている債務は、支払期限が3月25日となっている「利息込み200万円の貸金債務」だけです。

ところで、加納さんは、3年前に体調を崩してお店を休業しがちにしていたことがありました。それが原因で一時期お店の資金繰りが非常に悪化したことがあったものの、その後、資金繰りはずいぶんと改善されました。しかし、それでもまだ支払が滞っているものが一部残っています。たとえば、名古屋市内の仕入先業者である森さんに対する買掛金のうち、1月10日が支払期限だった40万円が未払いのままになっていました。

そこで、森さんは、2月14日、関西方面への出張のついでに、加納さんのお店にも立ち寄り、売掛代金40万円を早く支払ってほしいと催促しました。すると、加納さんは、「3月25日になったら、熊本市内で自転車屋さんをしている池田さんという方に貸した200万円が返ってきます。そのお金で必ずお返ししますから、もう少しだけお待ちください」と説明して頭を下げました。

他方、篠田さんは、先日、加納さんのお店のショーウィンドウなどの改装を手がけた岐阜市内の内装業者です。2月14日は、改装のアフターケアのために、加納さんのお店を訪れる約束をしていました。すると、ちょうどお店に到着した時に、森さんと加納さんが代金返済についてのやりとりをしていたものですから、悪いとは思いつつも、店の出入口のところで盗み聞きをしてしまいました。

実は、篠田さん自身は、加納さんの資金繰りが万全ではないことを知っていました。そのため、改装工事を請け負った際にも、万一に備え、加納さんと一緒に公証役場に行って「期限の2月28日までに請負代金150万円を支払わなければ、直ちに強制執行に服する」という内容の公正証書（執行証書）を作成していました。

そうはいっても、契約をした1年前は、あくまで「念のために」というつもりでした。また、仮に森さんが40万円の弁済を受けても、まだ残りが160万円もあるわけですから、「加納さんは、3月25日まで待てば、きっと約束どおりに自分に支払をしてくれるはず」と信じたい気持ちもありました。他方で、「もし自分以外に債権者がいたら、まずいことになる」という思いもありました。篠田さんも、月末に多額の決済を控える身ですので、ぎりぎりになって加納さんから150万円を回収し損ねたら、大変な目に遭ってしまうからです。そのため、篠田さんは、森さんと加納さんのやりとりを聞きながら、どうしたものかと考え込んでしまいました。

8－1－2　単発の差押え

8－1－2－1　事例8－1

事例8に追加する事情は次のとおりです。

事例8－1

加納さんは、篠田さんの予想どおり、履行期である2月28日に請負代金150万円を支払うことができませんでした。そして、篠田さんに対しても、「3月25日になったら、200万円が返ってくるので、それまで待ってほしい」などと言ってお願いしました。

そこで、篠田さんは、先手を打とうと考え、3月2日に、執行証書を債務名義として、京都地方裁判所に差押命令申立てをしました。差押債権は、加納さんの池田さんに対する200万円の貸金債権でした。

なお、執行債権と執行費用の合計額（以下「執行債権等」ともいいます）は、151万円でした。

手続は順調に進み、3月6日には池田さんのもとに差押命令が送達されました。

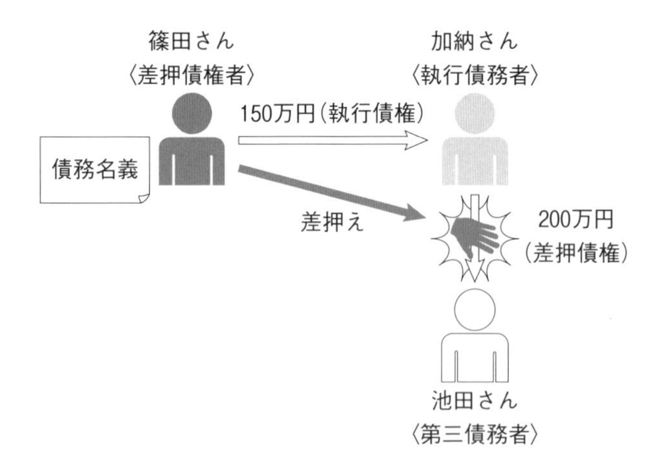

8－1－2－2　差押金額は「一部」か「全部」かの２パターン

事例８-１では、執行債権200万円のうちどの範囲で差押えがされたのか（**差押金額**）をあえて設定しませんでした。というのも、差押えには、差押えをする範囲によって、大きく２つのパターンがあるからです。

１つ目のパターンは、差押債権の「一部」を差し押さえるというものです。本書では、説明の便宜上、篠田さんが「200万円の差押債権のうち、執行債権等の額である151万円の範囲で差押えをした」という想定で説明することにします。

２つ目のパターンは、差押債権の「全部」を差し押さえるというものです。事例８-１でいうと、篠田さんの執行債権等の額は151万円ですが、200万円の差押債権の全額を差し押さえることもできます（執146Ⅰ）。

そして、差押金額が「一部」なのか「全部」なのかによって、第三債務者がどのような対応をすることができるのかという選択肢が変わってきます。

8－1－2－3　差押えを受けた第三債務者の選択肢は、大きく２つある

事例８-１のように単発の差押えを受けた池田さん（第三債務者）には、

ⓘ　篠田さん（差押債権者）の取立てに応じる

ⓘⓘ　執行供託をする

という２つの選択肢があります。

池田さん（第三債務者）が篠田さん（差押債権者）の取立てに応じる場合（ⓘ)、「差押金額」が151万円（つまり差押債権の一部）の場合であれば、その151万円だけを支払えばOKです。

これが200万円（つまり差押債権の全部）の場合には、151万円のみを取り立てられることもあり得ますし、200万円を取り立てられることもあり得ます。後者の場合には、差押債権者が執行債務者に残額を交付することになります（執155Ⅰ但書参照）。

ⓘの取立てに応じるという選択をした場合、その具体的な内容は、この１パターンのみです。

これに対して、ⅱ池田さん（第三債務者）が執行供託をするという選択をした場合、その具体的な内容は、差押金額と関連して３つのパターンがあります。詳しくはこれから順番に説明していきます。

なお、このように「供託するか取立てに応じるかは、第三債務者の自由」という場面でする執行供託のことを、一般に**権利供託**といいます。そして、民事執行法第156条第１項が、単発の差押えがされた場合における権利供託の根拠条文です。これは、非常に重要な条文ですので、全文を引用しておきます。

【民事執行法第156条第１項】

第三債務者は、差押えに係る金銭債権（差押命令により差し押さえられた金銭債権に限る。次項において同じ。）**の全額に相当する金銭を債務の履行地の供託所に供託することができる。**

８－１－２－４　権利供託のパターンは３つ

先ほど触れたとおり、差押えを受けた第三債務者がする権利供託のパターンは、差押金額のパターン（一部 or 全部）と絡んで３つあります。

１つ目は、差押債権の「一部」が差し押さえられた場合に、差押金額と同じ額（一部）を供託するというパターンです。「一部」差押えで「一部」供託なので、分かりやすいパターンではあります。

２つ目は、差押債権の「全部」が差し押さえられた場合に、差押金額と同じ額（全額）を供託するというパターンです。「全部」差押えで「全額」供託なので、こちらも分かりやすいパターンですね。

最後に３つ目は、上の２つの組合せ的なものですが、差押債権の「一部」が差し押さえられた場合に、差押債権の「全額」を供託するというパターンです。「一部」差押えで「全額」供託というと、ねじれを感じるかもしれませんが、これが「１回供託しさえすれば解放される」という、権利供託の特徴が最も出た便利なパターンです。

では、上に挙げた順で、３つのパターンを見ていきましょう。

8－1－2－5　「一部」差押えの場合に「差押金額＝一部」を供託する（パターン1）

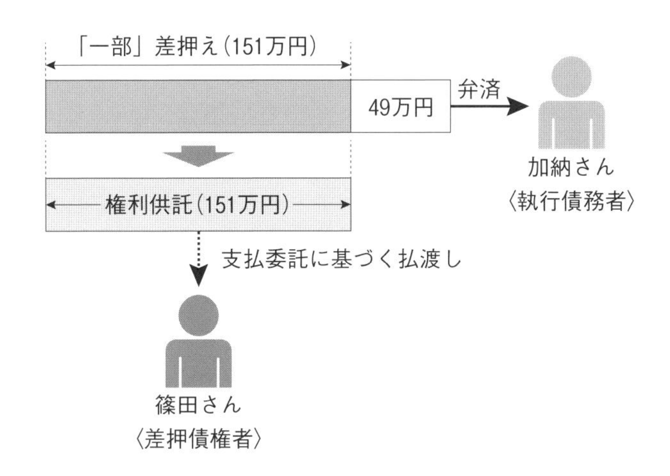

まず、篠田さん（差押債権者）が、200万円の差押債権を「一部」である151万円の範囲で差し押さえた場合です。

この場合、池田さん（第三債務者）は、「差押金額」である151万円のみについて権利供託をすることができます*23。

事例８－１は、池田さん・加納さん・篠田さんの関係が、事例７とまったく同じです。そのため、供託書の記載内容も、すでにご紹介した【参考例⑰】とまったく同じになります（７－２－２－１参照）。

権利供託をすべき供託所は、池田さんにとっての債権者である加納さんの住所地を基準とした京都地方法務局です。なお、第三債務者がする執行供託では、民事執行法第156条第１項だけでなくどの供託根拠条文でも、供託所については、「債務の履行地の供託所」と規定されています。そのため、第８章で扱う事例では、供託所は、いずれも京都地方法務局となります。

また、パターン１は、純然たる執行供託ですから、供託書の「被供託者の住所氏名」欄には何も記載しません。

池田さん（第三債務者）は、供託所に供託金を納めた後、京都地方裁判所（執行裁判所）に対して、事情届をしなければなりません。事情届をする際には、供託書正本を添付する必要があります（7－2－2－2参照）。

そして、篠田さん（差押債権者）は、京都地方裁判所が弁済金交付手続をした後、供託所である京都地方法務局に対し、京都地方裁判所から交付された「証明書」を添付して、151万円について支払委託に基づく払渡請求をすることになります*24（7－2－3－3参照）。

なお、残額49万円については、差押えの効力が及んでいません。そのため、この49万円については、弁済を禁じる効果が発生していません（執145Ⅰ）。ですから、池田さん（第三債務者）は、3月25日（履行期）になったら、加納さん（執行債務者）に対して弁済しなければなりません。何もしないまま3月25日を過ぎますと、原則どおり債務不履行責任が発生しますので、十分ご注意ください。

8－1－2－6　「全部」差押えの場合に「差押金額＝全額」を供託する（パターン２）

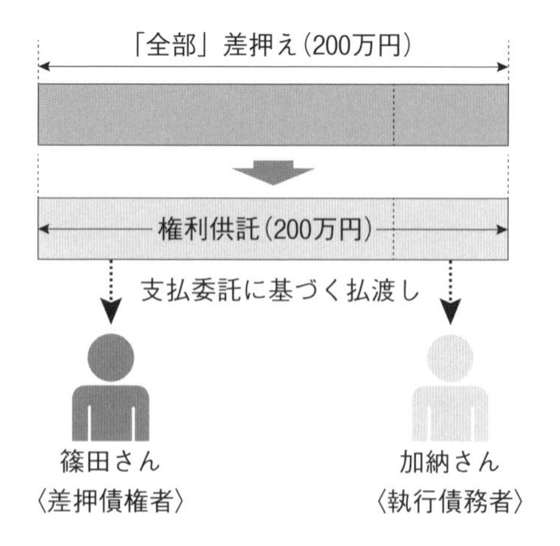

次に、篠田さん（差押債権者）が差押債権である200万円「全部」を差し押さえた場合です。

この場合、池田さんは（第三債務者）は、差押債権の「全額」である200万円を権利供託することができます*25。この200万円という供託金額は、パターン１と同様に「差押金額を供託したのだ」ととらえることも、条文どおりに「差押債権の全額を供託したのだ」ととらえることもできます。

供託書の記載は、次頁の【参考例⑲】のとおりです。【参考例⑰】と違っているのは、差押金額と供託金額がそれぞれ151万円（一部）だったのが200万円（全額）になっていることと、それに伴って「供託の原因たる事実」欄で、本文末尾が「全額に相当する」となっている点くらいです。

また、パターン２も、純然たる執行供託ですので、供託書の「被供託者の住所氏名」欄には何も記載しません。

そして、池田さん（第三債務者）は、供託金を納めたら、執行裁判所に供託書正本を添付して事情届をします。

篠田さん（差押債権者）は、151万円について、執行裁判所が作成した「証明書」を添付して、支払委託に基づく払渡請求をすることになります*24。

また、パターン１とは異なり、加納さん（執行債務者）も、49万円について、執行裁判所が作成した「証明書」を添付して、支払委託に基づく払渡請求をすることになります*24。というのも、パターン２では、差押えの効力が及ぶのが200万円「全部」となるため、執行裁判所が弁済金交付手続で分配の対象とするのも200万円全額となるからです。そのため、残額49万円についても、執行裁判所のイニシアティブで手続が行われるのです。

なお、加納さん（執行債務者）に分配される額は、49万円満額ではなく、ここから弁済金交付手続の**手続費用**（数千円程度）が差し引かれた額になると思われます。ただ、本書では、ここも説明の便宜上「49万円」としてお話しすることにします。

このように、先ほどの８－１－２－５（パターン１）と比べると、加納さんが49万円を受け取る手続が、「直接弁済を受ける」なのか「支払委託に基づく

【参考例⑲】 供託書

供託書・OCR用
（雑）

字加入 □ 字削除 □ | 係員印 | 受付 | 調査 | 記録 | ／ 頁

（第４号様式 印供第34号）

申請年月日	令和３ 年 ３ 月 25 日	供託カード番号（　　）カードご利用の方は記入してください。
供託所の表示	京都地方法務局	

供託者の住所氏名

住所
熊本市中央区大江○○○○

氏名・法人名等
池田◇◇

代表者等又は代理人住所氏名

□ 別添のとおり
ふたりめからは別紙継続用紙に記載してください。

被供託者の住所氏名

住所

氏名・法人名等

□ 別添のとおり
ふたりめからは別紙継続用紙に記載してください。

□ 供託通知書の発送を請求する。

	百	十	億	千	百	十	万	千	百	十	円
供託金額				¥	2	0	0	0	0	0	0

印 年 月 日
□供託カード発行

↓ 濁点、半濁点は１マスを使用してください。

供託者カナ氏名：イ ケ タ ゛ ◇ ◇

法令条項　民事執行法第156条第1項

供託の原因たる事実

供託者は，京都市上京区荒神口通○○○○加納◇◇に対し，平成27年３月23日付けの金銭消費貸借契約に基づく金200万円の貸金債務（弁済期：令和３年３月25日，弁済場所：加納◇◇住所）を負っていたが，上記貸金債権について下記の差押命令が送達されたので，貸金債権の全額に相当する金200万円を供託する。

記

差押命令の表示
京都地方裁判所令和３年（ル）第777号，債権者岐阜市金竜町○○○○篠田◇◇，債務者加納◇◇，第三債務者供託者とする債権差押命令，執行債権額金151万円，差押債権額金200万円，令和３年３月６日送達。

□ 供託により消滅すべき質権又は抵当権

□ 反対給付の内容

備考

（注）1．供託金額の冒頭に￥記号を記入してください。なお，供託金額の訂正はできません。
2．本供託書は折り曲げないでください。

200000

払渡請求をする」なのかというように、まったく違ってきます。

8－1－2－7 「一部」差押えの場合に「全額」を供託する（パターン3）

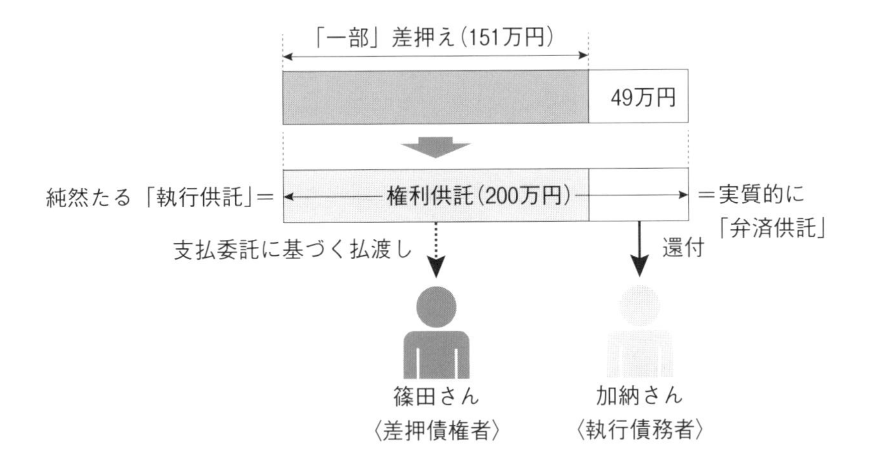

最後に、篠田さん（差押債権者）が、200万円の差押債権を、「一部」である151万円の範囲で差し押さえた場合です。

この場合も、池田さん（第三債務者）は、差押債権の「全額」である200万円について権利供託をすることができます*25。これは、供託根拠法令である民事執行法第156条第１項の「差押えに係る金銭債権……の全額に相当する金銭を……供託所に供託することができる」という文言を根拠としています。

供託書に記載する内容は、【参考例⑳】のとおりです。最大の特徴は、【参考例⑰】や【参考例⑲】とは異なり、「被供託者の住所氏名」欄に加納さんの住所氏名が記載されているという点です。記載する理由については、次の8-1-2-8でお話しします。

その他の記載については、「一部が差し押さえられた」ということを表す部分は【参考例⑰】と同じになりますし、「全額を供託する」ということを表す部分は【参考例⑲】と同じになっています。

そして、池田さん（第三債務者）は、供託金を納めたら、執行裁判所に事情届をします。また、被供託者である加納さん（執行債務者）に対しては、供託通知をする必要があります*26ので、忘れないようにしてください（1-2-5-2参照）。

篠田さん（差押債権者）は、差押えの効力が及ぶ151万円について、執行裁判所が作成した「証明書」を添付して、支払委託に基づく払渡請求をすることになります*24。

他方、加納さん（執行債務者）は、差押えの効力が及ばない残額49万円について、還付請求をすることができます*27。通常は、還付する権利を有することを証する書面の添付が不要な「還付請求の基本パターン」となると思われます（1-3-3-4参照）。

このように、加納さんが本来の債務を受け取る手続が、先ほどの8-1-2-5（直接弁済）とも、8-1-2-6（支払委託に基づく払渡し）とも違っているのがお分かりいただけるかと思います。

8－1－2－8　「一部」差押えの場合に「全額」供託することの意味

まず、「一部差押え」という点で共通するパターン1（8-1-2-5参照）の場合と比較してみましょう。

パターン1の場合、池田さん（第三債務者）が解放されるためには、「151万円について供託所に権利供託をする」というだけでなく、別途「49万円を債権者に弁済する」というように、2つの手続をしなければなりませんでしたよね。これがパターン3であれば、「200万円全額について供託所に権利供託をする」という1回の手続をするだけで解放されます。これがパターン3の1つ目の特徴です。

次に、「全額供託」という点で共通するパターン2（8-1-2-6）と比較してみましょう。

パターン2でも、200万円全部に差押えの効力が及んでおり、200万円全額が純然たる執行供託となりました。これに対し、パターン3では、純然たる

【参考例⑳】 供託書

供託書・OCR用
（雑）

字加入　字削除　｜　係員印　受付　調査　記録　｜　頁 ／　（第４号様式）（印供第34号）

申請年月日	令和３年３月25日	供託カード番号（　　　）カードご利用の方は記入してください。	法令条項	民事執行法第156条第1項
供託所の表示	京都地方法務局			

供託者の住所氏名
住所　熊本市中央区大江○○○○
氏名・法人名等　池田◇◇
代表者等又は代理人住所氏名
□別添のとおり　ふたりめからは別紙継続用紙に記載してください。

被供託者の住所氏名
住所　京都市上京区荒神口通○○○○
氏名・法人名等　加納◇◇
□別添のとおり　ふたりめからは別紙継続用紙に記載してください。
◯供託通知書の発送を請求する。

供託金額

百	十	億	千	百	十	万	千	百	十	円
			¥	2	0	0	0	0	0	0

年　月　日　㊞
□供託カード発行

供託の原因たる事実

供託者は，被供託者に対し，平成27年３月23日付けの金銭消費貸借契約に基づく金200万円の貸金債務（弁済期：令和３年３月25日，弁済場所：被供託者住所）を負っていたが，上記貸金債権について下記の差押命令が送達されたので，貸金債権の全額に相当する金200万円を供託する。

記

差押命令の表示
京都地方裁判所令和３年(ル)第777号，債権者岐阜市金竜町○○○○篠田◇◇，債務者被供託者，第三債務者供託者とする債権差押命令，執行債権額金151万円，差押債権額金151万円，令和３年３月６日送達。

□供託により消滅すべき質権又は抵当権
□反対給付の内容

備考

（注）１．供託金額の冒頭に¥記号を記入してください。なお，供託金額の訂正はできません。
２．本供託書は折り曲げないでください。

↓ 濁点，半濁点は１マスを使用してください。

供託者カナ氏名　イ ケ タ ゛ ◇ ◇

200000

執行供託となるのは、差押えの効力が及んでいる151万円の範囲だけです。差押えの効力が及んでいない残りの49万円については、本来、執行債務者に直接弁済しても構わなかったものを、弁済する代わりに供託したということになります。ここまでの話をまとめますと、

・151万円は「権利供託」として供託した

・残り49万円は、実質的に「弁済供託」として供託した

と整理することができます。もちろん、民法第494条の弁済供託とは異なるものです。あくまで「実質的に」というのがポイントです。新設された民法第466の2の供託とも通じるものがありますね。こうした「実質的に弁済供託」との合わせ技になるというのが、パターン3の2つ目の特徴です。

そして、実質的に弁済供託の部分であるからこそ、パターン1やパターン2とは異なり、供託書の「被供託者の住所氏名」欄に加納さん（執行債務者）の住所氏名を記載する必要が出てきますし、供託通知も必要となってくるわけです。

また、実質的に弁済供託の部分であるからこそ、加納さんは、パターン2のように支払委託に基づく払渡請求をするのではなく、あくまで「還付請求」をすることになるのです。

8－1－2－9　履行期後に権利供託をする場合には、遅延損害金も必要

差押債権の差押えがされますと、その差押えの効力は、差押命令に記載された差押えの具体的な金額（事例8-1でいうと151万円または200万円）だけではなく、差押命令が送達された後に発生した利息や遅延損害金にも及ぶとされています。

そのため、事例8-1でいうと、履行期である3月25日に権利供託をする場合には、供託する額は、差押金額である151万円なり200万円なりで済むのですが、翌26日以降に権利供託をする場合には、遅延損害金まで差押えの対象となっているわけです。

したがいまして、遅延損害金が発生する場合には、「151万円＋遅延損害

金」や「200万円＋遅延損害金」というように、遅延損害金を含めた額を供託金額としなければ、供託申請が受理されません*28から、くれぐれもご注意ください。

8－1－2－10　差押えの取下げがあった場合

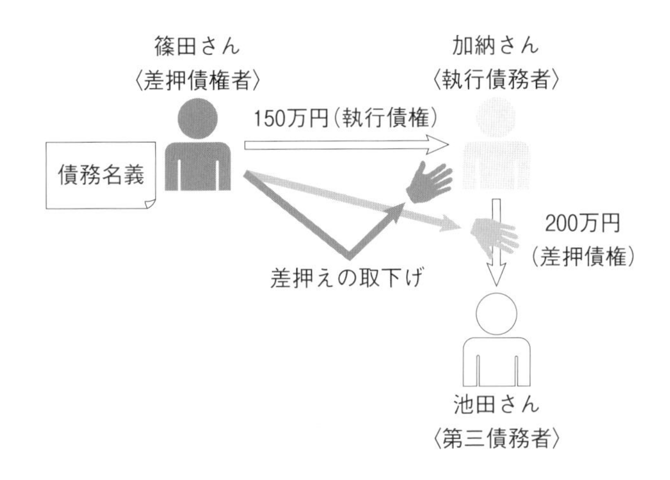

差押債権者は、利害関係者の同意を得ずに、自らの判断だけで、執行裁判所に対して、**差押えの取下げ**をすることができます。

取下げは、執行裁判所が受理した時点で効力を生じます。そして差押命令が取り下げられると、最初から差押命令が無かったのと同じ状態になります。要するに元どおりというわけです。

たとえば、池田さん（第三債務者）が権利供託をする前に取下げがされますと、池田さん（第三債務者）は、元どおり、3月25日（履行期）に、加納さん（第三債務者にとっての債権者）に対して、200万円全額を弁済することになります。

次に、池田さん（第三債務者）が権利供託をした後に差押命令の取下げがされた場合ですが、この場合も、差押命令が最初から無かったことになります。ただ、単純に時計の針を元に戻してしまいますと、せっかく権利供託をした池田さん（第三債務者）に、わざわざ供託金を取り戻してもらったうえで、さらに、加納さん（債権者）に弁済してもらうということになってしまいます。しかし、この方法では、第三債務者に本来必要がなかった手間をかけさせることになるうえ、遅延損害金まで負担させることになってしまい、非常に問題があります。

そのため、すでに権利供託がされている場合には、「執行裁判所が、便宜的に交付金弁済手続を行い、供託金を加納さん（執行債務者）が受け取るという内容の「証明書」を交付する。そこで、加納さん（執行債務者）が、この「証明書」を添付して支払委託に基づく払渡請求をする」という流れになるのが通常です＊29。

8－1－2－11　まとめ

単発の差押命令が送達された場合、第三債務者としては、①差押債権者の取立てに応じるか、②権利供託をするかのいずれかになります。

権利供託の具体的内容は、差押えの範囲によって異なります。

「全部」が差し押さえられた場合には、差押債権の「全額」について権利供託をします（パターン2）。

「一部」が差し押さえられた場合には、その「一部（差押金額）」について権利供託をすることもできますし（パターン1）、差押債権の「全額」について権利供託をすることもできます（パターン3）。

そして、パターン3の場合には、差押金額以外の部分は、実質的に弁済供託ですので、供託書に被供託者として執行債務者を記載する必要があります。また、執行債務者への供託通知をする必要もあります。

8－1－3　単発の仮差押え

8－1－3－1　事例8－2

事例8に追加する事情は次のとおりです。なお、8-1-2で扱った「篠田さんが差押えをした」という事情は、ここではいったん忘れてください。

事例８－２

森さんは、加納さんから３月25日まで支払を待ってほしいと頼まれましたが、加納さんには、ほかにも代金を未払いにされている業者がいることが窺われました。そのため、３月25日になったとしても、加納さんが売掛代金40万円と遅延損害金を支払ってくれないのではないかと不安になりました。

しかし、森さんには債務名義がありませんでした。そこで、森さんは、３月９日、京都簡易裁判所に対して、「加納さんの池田さんに対する200万円の貸金債権」を仮差押債権とする仮差押命令申立をしました。

手続は順調に進み、３月13日には池田さんのもとに仮差押命令が送達されました。

仮差押命令には、仮差押解放金の額が40万円であると記載されていました。

８－１－３－２　債権仮差押えの概要

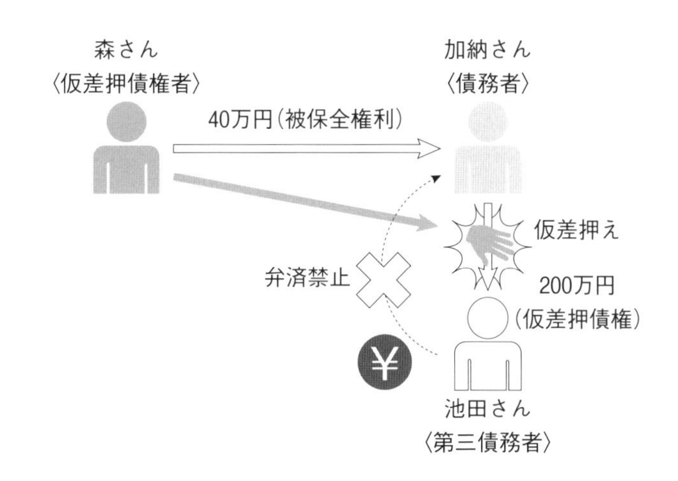

単発の**仮差押え**がされた場合、結論から言うと、第三債務者は権利供託をするしかなくなります。

ただ、ここでは、権利供託の具体的内容を見ていく前に、「そもそも債権の仮差押えというのは、ざっくりいうとどんなものなのか」ということを、「仮運転免許」を引き合いにしながらお話しすることにします。

仮運転免許は、「運転技術や知識が十分にあること」が、まだ試験によって確認されていない段階で出されますよね。**仮差押命令**もこれと似ていまして、「**仮差押債権者**が債務者に対して債権を有していること」が、まだ確定判決などの債務名義によって明らかにされていない段階で、仮差押債権者の申立てに基づいて発せられます。

そして、仮運転免許を出すにあたっては、事故を起こすおそれが高いことを考慮して、「教習所の教官と一緒に」といった条件が付けられますよね。仮差押命令でも、債務者に思わぬ損害を与えるおそれがあるため、損害を与えたときに備えて担保を積むことが条件となります（担保を積むために「裁判上の担保供託」が利用されるケースも多いのですが、本書では扱いません）。なお、担保の額は、仮差押命令を発する裁判所（**保全執行裁判所**）が決めます。

また、仮運転免許が出されると、条件付きではありますが、公道を運転することができるようになりますよね。仮差押命令でも、第三債務者に送達されると「第三債務者の弁済が禁止される」という差押えと似た効果が発生します（保50Ⅰ、保50Ⅴ・執145Ⅴ）。なお、差押えとは異なり、債務者が仮差押えされた債権（**仮差押債権**）を処分することまでは禁じられていません（保50Ⅰ、なお執145Ⅰ参照、7－1－4－1参照）。

最後に、仮運転免許は、試験で運転技術や知識があることが確認されれば、本運転免許が出されて用済みになりますよね。仮差押えも、仮差押債権者が債務名義を得て差押命令（**本差押え**とか**本執行**などともいいます）を発してもらえば用済みになります。

8－1－3－3　単発の仮差押えがされた場合には「権利供託をする」しかない

債権の仮差押えは、先ほども少し触れましたが、仮差押債権者（森さん）がこれから債務名義を得るまでの間に、あらかじめ目をつけておいた「第三債務者（池田さん）が債務者（加納さん）に弁済するために準備したお金」がどこかに行ってしまわないようにするために、第三債務者が弁済することを一切禁止するという制度です。

そして、仮差押債権者は、債務名義を得て本差押えをするまで、取立権を獲得することはありません。そのため、第三債務者には、ⓘ仮差押債権者の取立てに応じるという選択肢はあり得ません。

だからといって、何もせずに放置するというのは、債務不履行責任を負うことになりますから、現実的ではありません。そのため、第三債務者には、事実上、ⓘⓘ権利供託をするという選択肢しかありません。

権利供託の具体的内容は、後ほど順にお話ししていきます。

8－1－3－4　第三債務者が権利供託することで被保全権利が保全される

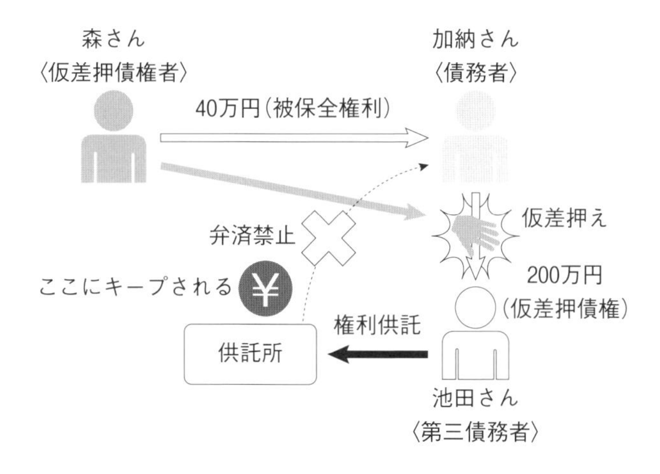

第三債務者（池田さん）が権利供託をすると、債務者（加納さん）が供託金の還付請求権を取得します。

これに伴って、もともと仮差押債権に及んでいた仮差押えの効力は、この還付請求権にスライドして存続することになります。

そのため、今度は供託所が、仮差押えの効力が解除されるまで、仮差押えの効力が及ぶ範囲について、債務者（加納さん）の還付請求に応じることが禁じられます*30。

その結果、仮差押債権者（森さん）があらかじめ目を付けていた「第三債務者（池田さん）が債務者（加納さん）に弁済するためのお金」は、基本的には供託所に預けられたままキープされることになります。このように、「債務名義を得るまでの間、債権回収のために、債務者の財産をキープしておくこと」を**保全**するといいます。

そのため、回収をしようとしている「仮差押債権者（森さん）の債務者（加納さん）に対する債権」のことを**被保全権利**と呼びます。

では、どのような権利供託がされると、どのように被保全権利が保全されるのかという具体的な中身を見ていくことにしましょう。

8－1－3－5　権利供託のパターンは、差押えの場合と同じ3つ（8-1-2-4参照）

仮差押えの場合でも、権利供託の大枠については、差押えの場合と同じ3パターンです。

つまり、1つ目のパターンは、事例8-2でいうと、200万円の「一部」である40万円について仮差押えがされ、差押金額である40万円（一部）について権利供託がされるというものです。

2つ目のパターンは、200万円の「全部」について仮差押えがされ、「全額」である200万円について権利供託がされるというものです。

3つ目のパターンは、200万円の「一部」である40万円について仮差押えがされたものの、「全額」である200万円について権利供託がされるというものです。

8－1－3－6　「一部」仮差押えの場合に「仮差押金額＝一部」を供託する（パターン１）

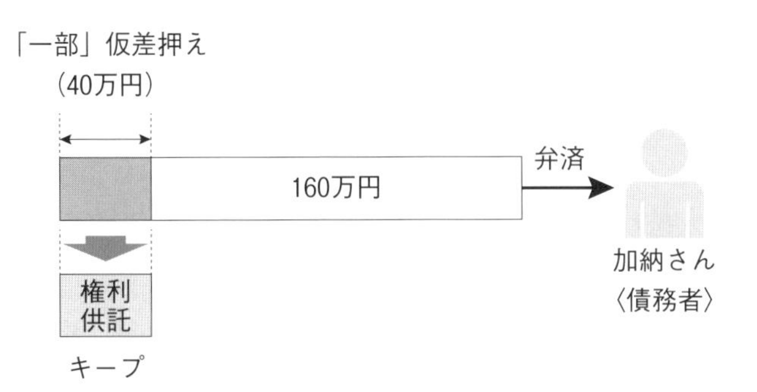

まず、森さん（仮差押債権者）が、200万円の仮差押債権を「一部」、たとえば40万円の範囲で仮差押えをした場合です。

この場合、池田さん（第三債務者）は、「仮差押金額」である40万円を権利供託することができます＊31。

まず、この場合の供託書の記載についてお話しします。

用紙右側の「法令条項」欄ですが、債権の仮差押えについて、**民事保全法**は、**第50条第５項**が差押えの根拠法令である民事執行法第156条第１項を準用していますので、この２つの法令条項を記載することになります。なお、文字数が多いので、【参考例㉑】のように、「備考」欄に記載するという方法もあります。

用紙右側の「供託の原因たる事実」欄ですが、記載のポイントは、【参考例㉑】のとおり、差押えの場合と同様の３点になります。つまり、

㋐　池田さん（第三債務者）が加納さん（債務者）に対して金銭債務を負っていること

㋑　この金銭債務の一部について仮差押命令（森さんのもの）が送達されたこと

㋒　この仮差押命令の内容

という３点です（7－2－2－1参照）。

次に、差押えの場合との最大の違いとなるのが、用紙左側の「被供託者の住所氏名」欄に、池田さん（第三債務者）から見た本来の債権者である加納さん（債務者）の住所氏名を記載することです*32。こうした記載をするのは、仮差押えの第三債務者によって権利供託がされても、差押えの場合とは異なり直ちに配当等の手続に移るわけではないことが一因です。つまり、執行供託とはいいつつも、むしろ「債務者に対する弁済が禁じられているために、弁済する代わりに供託所に預けるもの」という側面が強くなっているのです。なお、被供託者として記載するのは、決して森さん（仮差押債権者）ではありませんから、注意してください。なお、供託通知も必要です*33。

そして、池田さん（第三債務者）は、仮差押金額40万円について権利供託をしたら、仮差押命令を発した京都簡易裁判所（保全執行裁判所。なお、140万円以下のものについては、主に簡易裁判所が担当します）に対して事情届を出します（保50Ⅴ・執156Ⅲ）。事情届には、供託書正本を添付する必要があります（保規41Ⅱ・執規138Ⅱ）。

最後ですが、仮差押えの効力が及んでいない残額160万円については、差押えの場合と同様、履行期である３月25日になったら、加納さんに弁済しなければなりません。

8－1－3－7　「全部」仮差押えの場合に「仮差押金額＝全額」を供託する（パターン２）

２番目は、森さん（仮差押債権者）が、仮差押債権である200万円「全部」について仮差押えをした場合です（求められる担保の額が、被担保債権の額に比して高くなりがちなので、実務ではあまり行われていないようです）。

この場合、池田さん（第三債務者）は、仮差押債権の「全額」である200万円を権利供託することができます*34。

供託書に記載する内容は、【参考例㉑】と大差はありません。記載内容が変わるのは、仮差押金額と供託金額が、40万円ではなく200万円であることくらいです。そして、池田さん（第三債務者）は、供託金を納めたら、保全

【参考例㉑】 供託書

供託書・OCR用
（雑）

□字加入 □字削除　係員印　受付　調査　記録　／頁　（第４号様式）（印供第34号）

申請年月日	令和３年３月25日	供託カード番号（　　　）カードご利用の方は記入してください。
供託所の表示	京都地方法務局	
供託者の住所氏名	住所 熊本市中央区大江○○○○ 氏名・法人名等 池田◇◇ 代表者等又は代理人住所氏名	□別添のとおり ふたりめからは別紙継続用紙に記載してください。
被供託者の住所氏名	住所 京都市上京区荒神口通○○○○ 氏名・法人名等 加納◇◇	□別添のとおり ふたりめからは別紙継続用紙に記載してください。 ◎供託通知書の発送を請求する。
供託金額	¥400000	印　年　月　日 □供託カード発行

↓　濁点，半濁点は１マスを使用してください。

供託者カナ氏名	イケタ゛◇◇

法令条項	備考欄記載のとおり
供託の原因たる事実	供託者は，被供託者に対し，平成27年３月23日付けの金銭消費貸借契約に基づく金200万円の貸金債務（弁済期：令和３年３月25日，弁済場所：被供託者住所）を負っていたが，上記貸金債権について下記の仮差押命令が送達されたので，仮差押債権額に相当する金40万円を供託する。 記 仮差押命令の表示 京都地方裁判所令和３年（ヨ）第777号，債権者名古屋市中区丸の内○○○○森◇◇，債務者被供託者，第三債務者供託者とする債権仮差押命令，執行債権額金40万円，仮差押債権額金40万円，令和３年３月13日送達。
□供託により消滅すべき質権又は抵当権	
□反対給付の内容	
備考	民事保全法第50条第５項 民事執行法第156条第１項

（注）１．供託金額の冒頭に￥記号を記入してください。なお，供託金額の訂正はできません。
２．本供託書は折り曲げないでください。

200000

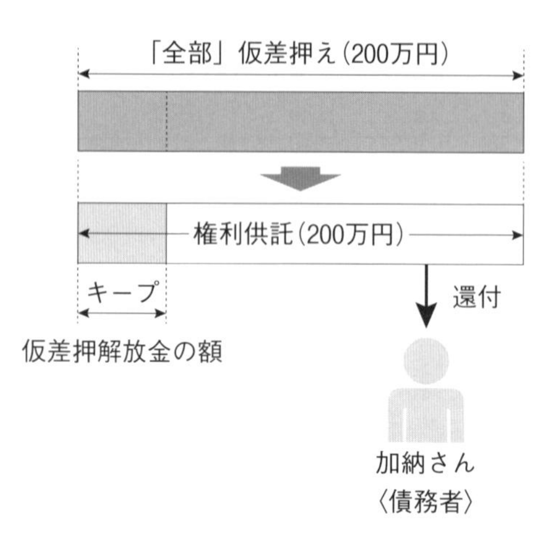

執行裁判所に事情届をします。

他方、加納さん（債務者）は、供託された200万円のうち、**仮差押解放金**の額40万円（仮差押命令に記載されています）を差し引いた160万円については、還付請求をすることができます（保50Ⅲ但書参照）。この場合、供託官には、供託書上現れない仮差押解放金の額は分かりません。そのため、「還付する権利を有することを証する書面」として、仮差押解放金の額を証する書面（この額が記載された債権仮差押命令など）を添付する必要があります*35。この部分が、支払委託に基づく払渡請求とならないところも、差押えの場合と異なる部分ですね。

なお、この仮差押解放金の額は、被保全債権の額（40万円）を基準として、保全執行裁判所が決定します。そのため、加納さんが還付請求できる額は、8－1－3－6や8－1－3－8の場合と変わらないことが多いと思われます。

8－1－3－8　「一部」仮差押えの場合に「全額」を供託する（パターン3）

最後に、森さん（仮差押債権者）が、200万円の仮差押債権について「一部」である40万円の範囲で仮差押えをした場合です。

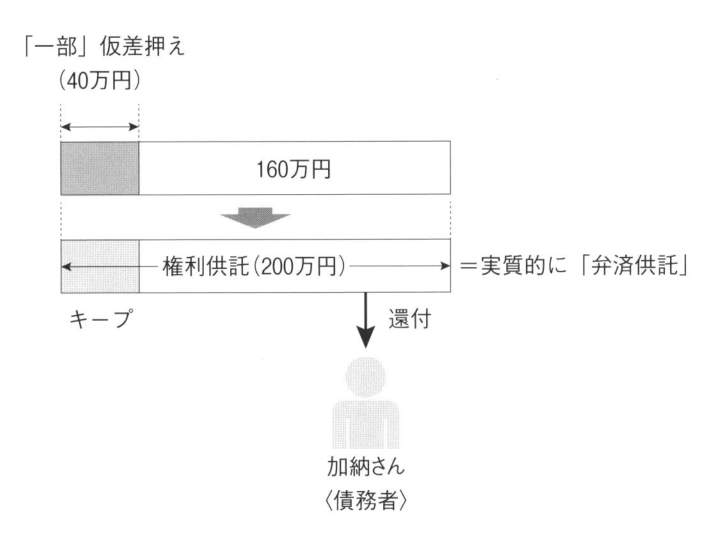

この場合、池田さん（第三債務者）は、仮差押債権の「全額」である200万円を権利供託することもできます（保50Ⅴ・執156Ⅰ）。

これは、差押えの場合と同様（8-1-2-7）、40万円の範囲は権利供託として、160万円の範囲は実質的には弁済供託として、1回の手続で供託するというものです。第三債務者は、パターン1とは異なり、この1回の供託で債務から解放されることになります。

供託書に記載する内容は、【参考例㉑】と比べれば、供託金額くらいしか違いません。

なお、加納さんは、200万円のうち仮差押えの効力が及んでいない160万円については、還付請求をすることができます＊36。

8－1－3－9　仮差押えの取下げがされた場合

仮差押えの取下げがされると、差押えの場合と同じように、保全執行裁判所が受理した瞬間に、最初から仮差押えがされていなかったのと同じ状態になります（8-1-2-10参照）。

そのため、池田さん（第三債務者）が権利供託をする前に取下げがされますと、池田さん（第三債務者）は、3月25日（履行期）になったら、加納さん（第三債務者にとっての債権者）に契約どおりに弁済をすればいいということになります。

また、池田さん（第三債務者）が権利供託をした後に取下げがされますと、加納さんは、供託金全額について還付請求することができるようになります＊37。この場合に「還付する権利を有することを証する書面」として添付するものとしては、保全執行裁判所に申し立てれば取得できる**取下げ及び執行取消証明書**が考えられます。

この点については、差押えの場合と取扱いがかなり異なりますので、注意してください（8-1-2-10参照）。

8－1－3－10　まとめ

仮差押債権者ひとりの仮差押命令が送達された場合、第三債務者としては、現実的な手段としては、権利供託をするしかありません。

権利供託の具体的内容は、仮差押えの範囲によって異なります。

「全部」について仮差押えがされた場合には、仮差押債権の「全額」を権利供託します（パターン2）。

「一部」について仮差押えがされた場合には、その「一部＝仮差押金額」を権利供託することもできますし（パターン1）、仮差押債権の「全額」を供託することもできます（パターン3）。

そして、差押えの場合とは異なり、いずれの場合にも、供託書の「被供託者の住所氏名」欄には、債務者（第三債務者にとっての債権者）の住所氏名を記載することになります。

8－1－4　単発の滞納処分

8－1－4－1　事例8-3

事例8に追加する事情は次のとおりです。なお、8-1-2で扱った「篠田さんが差押えをした」という事情や、8-1-3で扱った「森さんが仮差押えをした」といった事情は、ここではいったん忘れてください。

事例８－３

加納さんは、消費税について、60万円の滞納がありました。そのため、加納さんのお店を管轄する上京税務署では、加納さんに対して督促状を出していました。

これに対して、加納さんは、「いまから10日で支払うのは無理です。３月25日になったら200万円が返ってきますので、それまで待っていただけませんか」とお願いしました。

そこで、上京税務署では、滞納処分に基づいて「加納さんの池田さんに対する貸金債権」を差し押さえることにしました。そして、３月25日に、池田さんのもとに、上京税務署長から債権差押通知書が送達されました。

８－１－４－２　「取立てに応じる」という選択肢しかない

税務署は、国税（所得税・法人税・消費税・相続税等）の滞納者が、督促状を発して10日経過しても完納しない場合など一定の場合には、**滞納処分**として、滞納者の財産を差し押さえなければなりません（国徴47）。この差押えは、裁判所を介さず、税務署の判断だけで行うことができます。なお、本書では、これまでお話ししてきた「**強制執行による差押え**」と区別するため、「**滞納処分による差押え**」を略して「(滞)差押え」と表記することにします。

(滞)差押えの効力も、「**債権差押通知書**」が第三債務者に送達された時点で発生します（国徴62Ⅲ）。(滞)差押えは、債権の全額に対して行われるのが原則です（国徴63本文）。

そして、国税については、**国税優先の原則**（国徴８）が適用されますので、他の債権に先んじて最優先で回収されます。また、(滞)差押えが単発でされた場合には、差押えが単発でされたときのような供託根拠規定（執156Ⅰ）がありません。そのため、(滞)差押えの範囲で執行供託をしたり、全額について執行供託をするといったことはできません。

したがいまして、事例８－３では、池田さん（第三債務者）としては、ⓘ徴収職員からの取立て（国徴67Ⅰ）に応じるしかありません。

なお、(滞)差押えがされた場合でも、差押えと競合するなど一定の場合については供託根拠規定が存在します。どういう場合に供託することになるのかについては後ほどご説明します（８－２－５～８－２－７参照)。

８－１－５　競合しない複数の差押え・仮差押え

８－１－５－１　事例８－４

事例８に追加する事情は次のとおりです。なお、８－１－４で扱った「上京税務署が滞納処分をした」といった事情は、ここではいったん忘れてください。

差押えと仮差押えに関する事情は、事例８－１・事例８－２と同じです。

事例８－４

篠田さんは、３月２日に、京都地方裁判所に対して、「加納さんの池田さんに対する200万円の貸金債権」を差押債権とする差押命令申立てをしました。執行債権等の額は、合計151万円でした。手続は順調に進み、３月６日には、池田さんのもとに、差押金額を151万円とする差押命令が送達されました。

他方、森さんは、３月９日に、京都簡易裁判所に対して、「加納さんの池田さんに対する200万円の貸金債権」を仮差押債権とする仮差押命令申立てをしました。手続は順調に進み、３月13日には、池田さんのもとに、仮差押金額を40万円とする仮差押命令が送達されました。

８－１－５－２　競合していなければ、考え方は単発の場合と同じ

事例８－４では、「加納さんの池田さんに対する貸金債権200万円」に対して、差押金額151万円の差押えと、仮差押金額40万円の仮差押えがされています。

この設定をご覧になった瞬間に「差押金額・仮差押金額についてそれぞれ権利供託をしても、まだ弁済に回せる分が残るぞ。これって単発の差押え・仮差押えのときと同じでいいんじゃないの？」と直感された方もいらっしゃるかと思います。

結論から言いますと、その直感のとおりで大正解でして、この場合には、基本的に「単発の差押え・単発の仮差押えが、複数組み合わさっているだけ」と考えます。

8－1－5－3　第三債務者がとり得る方策の具体例

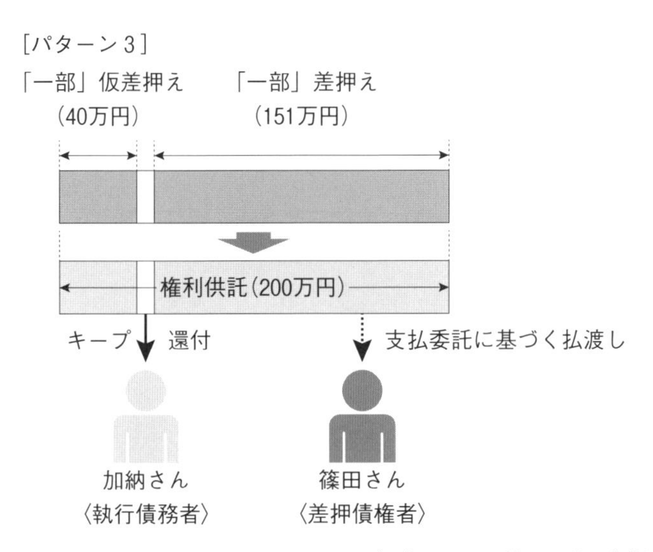

池田さん（第三債務者）としては、１回で解放される「200万円全額について権利供託をする」という方法がいちばん合理的でしょう（パターン３。8-1-2-7、8-1-3-8参照）。

そのほかにも、なるべく権利供託をするという方針であれば、191万円（151万円＋40万円）について権利供託をして、残額９万円を加納さん（執行債務者）に弁済するという方法もあり得ます（パターン１。8-1-2-5、8-1-3-6参照）。

また、できる限り直接支払うという方針であれば、仮差押えについては40万円について権利供託をするものの、篠田さん（差押債権者）の151万円の取立てに応じ、残額９万円を加納さん（執行債務者）に弁済するという方法もあります。

いずれにせよ、供託書の記載等は、これまでお話しした単発の差押え・仮差押えの場合の組合せになります。なお、事例８-４であれば、仮差押えの部分がありますから、いまお話ししたどの方法をとっても、「被供託者の住所氏名」欄には、加納さん（執行債務者）の氏名住所を記載することになります。

８－１－５－４　複数の差押え・仮差押えがある場合の事情届

単発の差押え・仮差押えがある場合、事情届は、その差押命令を発した執行裁判所や、仮差押命令を発した保全執行裁判所にしますよね（７-２-２-２、８-１-３-６参照）。

では、複数の差押え・仮差押えがある場合にはどうするのでしょうか。

事情届をする宛先については、

① 基本的に、いちばん最初に送達された「差押命令」を発した執行裁判所（執規138Ⅲ、保規41Ⅰ）

② すべて仮差押えの場合には、最初に送達された仮差押命令を発した保全執行裁判所（保規41Ⅱ・執規138Ⅲ）

というルールになっています。

①のルールについては、先に仮差押命令が送達されている場合であっても、いちばん最初に送達された差押命令を基準にするという意味です。

事例８-４では、３月６日に篠田さんの差押命令が送達され、３月13日に森さんの仮差押命令が送達されていますので、篠田さんの差押命令を発した京都地方裁判所に事情届をすることになります。

なお、権利供託がされて事情届もされると、執行裁判所は、各差押債権者・仮差押債権者が満額回収できる場合であることが分かりますので、弁済金交付手続を行うことになります（7-2-3-1参照）。そのため、差押えがされた151万円について権利供託がされた場合には、篠田さん（差押債権者）は、支払委託に基づく払渡請求をすることになります。

8－1－5－5　差押えの競合

これまで見てきたように、事例8-4は、複数の差押え・仮差押えがされていますが、200万円の差押債権（仮差押債権）でまかなえてしまいますので、結局、「単発の差押えがされた場合・単発の仮差押えがされた場合の組合せ」と考えることになります。

別の言い方をすると「差押債権（仮差押債権）の額が、差押金額や仮差押金額の合計額よりも大きい」ということになります。こういう場合を「差押え・仮差押えが**競合**していない」といいます。

逆に、「差押債権（仮差押債権）の額が、差押金額や仮差押金額の合計額よりも小さい」という場合を「差押え・仮差押えが競合している」といいます。

なお、比較するのは、あくまで「差押債権（仮差押債権）の額」と「差押金額・仮差押金額の合計額」であり、「執行債権の額」ではありません。

これはどういうことかといいますと、事例8-4では「200万円＞151万円＋40万円」ですから「競合は生じていない」ということになります。これに対して、仮に「篠田さんの執行債権額は151万円のままだけども、差押金額は200万円全額だった」と設定を変えますと「200万円＜200万円＋40万円」となりますので、「競合が生じている」ということになります。

このように、差押債権（仮差押債権）よりも執行債権（被保全権利）の合計額が大きい場合であっても、差押金額（仮差押金額）の合計額が上回る場合には、差押え・仮差押えの競合が生じますので、誤解しないように注意してくださいね。

8－2　差押えの競合がある場合

8－2－1　事例9（基本となる事例）

事例8とほぼ同じ事例です。ただ、森さんの債権額が70万円に変更されています。また、加納さんに対して180万円の債権をもつ石田さんが新たに登場します。

事例9

池田さんは、自転車販売業を始めるにあたって、京都市内で和小物の小売店を経営する加納さんからお金を借りていました。そのうち現在も残っているものは、支払期限が3月25日となっている「利息込み200万円の貸金債務」だけです。

他方、加納さんは、体調を崩してお店を休業しがちになっていたことが原因で、一時期お店の資金繰りが非常に悪くなったことがありました。資金繰りは相当改善されたのですが、それでも一部に支払が滞っているものがあります。

まず、名古屋市内の商品納入業者である森さんに対する買掛金のうち、1月10日が支払期限だった70万円が未払いになっていました。

また、岐阜市内の内装業者である篠田さんに対する請負代金150万円（支払期限2月28日）の支払が危なくなっています。なお、この請負代金債権については、契約を結んだ時点で、執行証書が作成されています。

さらに、京都府宇治市内に住む先輩の石田さんから、経営を立て直すために280万円を借りており、3カ月に1度30万円ずつ全10回で利息込み300万円を返済する予定だったのですが、2月10日に5回目の返済を滞らせ、現在180万円の債務が残っています。なお、この消費貸借契約には、「1度でも返済が遅れたら、石田さんの請求によって残額全額の支払をしなければならない」という内容の期限の利益喪失約款が付いています。

加えて、加納さんは、消費税60万円を滞納しています。

8－2－2　差押えと差押えとの競合

8－2－2－1　事例9－1

事例9に追加する事情は次のとおりです。

事例9－1

加納さんは、2月28日に、篠田さんに請負代金150万円を支払うことができませんでした。そのため、篠田さんは、3月2日には、京都地方裁判所に差押命令申立てをしました。差押債権は、加納さんの池田さんに対する200万円の貸金債権でした。差押金額は、執行債権等の額（執行債権＋執行費用）である合計151万円でした。手続は順調に進み、3月6日には池田さんのもとに差押命令が送達されました。

また、石田さんは、3月2日に、期限の利益喪失約款に基づいて、加納さんに残債務180万円の支払を求めました。しかし、加納さんからは「3月25日まで支払を待ってください」と支払猶予をお願いされました。そこで、石田さんは、3月4日には、加納さんにお金を貸した際に作成した執行証書を債務名義として、京都地方裁判所に差押命令申立てをしました。差押債権は、加納さんの池田さんに対する200万円の貸金債権でした。差押金額は、執行債権等の額である合計181万円でした。手続は、やはり順調に進み、3月9日に池田さんのもとに差押命令が送達されました。

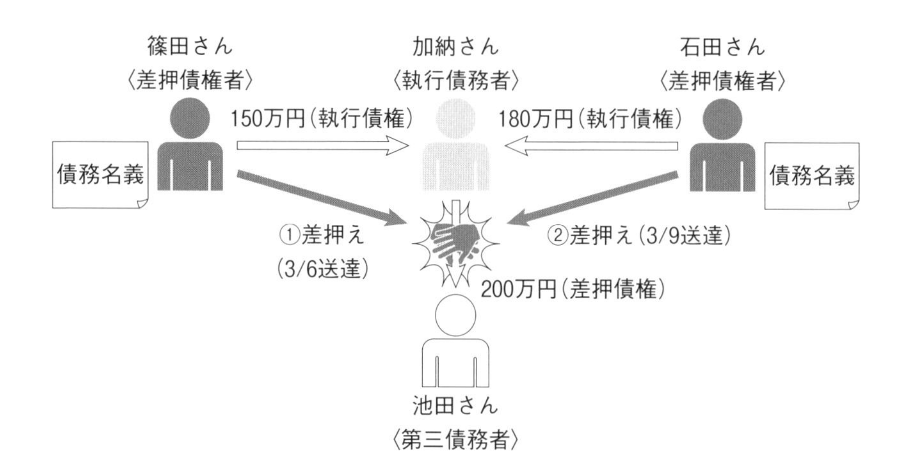

8－2－2－2　事例9－1では差押えの競合が生じている

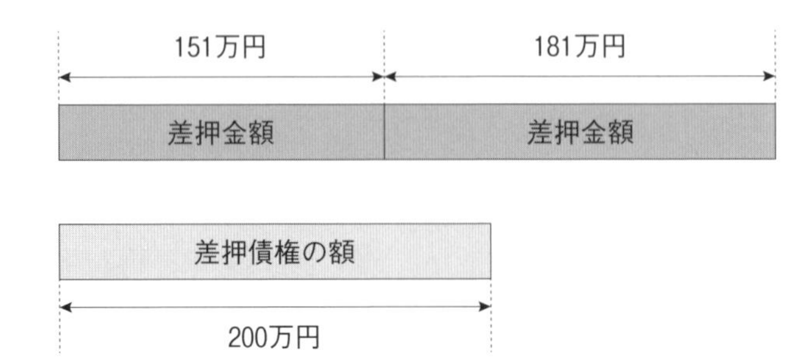

事例9－1では、差押金額が、篠田さんの151万円と石田さんの181万円の合計332万円となっています。これに対し、差押債権の額は、200万円しかありません。したがいまして、差押えの競合が生じていることになります（8－1－5－5参照）。

差押えの競合が生じている場合、差押債権200万円全額が供託されたとしても、配当手続では「債権者平等の原則」に従って按分されてしまいます。つまり、篠田さんも石田さんも「ニコニコ満額回収」をすることはできません（7－1－4－3参照）。

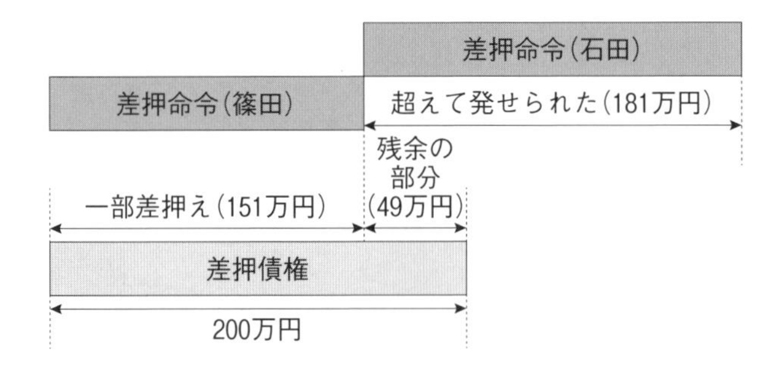

なお、差押えの競合について、民事執行法では「債権の一部が差し押さえられ……た場合において、その残余の部分を超えて差押命令が発せられたとき」と表現しています（執149）。少しややこしいので、事例9－1を順番に当てはめて意味を確かめてみます。

「債権の一部が差し押さえられ……た場合」というのは、200万円の執行債権が、篠田さんの差押命令によって151万円の範囲で差し押さえられた場合のことです。「その残余の部分」というのは、200万円から151万円を差し引いた49万円です。そして、石田さんの差押金額は49万円よりも多い181万円ですので、「を超えて差押命令が発せられたとき」に該当します。そのため、事例9-1は、差押えの競合があることになります。

「差押債権の額＜差押金額の合計額」という基準も、この条文も、同じことを別の切り口で表現しているだけです。

8－2－2－3　差押えの競合が生じると第三債務者が供託義務を負う

差押えの競合が生じると、第三債務者は、必ず供託しなければなりません（執156Ⅱ）。

というのも、差押えが競合している場合に「当事者（第三債務者・複数の差押債権者）だけで、折合いを付けて公平に分配する」というのは、相当無理のある話だからです。そのため、第三債務者に必ず供託をさせて、執行裁判所が供託金の配当手続をすることで（7-2-3-1参照）、当事者間の公平を図ることにしたのです。

このように、第三債務者が義務としてする供託ですので、**義務供託**といいます。

事例9-1のように差押えの競合が生じた場合の義務供託の供託根拠法令は、**民事執行法第156条第2項**です。権利供託（執156Ⅰ）のすぐ隣に規定されています。こちらも大変重要な規定なので引用します。

【民事執行法第156条第2項】

第三債務者は、次条第1項に規定する訴えの訴状の送達を受ける時までに、差押えに係る金銭債権のうち差し押さえられていない部分を超えて発せられた差押命令、差押処分**又は仮差押命令の送達を受けたときはその債権の全額に相当する金銭を、**配当要求があつた旨を記載した文書の送達を受けたときは差し押さえられた部分に相当する金銭を**債務の履行地の供託所に供託しなければならない。**

本書で扱うのは太字部分だけですが、民事執行法第156条第１項に比べると、ずいぶんと意味をつかみにくかったのではないでしょうか。

まず、「差押えに係る金銭債権のうち差し押さえられていない部分を超えて発せられた差押命令……の送達を受けたとき」というのは、先ほどお話ししたとおり「差押えの競合が生じたとき」という意味です。

こうした場合には、末尾にあるとおり「供託しなければならない」とされています。これが「義務供託」といわれるゆえんです。

第三債務者が供託義務を負うのは、「その債権の全額に相当する金銭」です。篠田さんに差し押さえられた151万円だけとか、石田さんに差し押さえられた181万円だけといった選択肢はありません。あくまで「200万円全額」の供託が求められます。もちろん、履行期を過ぎた場合には、遅延損害金を加算する必要があります（8-1-2-9参照）。

そして、供託すべき供託所は、権利供託のときと同じで「債務の履行地の供託所」となります。事例9-1であれば、加納さんの住所地を基準とした京都地方法務局となります。

なお、条文冒頭の「次条第１項に規定する訴えの訴状の送達を受ける時までに」というのは、「取立訴訟の訴状の送達時までに」という意味です。これは、7-1-4-4で紹介しましたが、「配当等の手続に滑り込むための３つのタイムリミット」の１つでしたね。

8－2－2－4　供託書の作成

事例9-1のように、篠田さんの差押えと石田さんの差押えとが競合した場合、池田さん（第三債務者）は、京都地方法務局に、200万円全額を義務供託しなければなりません。

この場合の供託書は、【参考例㉒】のとおりです。

記載のポイントは、単発の差押えがされた場合と同様（7－2－2－1参照）に、「供託の原因たる事実」欄に、

㋐　供託者（第三債務者）が、執行債務者にどのような債務を負っているのかということ

㋑　差押命令が送達されたこと

㋒　差押命令の具体的な内容

という3点を記載することです。事例9－1であれば、もちろん「篠田さんの差押え」についても「石田さんの差押え」についても記載することになります。

なお、義務供託の場合は、差押債権の額よりも差押金額の合計額のほうが大きいため、差押債権者ですら全額回収できません。そのため、当然のことながら、執行債務者には1円も入りません。したがいまして、「被供託者の住所氏名」欄に執行債務者を記載することはありません。

8－2－2－5　差押えの競合が生じると、差押えの効力が及ぶ範囲が、差押債権の全額にまで拡張する

池田さん（第三債務者）は、義務供託を終えると、供託書正本を添付して事情届をします（執156Ⅲ）。事情届をするのは、先に送達された篠田さんの差押命令を発した執行裁判所である京都地方裁判所となります（8－1－5－4参照）。

事情届がされると、執行裁判所は、差押えが競合しているため配当期日を開いて「配当表」を作成することになります（7－2－3－1、7－2－3－2参照）。

ただ、事例9－1でいうと、篠田さんの差押えはもともと151万円の範囲でしかされていませんし、石田さんの差押えももともと181万円の範囲でしかされていません。そうすると、篠田さんや石田さんへの配当の元手も、それぞれ151万円・181万円となってしまうのでしょうか。

結論から言いますと、篠田さんへの配当の元手も、石田さんへの配当の元

【参考例㉒】 供託書

供託書・OCR用
（雑）

□字加入 □字削除　係員印　受付　調査　記録　／ 頁　（第４号様式 印供第34号）

申請年月日	令和３年３月25日	供託カード番号 ( ) カードご利用の方は記入してください。
供託所の表示	京都地方法務局	
供託者の住所氏名	住所 熊本市中央区大江○○○○ 氏名・法人名等 池田◇◇ 代表者等又は代理人住所氏名	□別添のとおり ふたりめからは別紙継続用紙に記載してください。
被供託者の住所氏名	住所 氏名・法人名等	□別添のとおり ふたりめからは別紙継続用紙に記載してください。 □供託通知書の発送を請求する。
供託金額	¥2000000	年　月　日 印 □供託カード発行

法令条項	民事執行法第156条第２項
供託の原因たる事実	供託者は，京都市上京区荒神口通○○○○加納◇◇に対し，平成27年３月23日付けの金銭消費貸借契約に基づく金200万円の貸金債務（弁済期：令和３年３月25日，弁済場所：加納◇◇住所）を負っているが，これについて下記の差押命令が相次いで送達されたので，債権の全額に相当する金200万円を供託する。 記 差押命令の表示 １　京都地方裁判所令和３年(ル)第777号，債権者岐阜市金竜町○○○○篠田◇◇，債務者加納◇◇，第三債務者供託者とする債権差押命令，執行債権額金151万円，差押債権額金151万円，令和３年３月６日送達。 ２　京都地方裁判所令和３年(ル)第800号，債権者京都府宇治市宇治○○○○石田◇◇，債務者加納◇◇，第三債務者供託者とする債権差押命令，執行債権額金181万円，差押債権額金181万円，令和３年３月９日送達。
□供託により消滅すべき質権又は抵当権 □反対給付の内容	
備考	

（注）１．供託金額の冒頭に¥記号を記入してください。なお，供託金額の訂正はできません。
２．本供託書は折り曲げないでください。

↓ 濁点、半濁点は１マスを使用してください。

供託者カナ氏名	イケタ゛◇◇

200000

手も、池田さんが供託した200万円全額となります。これは、差押えの競合があった場合には、もともとの差押金額とは関係なく、差押えの効力が及ぶ範囲が差押債権全体にまで広がると法律で規定されているからです（執149）。

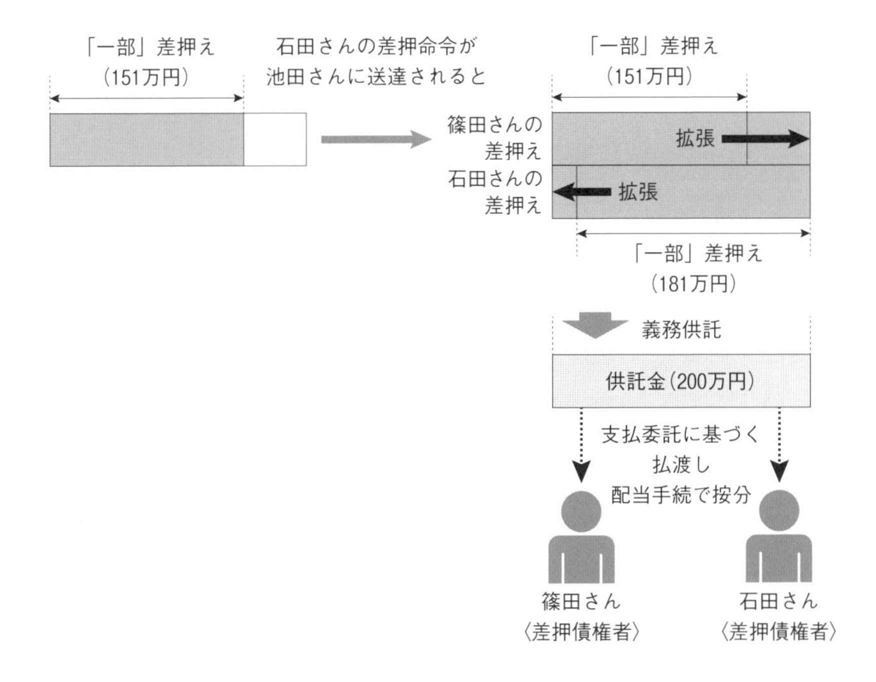

具体的に事例９－１で説明しますと、篠田さんの差押えの範囲（151万円）は、後から石田さんの差押えがされて、差押えの競合が生じた瞬間に、当初の151万円から200万円全額に広がります。また、石田さんの差押えの範囲も同様に200万円全額に広がります。これは、少し事例を変えて「差押金額が151万円の差押えと、49万１円の差押え」のように200万円のうち１円しか重なり合っていないという極端な場合であっても同様です。

このように差押えの効力が及ぶ範囲が拡張された結果、配当の元手とされるのは、篠田さんについても石田さんについても、池田さん（第三債務者）が供託した200万円全額となるのです。

なお、事例8-1のように、篠田さんの差押え（差押金額151万円）しかない場合には、篠田さんの差押えの範囲は、差押債権200万円のうち、あくまで差押金額である151万円まででした（8-1-2-5、8-1-2-7参照）。これに対して差押えの範囲が全額にまで拡張するということが、「差押えの競合」の大きな特徴の1つです。

8－2－2－6　いったん広がった差押えの効力が及ぶ範囲は、取下げがあっても縮まらない

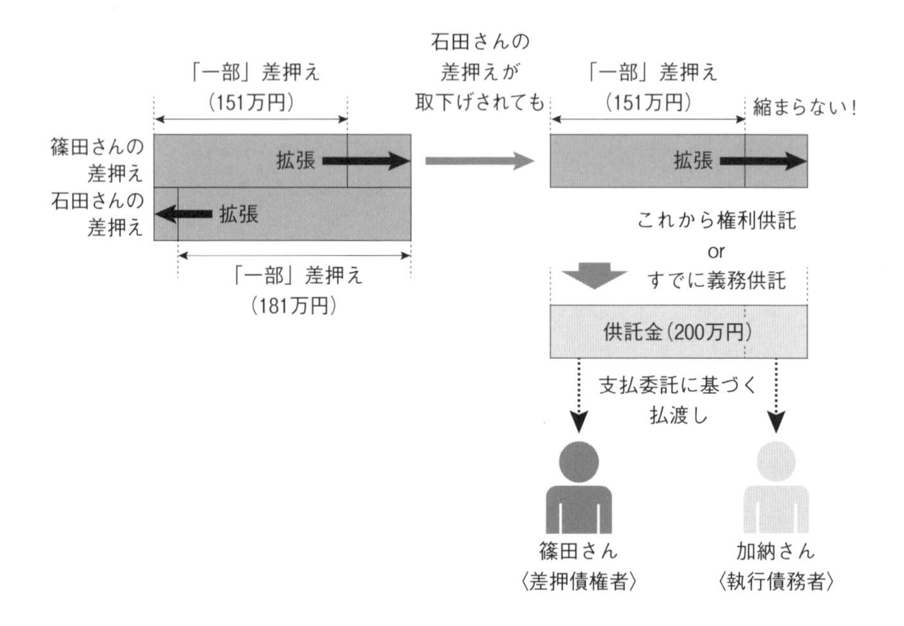

今回のように篠田さんの差押えと石田さんの差押えとが競合した後、仮に石田さんが差押えの取下げをした場合、篠田さんの差押えの効力が及ぶ範囲はどうなるのでしょうか。

差押えが取り下げられると、最初から差押命令が無かったのと同じ状態になります（8-1-2-10参照）。そうすると、篠田さんの差押えの効力が及ぶ範囲が、競合によっていったんは200万円に拡張されたものの、石田さんの

取下げによって元通りの151万円に縮むようにも思えます。

しかし、実務では、競合によっていったん拡張された「差押えの効力が及ぶ範囲」は、取下げがされても縮まないものとして取り扱われています（非縮減説）。

したがいまして、事例9－1で石田さんが差押えの取下げをした場合には、差押えの競合自体は解消されてしまうものの、差押えの範囲は200万円のままとなります。

そのため、取下げがされた後の処理は、「篠田さんが200万円全額を差し押さえた場合」と同じになります（8－1－2－6参照）。

つまり、石田さんが取下げをしたのが、池田さん（第三債務者）が義務供託をする前だった場合には、池田さんは、ⅰ篠田さん（差押債権者）の151万円の取立てに応じて、残り49万円を加納さん（執行債務者）に弁済するか、ⅱ200万円全額について権利供託をするかの二者択一になります。差押えの効力が200万円全額に及んでいる以上、151万円のみを権利供託するという選択肢はありません。

また、石田さんが取下げをしたのが、池田さん（第三債務者）が義務供託をした後ではあるものの、配当手続に入るまでであった場合には、篠田さん（差押債権者）と加納さん（執行債務者）が、それぞれ支払委託に基づく払渡請求をすることになります＊38。

8－2－2－7　まとめ

差押えと差押えとが競合すると、第三債務者は、差押債権の全額を義務供託しなければならなくなります。

競合する場合には、各差押えの効力が及ぶ範囲が拡張され、どの差押債権者の差押えも差押債権の全部に及ぶことになります。そのため、どの差押債権者についても、配当の元手は、自分が実際に差し押さえた額（差押金額）ではなく、差押債権の全額となります。

また、いったん差押えの効力が及ぶ範囲が拡張されると、差押えの取下げによって、差押えの競合が解消されたとしても、その範囲は縮まりません。この場合は、「差押債権の全額について差押えがされた場合」と同様の処理をすることになります。

8－2－3　差押えと仮差押えとの競合

8－2－3－1　事例9－2

事例9に追加する事情は次のとおりです。篠田さんに関する事情は事例9－1とまったく同じですが、石田さんに関する事情はいったん忘れてください。

事例9－2

加納さんは、2月28日に、篠田さんに請負代金150万円を支払うことができませんでした。そのため、篠田さんは、3月2日には、京都地方裁判所に差押命令申立てをしました。差押債権は、加納さんの池田さんに対する200万円の貸金債権でした。差押金額は、執行債権等の額である合計151万円でした。手続は順調に進み、3月6日には池田さんのもとに差押命令が送達されました。

また、森さんは、加納さんが売掛代金を支払わないことにしびれを切らし、3月9日、京都簡易裁判所に仮差押命令申立てをしました。仮差押債権は、加納さんの池田さんに対する200万円の貸金債権でした。仮差押金額は、被担保権利の額と同じ70万円でした。手続は順調に進み、3月13日には池田さんのもとに仮差押命令が送達されました。この仮差押命令には、仮差押解放金の額が70万円であると記載されていました。

8－2－3－2　差押えと仮差押えとが競合した場合も、第三債務者は供託義務を負う

差押えと差押えとが競合した場合、第三債務者は供託義務を負います（執156Ⅱ）。そして、差押えと仮差押えとが競合した場合も、第三債務者は供託

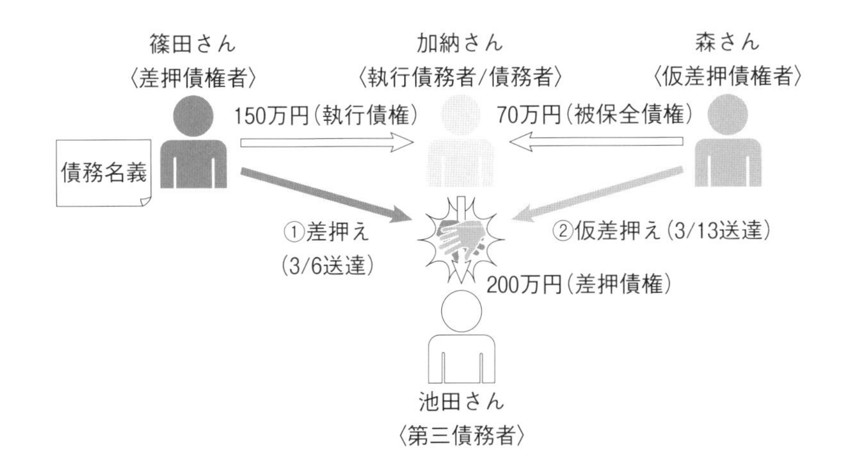

義務を負います。

第三債務者が義務供託をする際の供託根拠規定は、「先に送達されたのが差押命令」というパターン（差押え先行型）と、「先に送達されたのが仮差押命令」というパターン（仮差押え先行型）とで異なります。

まず、事例９-１のような「差押え先行型」では、供託根拠規定は、差押えと差押えとが競合した場合と同じ「民事執行法第156条第２項」となります。

というのも、同条項が「差押え→差押え」の順となる場合だけでなく、「差押え→仮差押え」の順となる場合も規定しているからです。

これに対し、「仮差押えの先行型」では、供託根拠規定は、「民事保全法第50条第５項で準用する民事執行法第156条第２項」となります。つまり、民事保全法による準用により、先ほどの条文で規定された「差押え→差押え」の順となる場合を「仮差押え→差押え」と読み替えることになります。

なお、差押えの効力の範囲・仮差押えの効力の範囲は、差押えが先行する場合でも、仮差押えが先行する場合でも、差押債権（仮差押債権）全額にまで拡張されます（執149、保50Ⅴ）。この点については、「差押えと差押えとが競合した場合」と同じということですね（８-２-２-５参照）。

8－2－3－3　第三債務者による義務供託

池田さん（第三債務者）は、差押えと仮差押えとが競合すると供託義務を負いますから、200万円全額について京都地方法務局に義務供託をすることになります。

その際の供託書ですが、基本的に【参考例㉒】と同じになります。特に、加納さん（執行債務者／債務者）の住所氏名を「被供託者の住所氏名」欄に記載することはありません。

異なるところはといいますと、先ほど8－2－3－2でも触れたとおり、「仮差押え先行型」の場合には、供託根拠規定として民事保全法第50条第５項を付け加える必要があります。

そのほか、細かい話ですが、「供託の原因たる事実」欄には、【参考例㉒】で「差押命令の表示」としていたのを「差押命令及び仮差押命令の表示」と記載する点が異なります（これに伴って、仮差押命令の具体的中身を記載することになります）。

そして、池田さん（第三債務者）は、義務供託をしたら、執行裁判所である京都地方裁判所に事情届をします。ちなみに、仮差押え先行型の場合も、保全執行裁判所ではなく執行裁判所に事情届をします（8－1－5－4参照）。

8－2－3－4　仮差押債権者は本差押えをするまで配当を受けられない

池田さん（第三債務者）が義務供託をしたら、執行裁判所は、供託金200万円について配当手続をします（執166Ⅰ①）。

篠田さん（差押債権者）は、もちろん配当を受けることができます。そして、森さん（仮差押債権者）は、単発の仮差押えのときとは異なり、差押えと競合する場合には、配当を受けることができます（執165柱、同①）。

しかし、仮差押債権者に債務名義が無いという事実は、単発の仮差押えの場合とまったく同じです。そのため、実際に供託所に対して支払委託に基づく払渡請求をすることができるようになるのは、債務名義を得て本差押えをしてからということになります（執166Ⅱ・91Ⅰ②参照）。

8－2－3－5　取下げがあった場合どうなるのか

事例9-1で、池田さん（第三債務者）が義務供託をした後に、篠田さん（差押債権者）が差押えの取下げをし、森さん（仮差押債権者）も仮差押えの取下げをした場合、加納さん（執行債務者／債務者）が支払委託に基づく払渡請求をすることができます＊39。

また、池田さんが義務供託をした後に、篠田さんが差押えの取下げをしただけの場合には、森さんの仮差押えに基づく200万円全額の権利供託（8-1-3-7）として扱われることになります＊40。

8－2－3－6　まとめ

差押えと仮差押えとが競合した場合も、第三債務者は供託義務を負い、差押債権（仮差押債権）の全額について義務供託をする必要があります。

第三債務者は、供託書に被供託者として執行債務者（債務者）を記載する必要はありません。

第三債務者は、義務供託を終えると、執行裁判所に事情届をします。

執行裁判所は、仮差押債権者を含めて配当をしますが、仮差押債権者が仮差押えを本差押えに移行しない限り、実際に支払委託に基づく払渡請求をすることまではできません。

8－2－4　仮差押えと仮差押えとの競合

8－2－4－1　事例9-3

事例9に追加する事情は次のとおりです。森さんに関する事情は、事例9-2とまったく同じです。

石田さんに関する事情は、事例9-1とはかなり違っています（差押え⇄仮差押え）ので、事例を見る際には気を付けてください。

事例９－３

石田さんは、３月２日に、期限の利益喪失約款に基づいて、加納さんに残額180万円の支払を求めましたが、加納さんからは「３月25日まで待ってください」と支払猶予をお願いされました。そこで、石田さんは、３月４日には、京都地方裁判所に仮差押命令申立てをしました。仮差押債権は、加納さんの池田さんに対する200万円の貸金債権でした。仮差押金額は、被担保権利の額と同じ180万円でした。手続は、やはり順調に進み、３月９日に池田さんのもとに仮差押命令が送達されました。なお、仮差押解放金の額は、180万円でした。

森さんは、加納さんが売掛代金を支払わないことにしびれを切らし、３月９日、京都簡易裁判所に仮差押命令申立てをしました。仮差押債権は、加納さんの池田さんに対する200万円の貸金債権でした。仮差押金額は、被担保権利の額と同じく70万円でした。手続は順調に進み、３月13日には池田さんのもとに仮差押命令が送達されました。なお、仮差押解放金の額は、70万円でした。

８－２－４－２　仮差押えと仮差押えとが競合しても、第三債務者は供託義務を負わない

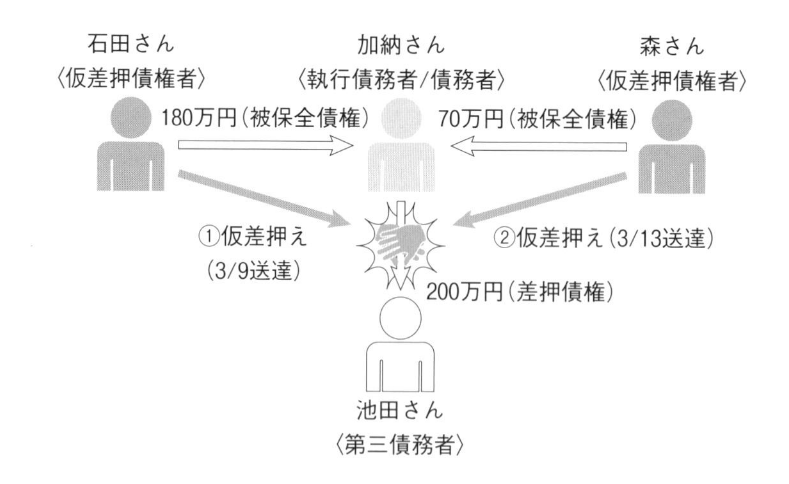

事例9－3でも、仮差押金額が、石田さんの180万円と森さんの70万円というように合計250万円となっているのに対し、仮差押債権の額は、200万円しかありません。したがいまして、この場合は、仮差押えと仮差押えとの競合が生じています。

そうしますと、これまでのパターンにのっとり、池田さん（第三債務者）が供託義務を負うようにも思えます。しかし、結論から言いますと、仮差押えと仮差押えとが競合する場合には、池田さん（第三債務者）は、供託義務を負いません。

といいますのも、そもそも差押えの競合がある場合に供託義務が発生するのは、「取立権を有する」差押債権者同士で公平な結論になるよう調整するのが実際には難しいということもあって、「必ず第三債務者に供託させて、必ず裁判所が配当手続をする。そして、その手続の中で公平に調整を付ける」という制度にしたからでした（8－2－2－3参照）。

しかし、差押えの場合とは異なり、仮差押債権者は、債務名義を得て本差押えをしなければ、取立権を獲得することはありません。そのため、仮差押債権者が何人いようが、仮差押えが競合していようが、結局、誰も供託金に手を付けることはできませんから、供託金が供託所にキープされたままになります（8－1－3－4参照）。このように裁判所が調整をする場面になりませんので、あえて第三債務者に供託義務を負わせる必要性も無いわけです。

8－2－4－3　第三者債務者は、権利供託をすることができる

仮差押えと仮差押えの競合の場合には、供託義務が発生しませんので、競合が生じていない場合と同様に権利供託をすることになります。

この場合の供託書は、【参考例㉓】のとおりです。

まず、仮差押えしかされていない事例ですので、単発の仮差押えがされた場合と同じように、「被供託者の住所氏名」欄には、加納さん（債務者）の住所氏名を記載する必要があります（8－1－3－6参照）。

また、供託義務は発生していませんが、仮差押えと仮差押えとが競合して

いますので、供託金額は、結局、仮差押債権の全額200万円となります。

「根拠法令」欄には、民事保全法第50条第５項と民事執行法第156条第１項の２つを記載する必要があります。なお、供託義務は発生していませんから、同法第156条第２項ではありませんので、注意してください。

そして、「供託の原因たる事実」欄には、いつもの３つのポイントを記載することになります（7－2－2－1参照）

なお、池田さん（第三債務者）は、先に送達された仮差押命令を発した保全執行裁判所に対して、供託書正本を添付して事情届をする必要があります（保50Ⅴ・執156Ⅲ、保規41Ⅱ・執規138ⅡⅢ）。

また、単発の仮差押えのところでも触れましたが、池田さん（第三債務者）が全額を供託したことにより、石田さんと森さんの仮差押えの効力は、加納さん（債務者）の供託金還付請求権にスライドして及ぶことになります（8－1－3－4参照）。

8－2－4－4　まとめ

仮差押えと仮差押えとが競合した場合、第三債務者は、供託義務を負いません。そのため、第三債務者は、仮差押債権の全額を権利供託をすることになります。

そして、供託書の「被供託者の住所氏名」欄には、差押えと差押えの競合の場合や、差押えと仮差押えの競合の場合とは異なり、債務者の氏名住所を記載する必要があります。

8－2－5　滞納処分による差押えと強制執行による差押えとの競合（滞納処分が先行）

8－2－5－1　事例9－4

事例９に追加する事情は次のとおりです。篠田さんに関する事情は、いつもと同じです。

【参考例㉓】 供託書

供託書・OCR用

（雑）

□字加入 □字削除　係員印　受付　調査　記録　／頁　（第4号様式）（印供第34号）

申請年月日	令和3年3月25日	供託カード番号（　　）カードご利用の方は記入してください。
供託所の表示	京都地方法務局	

供託者の住所氏名

住所
熊本市中央区大江○○○○

氏名・法人名等
池田◇◇

代表者等又は代理人住所氏名

□別添のとおり　ふたりめからは別紙継続用紙に記載してください。

被供託者の住所氏名

住所
京都市上京区荒神口通○○○○

氏名・法人名等
加納◇◇

□別添のとおり　ふたりめからは別紙継続用紙に記載してください。

◯供託通知書の発送を請求する。

供託金額	百	十	億	千	百	十	万	千	百	十	円
				¥	2	0	0	0	0	0	0

年　月　日　㊞
□供託カード発行

↓ 濁点、半濁点は1マスを使用してください。

供託者カナ氏名：イケタ゛◇◇

法令条項　民事保全法第50条第5項　民事執行法第156条第1項

供託の原因たる事実

供託者は，被供託者に対し，平成27年3月23日付けの金銭消費貸借契約に基づく金200万円の貸金債務（弁済期：令和3年3月25日，弁済場所：被供託者住所）を負っているが，これについて下記の仮差押命令が相次いで送達されたので，債権の全額に相当する金200万円を供託する。

記

仮差押命令の表示
1　京都地方裁判所令和3年(ヨ)第800号，債権者京都府宇治市宇治○○○○石田◇◇，債務者被供託者，第三債務者供託者とする債権差押命令，執行債権額金181万円，差押債権額金181万円，令和3年3月9日送達。
2　京都簡易裁判所令和3年(ヨ)第777号，債権者名古屋市中区丸の内○○○○森◇◇，債務者被供託者，第三債務者供託者とする債権差押命令，執行債権額金70万円，差押債権額金70万円，令和3年3月13日送達。

□供託により消滅すべき質権又は抵当権

□反対給付の内容

備考

（注）1．供託金額の冒頭に¥記号を記入してください。なお，供託金額の訂正はできません。
2．本供託書は折り曲げないでください。

200000

事例９－４

加納さんは、消費税を60万円滞納していました。加納さんのお店を管轄する上京税務署では、滞納処分として「加納さんの池田さんに対する貸金債権」を差し押さえることにしました。差押金額は、差押債権の全額200万円でした。そして、３月５日には池田さんのもとに、上京税務署長から「債権差押通知書」が送達されました。

他方、加納さんは、２月28日に、篠田さんに請負代金150万円を支払うことができませんでした。そのため、篠田さんは、３月２日には、京都地方裁判所に差押命令申立てをしました。差押債権は、加納さんの池田さんに対する200万円の貸金債権でした。差押金額は、執行債権等の額である合計151万円でした。手続は順調に進み、３月６日には池田さんのもとに「債権差押命令」が送達されました。

８－２－５－２　どちらの差押えが先行するかによって、手続に違いが出てくる

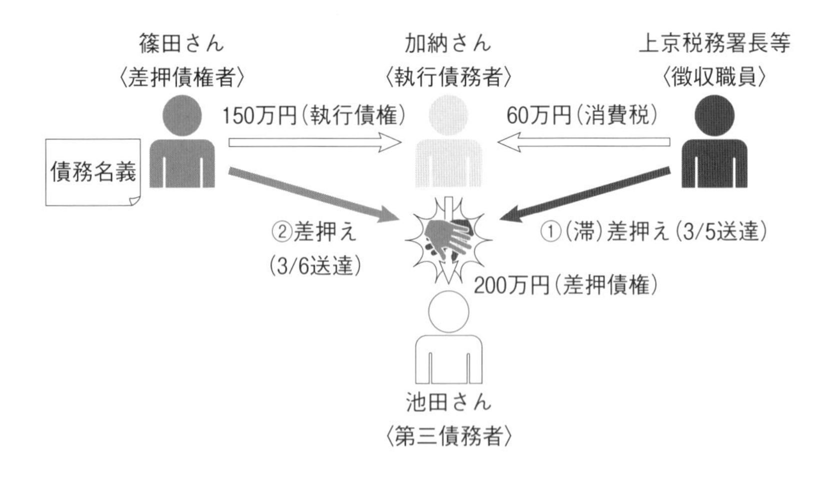

事例９－４でも、差押金額が、上京税務署の200万円と篠田さんの151万円の合計351万円であるのに対し、差押債権の額は200万円しかありませんか

ら、滞納処分による差押え（以下「(滞)差押え」といいます）と強制執行による差押え（以下単に「差押え」といいます）とが競合していることになります。

このように(滞)差押えと差押えとが競合する場合については、「**滞納処分と強制執行等との手続の調整に関する法律**（滞調法）」という長い名前の法律によって、手続が定められています。

この滞調法のもとでは、通常の差押えの競合などとは異なり、債権差押通知書（(滞)差押え）が先に送達されたのか、債権差押命令（差押え）が先に送達されたのかによって、手続が変わってくるというのが特徴です。

この点につきましては、一般債権者同士ですと「債権者平等の原則」が適用されますから、どの差押命令が先に送達されたのかは特に考慮する必要がありませんでした。これに対して、国税については、「国税優先の原則（国徴8）」が適用されます。そのため、優先される(滞)差押えが先に送達された場合と、劣後する差押えが先に送達された場合とで、それぞれ手続を別のものにすることで公平さが保たれるように調整しているのです。

8－2－5－3　(滞)差押えが先に送達された場合の、第三債務者の選択肢の1つは、ⓘ取立てに応じること

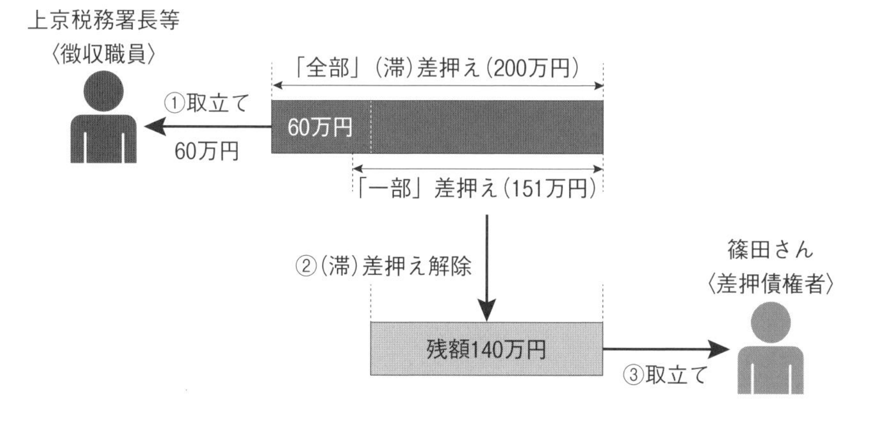

事例9－4では、池田さん（第三債務者）としては、上京税務署長や上京税

務署の担当者（以下「上京税務署長等」といいます。徴収職員）と篠田さん（差押債権者）の取立てに応じるという方法をとることができます。

まず、上京税務署長等（徴収職員）には、国税優先の原則（国徴８）が適用されますから、池田さんから優先的に60万円の取立てをすることができます（国徴67Ⅰ、８－１－４－２参照）。

これに対し、篠田さん（差押債権者）は、（滞）差押えがされていない部分であれば取立てをすることができます（滞調20の５）。

しかし、事例９－４のように200万円全額について（滞）差押えがされている場合には、篠田さん（差押債権者）は、直ちには取立てをすることができません。ただ、上京税務署長等（徴収職員）による取立てが終わって、（滞）差押えが解除された後であれば、残額140万円を取り立てることができます（滞調20の５）。

８－２－５－４　もう１つの選択肢は、ⅱ全額を権利供託をすること

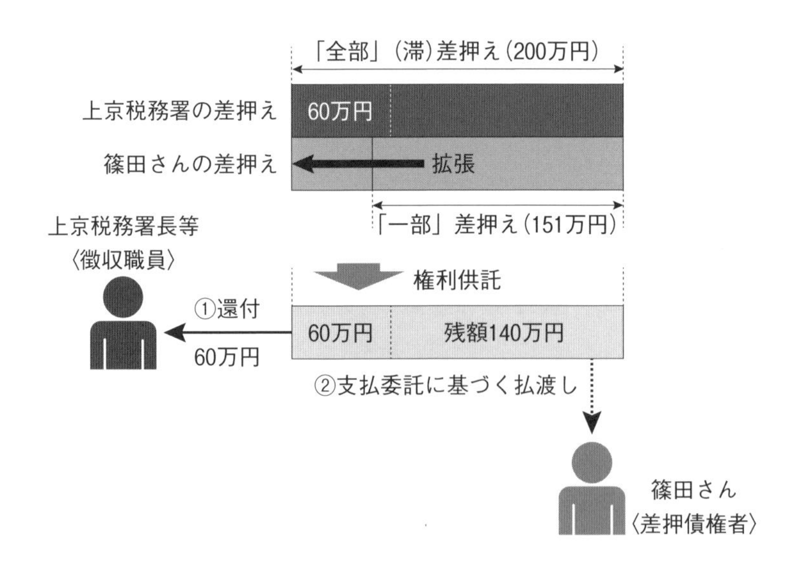

事例９－４の場合のように、（滞）差押えが差押えに先行し、（滞）差押えと

【参考例㉔】 供託書

供託書・OCR用

（雑）

字加入　字削除

係員印	受付		調査		記録		／ 頁

（第4号様式）
（印供第34号）

申請年月日	令和3年3月25日
供託所の表示	京都地方法務局

供託カード番号
（　　　　　）
カードご利用の方は記入してください。

供託者の住所氏名

住所
熊本市中央区大江○○○○

氏名・法人名等
池田◇◇

代表者等又は代理人住所氏名

□別添のとおり
ふたりめからは別紙継続用紙に記載してください。

被供託者の住所氏名

住所

氏名・法人名等

□別添のとおり
ふたりめからは別紙継続用紙に記載してください。

□供託通知書の発送を請求する。

供託金額	百	十	億	千	百	十	万	千	百	十	円
				¥	2	0	0	0	0	0	0

印
年　月　日
□供託カード発行

↓ 濁点、半濁点は1マスを使用してください。

供託者カナ氏名：イ ケ タ ゛ ◇ ◇

法令条項	備考欄記載のとおり

供託の原因たる事実

供託者は，京都市上京区荒神口通○○○○加納◇◇に対し，平成27年3月23日付けの金銭消費貸借契約に基づく金200万円の貸金債務（弁済期：令和3年3月25日，弁済場所：加納◇◇住所）を負っているが，これについて下記の滞納処分による差押えと強制執行による差押えとが競合したので，債権の全額に相当する金200万円を供託する。

記

1　滞納処分による差押えの表示
京都市上京区一条通○○○○上京税務署長が加納◇◇の滞納処分にかかる国税（令和元年度消費税額金○円，延滞税額金○円，合計金60万円）についてした滞納処分による差押え，第三債務者供託者，差押債権額金200万円，令和3年3月5日送達。

2　強制執行による差押えの表示
京都地方裁判所令和3年(ル)第777号，債権者岐阜市金竜町○○○○篠田◇◇，債務者加納◇◇，第三債務者供託者とする債権差押命令，執行債権額金151万円，差押債権額金151万円，令和3年3月6日送達。

□供託により消滅すべき質権又は抵当権

□反対給付の内容

備考：滞納処分と強制執行等との手続の調整に関する法律第20条の6第1項

（注）1．供託金額の冒頭に¥記号を記入してください。なお，供託金額の訂正はできません。
2．本供託書は折り曲げないでください。

200000

差押えとが競合している場合、第三債務者（池田さん）は、差押債権の全額（200万円）について権利供託をすることができます。

この場合の供託書は、【参考例㉔】のとおりです。まず、「根拠法令」欄には、少し長いですが**滞納処分と強制執行等との手続の調整に関する法律第20条の6第1項**と記載します。長いので、【参考例㉔】のように「備考欄」に記載しても構いません。

（滞）差押えと差押えとが競合していますから、加納さん（滞納者／執行債務者）に供託金が回ることはありませんので、「被供託者の住所氏名」欄に記載する必要はありません。

また、「供託の原因たる事実」欄に記載するポイントは、これまでと同様の3点です。つまり、㋐池田さん（第三債務者）が加納さん（滞納者／執行債務者）に債務を負っていること、㋑差押通知書と差押命令の送達を受けたこと、そして、㋒差押通知書と差押命令の具体的な中身という3点です。

そして、池田さん（第三債務者）は、200万円全額の供託をしたら、執行裁判所ではなく上京税務署長等（徴収職員）に対して事情届をすることになります（滞調20の6Ⅱ）。この場合も、供託正本を添付するのは、通常の権利供託の場合と同じです（滞調令12の5Ⅱ）。

なお、この事情届がされると、上京税務署長等（徴収職員）が京都地方裁判所（執行裁判所）に対して、池田さん（第三債務者）から事情届を受けたという**事情届通知**をすることになっています（滞調20の6Ⅲ）。

8－2－5－5　権利供託をした後の手続の流れ

事例9-4で池田さん（第三債務者）が200万円全額を供託をすると、事情届によって権利供託がされたことを知った上京税務署長等（徴収職員）は、京都地方法務局から、60万円について直接還付請求をします*41。もちろん、優先的に取立てをすることができます。

また、残額140万円については、執行裁判所によって配当等の手続がされます。そのため、篠田さん（差押債権者）は、執行裁判所から受け取った

「証明書」を添付して、140万円について、支払委託に基づく払渡請求をすることになります（滞調20の7Ⅰ・Ⅱ）*42。

8－2－5－6　(滞)差押えが解除された場合

(滞)差押えがされた後に差押えがされて両者が競合した場合、差押えの範囲は差押債権全体に拡張されます（滞調20の4）。

事例9-4ですと、篠田さんの差押金額は151万円ですが、(滞)差押えと競合することで、差押えの範囲が200万円全額になるというわけです。この辺りは、差押えと差押えとが競合した場合と同じですね（8-2-2-5参照）。

ところで、(滞)差押えがされた場合には、慌てた滞納者がお金をかき集めて納税するということがしばしばあります。そして、滞納状態が解消されてしまえば、もはや(滞)差押えを維持する必要がなくなってしまいますから、(滞)差押えが解除されます。

この場合も、いったん拡張された差押えの範囲は縮みません。つまり、篠田さんの差押えの範囲は、競合によっていったん200万円全体に広がった以上、(滞)差押えが解除されても、151万円には戻らないということです。

そのため、この場合、池田さん（第三債務者）が200万円を供託していた場合には、篠田さん（差押債権者）は、151万円について「証明書」を添付して支払委託に基づく払渡請求をすることになります*43。また、加納さん（執行債務者）も、49万円について「証明書」を添付して支払委託に基づく払渡請求をすることになります（8-1-2-6、8-2-2-6参照）。

8－2－5－7　まとめ

(滞)差押えが先に送達されたうえ、(滞)差押えと差押えとが競合した場合には、第三債務者は、ⅰ取立てに応じるという方法と、ⅱ全額を権利供託するという方法をとることができます。

ⅱ権利供託をする場合には、「被供託者の住所氏名」欄に記載をする必要はありません。

事情届は、徴収職員に対して行います。

徴収職員は、供託所に直接支払請求することになります。

差押債権者は、残額について、支払委託に基づく払渡請求をすることになります。

8－2－6　滞納処分による差押えと強制執行による差押えとの競合（強制執行が先行）

8－2－6－1　事例9-5

事例9に追加する事情は次のとおりです。先ほどの事例9-4との違いは、(滞)差押えが差押えの後に送達されているという点だけです。

事例9－5

加納さんは、2月28日に、篠田さんに請負代金150万円を支払うことができませんでした。そのため、篠田さんは、3月2日には、京都地方裁判所に差押命令申立てをしました。差押債権は、加納さんの池田さんに対する200万円の貸金債権でした。差押金額は、執行債権等の額である合計151万円でした。手続は順調に進み、3月6日には池田さんのもとに「債権差押命令」が送達されました。

他方、加納さんは、消費税について、60万円の滞納がありました。管轄する上京税務署では、加納さんに督促状を出しましたが期限内に加納さんが納税しなかったため、滞納処分に基づいて「加納さんの池田さんに対する貸金債権」を差し押さえることにしました。差押金額は、差押債権の全額200万円でした。そして、3月9日には池田さんのもとに、上京税務署長から「債権差押通知書」が送達されました。

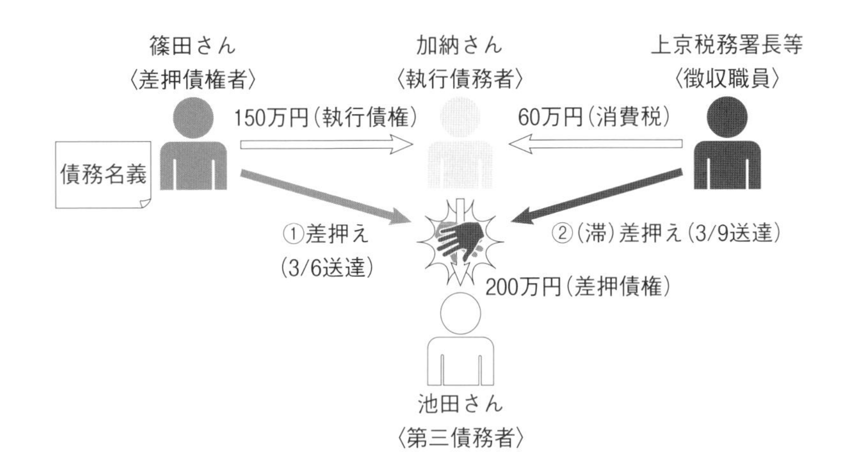

8－2－6－2　差押えの後に(滞)差押えが送達された場合、第三債務者は、全額を義務供託をするしかない

事例9-5のように、篠田さん（差押債権者）の差押えが先に送達され、その後に上京税務署の(滞)差押えが送達された場合で、その差押えと(滞)差押えとが競合するときは、池田さん（第三債務者）には供託義務が発生します。

そのため、池田さん（第三債務者）は、供託所に200万円全額（差押債権全額）について義務供託をしなければなりません。

つまり、先に(滞)差押えの送達がされたときのように、ⓘ取立てに応じるという選択肢はないということです。

8－2－6－3　義務供託の手続

事例9-4のように（滞)差押えよりも差押えが先行する場合の供託書の記載内容は、【参考例㉕】のとおりです。

まず、「根拠法令」欄には、少し長いですが**滞納処分と強制執行等との手続の調整に関する法律第36条の6第1項**と記載します。もちろん、備考欄を使って構いません。

(滞)差押えが先行する【参考例㉔】と比較すると、異なるのは、この「根

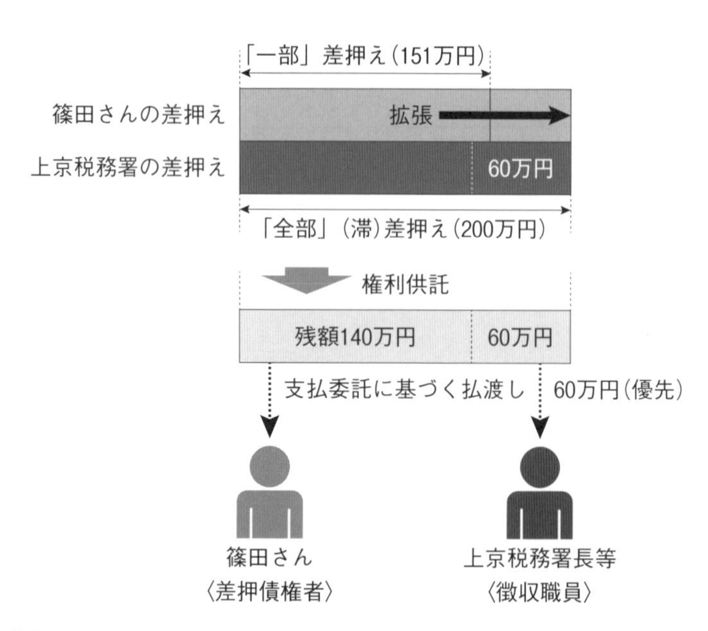

拠法令」のほかでは、「供託の原因たる事実」欄にある送達の先後関係に関する記載くらいですね。

池田さん（第三債務者）は、200万円全額の供託をしたら、（滞）差押えが先行する場合とは異なり、執行裁判所に対して事情届をすることになります（滞調36の６Ⅱ）。

なお、この事情届がされると、今度は、京都地方裁判所（執行裁判所）が上京税務署長等（徴収職員）に対して、池田さん（第三債務者）から事情届を受けたという事情届通知をすることになります（滞調36の６Ⅲ）。

事情届がされると、執行裁判所が配当手続を行い、配当期日に配当表を作成します。この際、一般債権者同士では債権者平等の原則が働くため、原則として執行債権の額に応じて按分されることになります。しかし、国税については国税優先の原則（国徴８）がありますので、配当の場面でも、一般債権に優先して分配を受けることになります。

そして、篠田さん（差押債権者）についても、上京税務署長等（徴収職員）についても、執行裁判所から受け取った「証明書」を添付して支払委託に基

【参考例㉕】 供託書

供託書・OCR用

（雑）

申請年月日	令和3年3月25日
供託所の表示	京都地方法務局
供託カード番号	（　　　） カードご利用の方は記入してください。

供託者の住所氏名

住所：熊本市中央区大江○○○○

氏名・法人名等：池田◇◇

代表者等又は代理人住所氏名

□別添のとおり（ふたりめからは別紙継続用紙に記載してください。）

被供託者の住所氏名

住所

氏名・法人名等

□別添のとおり（ふたりめからは別紙継続用紙に記載してください。）

□供託通知書の発送を請求する。

供託金額	百	十	億	千	百	十	万	千	百	十	円
				¥	2	0	0	0	0	0	0

年　月　日　㊞

□供託カード発行

↓ 濁点、半濁点は1マスを使用してください。

供託者カナ氏名：イケタ゛◇◇

法令条項	備考欄記載のとおり

供託の原因たる事実

供託者は，京都市上京区荒神口通○○○○加納◇◇に対し，平成27年3月23日付けの金銭消費貸借契約に基づく金200万円の貸金債務（弁済期：令和3年3月25日，弁済場所：加納◇◇住所）を負っているが，これについて下記の滞納処分による差押えと強制執行による差押えとが競合したので，債権の全額に相当する金200万円を供託する。

記

1　強制執行による差押えの表示

京都地方裁判所令和3年(ル)第777号，債権者岐阜市金竜町○○○○篠田◇◇，債務者加納◇◇，第三債務者供託者とする債権差押命令，執行債権額金151万円，差押債権額金200万円，令和3年3月6日送達。

2　滞納処分による差押えの表示

京都市上京区一条通○○○○上京税務署長が加納◇◇の滞納処分にかかる国税（令和元年度消費税額金○円，延滞税額金○円，合計金60万円）についてした滞納処分による差押え，第三債務者供託者，差押債権額金60万円，令和3年3月9日送達。

□供託により消滅すべき質権又は抵当権

□反対給付の内容

備考

滞納処分と強制執行等との手続の調整に関する法律第36条の6第1項

（注）1．供託金額の冒頭に¥記号を記入してください。なお，供託金額の訂正はできません。
2．本供託書は折り曲げないでください。

係員印　受付　調査　記録　／頁

□字加入　□字削除

（第4号様式）（印供第34号）

200000

づく払渡請求をすることになります（滞調36の９、執156Ⅱ、執165Ⅰ①）＊44。

８－２－６－４　(滞)差押えの解除があった場合

差押えが先行したものの、(滞)差押えがされて競合が生じた場合にも、差押えの範囲は差押債権の全体に拡張されます（滞調36の４）。事例９－５でいうと、篠田さんの差押金額は151万円でしたが、(滞)差押えとの競合により200万円に拡張されたということです。

そして、競合した後に(滞)差押えが解除されても、やはり、いったん拡張された差押えの範囲が縮まることはありません。

そのため、(滞)差押えが解除された後は、200万円の差押えに対して200万円の供託があった場合と同様になりますので、篠田さん（差押債権者）と加納さん（執行債務者）が、それぞれ「証明書」を添付して、供託所に対して支払委託に基づく払渡請求をすることになります（８－１－２－６、８－２－２－６参照）。

８－２－６－５　ま と め

差押えが先に送達されたうえ、(滞)差押えと差押えとが競合した場合には、第三債務者は、全額を義務供託するしかありません。

義務供託をする場合には、「被供託者の住所氏名」欄に記載をする必要はありません。

事情届は、(滞)差押えが先行する場合とは異なり、執行裁判所に対して行います。

徴収職員も差押債権者も、支払委託に基づく払渡請求をすることになります。

８－２－７　仮差押えと滞納処分による差押えとの競合

８－２－７－１　事例９－６

事例９に追加する事情は次のとおりです。

事例９－６

森さんは、加納さんが代金を支払わないことにしびれを切らし、３月９日、京都簡易裁判所に仮差押命令申立てをしました。仮差押債権は、加納さんの池田さんに対する200万円の貸金債権でした。仮差押金額は、被担保権利の額と同じく70万円でした。手続は順調に進み、３月13日には池田さんのもとに仮差押命令が送達されました。なお、仮差押解放金の額は、70万円でした。

他方、加納さんは、消費税について、60万円の滞納がありました。管轄する上京税務署では、加納さんに督促状を出しましたが期限内に加納さんが納税しなかったため、滞納処分に基づいて「加納さんの池田さんに対する貸金債権」を差し押さえることにしました。差押金額は、差押債権の全額200万円でした。そして、３月10日には池田さんのもとに、上京税務署長から「債権差押通知書」が送達されました。

８－２－７－２　第三債務者の選択肢の１つが、ⓘ徴収職員の取立てに応じること

事例９-６は、仮差押えが(滞)差押えより先行しているので、差押えが先行する場合（８-２-６）と同じように第三債務者は義務供託をすることになるようにも思えます。

しかし、滞納処分は、仮差押えによって執行を妨げられません（国徴140）ので、徴収職員は、仮差押えが(滞)差押えより先行していても、これを無視して第三債務者に取立てをすることができます。この辺りが、差押えが先行する場合とは違いますね。

そのため、池田さん（第三債務者）は、上京税務署長等（徴収職員）の取立てに応じて60万円を支払うことができます。

取立て後に、必要がなくなった(滞)差押えが解除されれば、池田さん（第三債務者）は、残額140万円について権利供託（保50Ⅴ、執156Ⅰ）をすることもできます。

8－2－7－3　第三債務者のもう1つの選択肢が、ⅱ権利供託をすること（先後関係を問わない）

事例9-6で、池田さん（第三債務者）は、仮差押債権の全額200万円を権利供託することができます。これは、(滞)差押えが先行する場合でも、仮差押えが先行する場合でも同じです。

供託書の「根拠法令」欄に記載する供託根拠法令ですが、(滞)差押えが先行する場合には「滞納処分と強制執行等との手続の調整に関する法律第20条の9第1項・同法第20条の6第1項」となります。また、仮差押えが先行する場合には「滞納処分と強制執行等との手続の調整に関する法律第36条の12第1項・同法第20条の6第1項」となります。

池田さん（第三債務者）は、権利供託をしたら、上京税務署長等（徴収職員）に事情届をします（滞調36の12Ⅰ、20の6Ⅱ）。そして、上京税務署長等（徴収職員）が京都簡易裁判所（保全執行裁判所）に事情届通知をします（滞調36の12Ⅰ、20の6Ⅲ）。

そして、上京税務署長等（徴収職員）は、供託所に対して、直接60万円の還付請求をすることができます＊45。

森さんは、債務名義を得て本差押えをすれば、残額140万円の中から、支払委託に基づく払渡請求をすることができます。

8－2－7－4　まとめ

(滞)差押えと仮差押えが競合する場合、(滞)差押えと仮差押えのいずれが先行する場合でも、第三債務者は、供託義務を負うことはありませんので、ⅰ取立てに応じるか、ⅱ全額を権利供託するかを選択できます。

供託書の「被供託者の住所氏名」欄には、仮差押えがあったときに権利供託をする場合と同様、債務者の住所氏名を記載する必要があります。

事情届は徴収職員に対してします。

第 9 章

第三債務者がする執行供託②
（給与債権の差押え等）

9－1　差押禁止債権の概要

事例10

池田さんは、熊本市内で自転車販売店を営んでいます。

こだわりの商品展開を貫いていたところ、「話題のお店」としてマスコミにも取り上げられ、業績がさらにぐんと伸びました。そこで、個人経営を改めて「株式会社イケダ」を設立しました。

こうして業績が伸びてくると、池田さん１人では到底仕事が回らなくなっていきました。そこで、池田さんは、正社員を雇い入れることにしました。働いてもらうことになったのは、親戚に紹介してもらった渡辺さんでした。

渡辺さんは、まじめに仕事に打ち込むタイプでした。そして、お客さんへの対応はもちろんのこと、しばらくすると経理関係まで安心して任せられるようになりました。そのため、池田さんは、これまで以上に魅力的な商品の仕入れに力を入れられるようになり、ますます商売が繁盛しました。

こうしたことから、池田さんは、渡辺さんの月給を、最初は手取りで24万円だったのを、手取りで32万円に大幅アップしました。なお、給料日は毎月16日（土日は前倒し）でした。

こうして給料アップをした直後の３月６日、池田さんのもとに、熊本地方裁判所から「渡辺さんの給料の４分の１を差し押さえる」という内容の債権差押命令が送達されました。同封されていた書類をよく読んでみると、差押債権者は、石田さんという京都市内の貸金業者でした。執行債権は100万円であり、差押金額100万円の回収が終わるまで給料の差押えが続くということのようです。

池田さんが渡辺さんを呼んで話を聞いてみると、もともと石田さんにお金を借りたのは、渡辺さんではなく大学生時代の先輩だったのですが、その先輩が行方をくらませてしまったため、連帯保証人になっていた渡辺さんが、石田さんとの間で「100万円を支払う」という内容の裁判上の和解をしたのだそうです。

さらに、3月13日になると、池田さんのもとに、また熊本地方裁判所から「渡辺さんの給料の2分の1を差し押さえる」という内容の債権差押命令が送達されました。こちらの差押債権者は、小林さんという女性であり、どうも渡辺さんの元妻のようです。どうやら、お子さん2人の養育費（未払いの70万円と今後発生する毎月14万円）を請求している模様です。

池田さんは、どうすればよいのでしょうか。

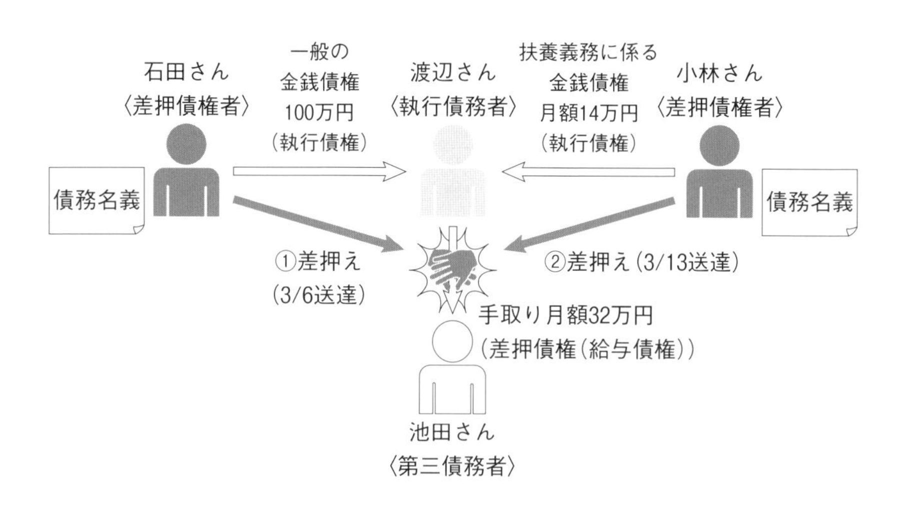

9－1－1　給料など一部の債権については、一定の範囲しか差押えをすることができない

事例10の渡辺さんもそうですが、サラリーマンや公務員の大多数は、月々の給料が唯一の収入源かと思います。あてにできる副収入をお持ちの方は、ごく少数ではないでしょうか。

そうしますと、何かしらの事情で債務不履行に陥った際に、仮に「債権者から、給料（会社や国などに対する給与債権）のすべてについて、差押えや仮差押えをされる」などという事態に陥ったら、もう生活する術がなくなってしまいます。一家が路頭に迷うのは時間の問題です。

そうならないようにするため、**給与債権**などの生活の糧となるような債権は、法律で**差押禁止債権**とされています。ただ、「差押禁止」といっても、差押えがまったく許されないわけではありません。「大部分は差押えをすることができない」「一部分しか差押えをすることができない」というイメージを持っていただければと思います。

民事執行法上、差押禁止債権とされているのは、給料など3種類あります。具体的には、「債務者が国及び地方公共団体以外の者から生計を維持するために支給を受ける継続的給付に係る債権」（執152Ⅰ①）と「給料、賃金、俸給、退職年金及び賞与並びにこれらの性質を有する給与に係る債権」（執152Ⅰ②）と「退職手当及びその性質を有する給与に係る債権」（執152Ⅱ）の3つです。

なお、民事執行法に定められたもの以外にも、国民年金（国民年金法24本文）や生活保護費（生活保護法54）や労災保険（労働者災害補償保険法12の5Ⅱ本文）など多数の差押禁止債権が存在します。いずれも、社会保険としての公的年金であったり、公的扶助に関する給付であったり、災害補償に関する請求権であったりと、生活の糧となることが想定されたものばかりです。ただ、本書では、こうした特別法で個別に定められたものではなく、民事執行法で定められたもののみを取り扱っていくことにします。あらかじめご了解ください。

9－1－2　差押禁止の範囲は、原則として4分の3

[手取り月給44万円以下]

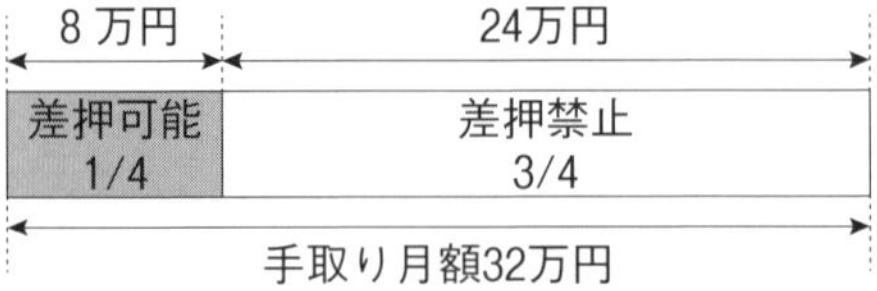

8万円	24万円
差押可能 1/4	差押禁止 3/4

手取り月額32万円

給与債権等の差押禁止の範囲は、原則として**手取りの4分の3**です（執

152Ⅰ柱書・Ⅱ、保50Ⅴ）。逆にいうと、差押可能な範囲は、原則として手取りの４分の１ということになります。

「手取り」というのは、給与支給額（いわゆる「額面」）から、所得税・住民税・社会保険料など法律上当然に控除されるものの額（**法定控除額**）を差し引いたもので、「支払期に受けるべき給付」のことです。なお、「４分の３」というのは、「それくらいが手元に残れば、家族を養って生活していけるでしょ？」というラインなのでしょう。

事例10の渡辺さんの給料は手取りで月額32万円ですので、差押禁止の範囲は、手取りの４分の３に当たる月額24万円です。逆に、差押可能な範囲は、月額８万円となります。

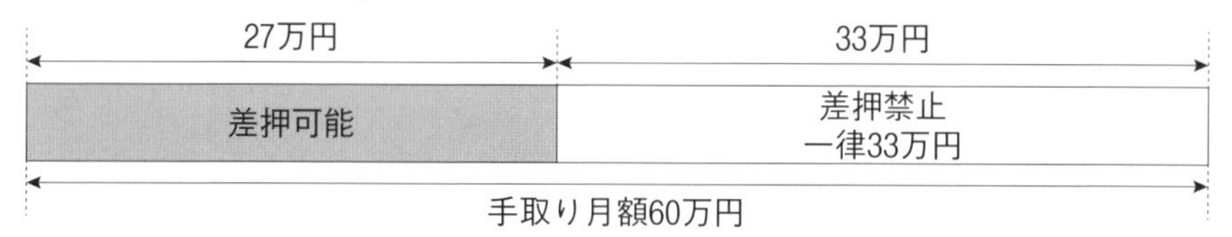

一方で、たとえば月給80万円の人であっても、４分の３、つまり60万円も差押えから免れられるというのは、やや過保護とも思われます。そのため、「手取りの月給が44万円以上の人」については、差押禁止の範囲が、一律で「33万円」とされています（執令２Ⅰ①）。

ここまでのお話を表にまとめると次のようになります。

月給（手取り）	差押禁止の範囲	差押可能な範囲
20万円	15万円	５万円
30万円	22万5000円	７万5000円
40万円	30万円	10万円
44万円	**33万円**	**11万円**
50万円	33万円	17万円
60万円	33万円	27万円

ご覧のとおり、月給の手取りが「44万円」というのが、1つのラインになっています。44万円以下の場合には、差押禁止の範囲は、原則どおり「4分の3」となっていますし、44万円以上の場合には、差押禁止の範囲は、一律33万円となっています。

なお、賞与についても同様に差押禁止の範囲が上限33万円とされていますが（執令2Ⅱ）、退職手当については、こうしたラインは設定されていませんので、その額にかかわらず、差押禁止の範囲は「4分の3」となります。

9−1−3　執行債権が養育費などの扶養義務等に係る定期金債権の場合、差押禁止の範囲が2分の1に縮小する

ここまで、執行債権や被保全権利が「一般的な金銭債権」だった場合を念頭に置いてお話ししてきました。では、執行債権や被保全権利が養育費などの「**扶養義務等に係る定期金債権**」（執151の2Ⅰ）だった場合は、差押禁止の範囲はどうなるのでしょうか。

もともと、「手取りの4分の3」が差押禁止とされているのは、その4分の3の範囲（実際に懐に入るお金）で家族を養い生活をしていくためでした。そうしますと、たとえば「手元に置いている子の養育費」は、この「手取りの4分の3」の中から支払うことが想定されていると考えるのが自然です。

そうしますと、なんらかの事情で子を手元に置いていない場合などには、

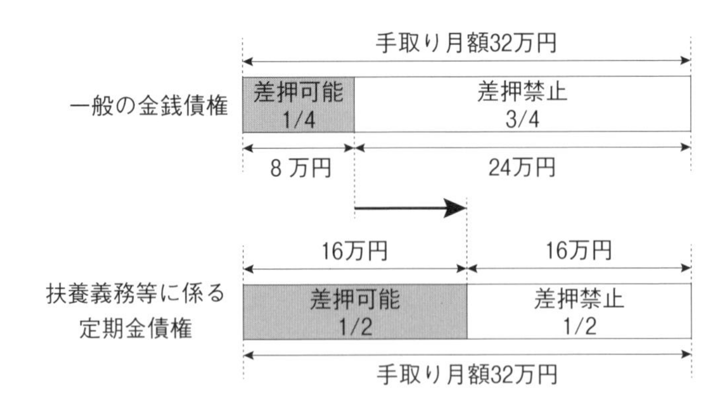

実際にこの子を養育している人が、この「手取りの４分の３」の一部について、子の養育費を確保するために差押えができるようにしたとしても、問題は少ないはずです。

そこで、執行債権・被保全権利が養育費などの「扶養義務等に係る定期金債権」である場合に限って、差押禁止の範囲が「手取りの４分の３」から**「手取りの２分の１」**に縮小するとされています（執152Ⅲ、保50Ⅴ）。

こうした「扶養義務等に係る定期金債権」としては、法律上、

- ・夫婦間の協力義務・扶助義務に係る定期金債権（民752）
- ・婚姻費用の分担義務に係る定期金債権（民760）
- ・子の監護義務に係る定期金債権（養育費等。民766）
- ・親族の扶養義務に係る定期金債権（民877～880）

が挙げられています（執152Ⅲ、執152の２Ⅰ①②③④、保50Ⅴ）。

そのため、事例10でいうと、元妻の小林さんが子の養育費を執行債権として差押えをする場合については、差押可能な範囲が、渡辺さんの「手取りの２分の１」に当たる月額16万円になります。

なお、執行債権・被保全権利が養育費などの「扶養義務等に係る定期金債権」である場合についても、「手取りの額が月額66万円以上」のときは、一律「33万円」が差押禁止の範囲とされています（執152Ⅲ、執152Ⅰ、執令２Ⅰ①）。

９－１－４　差押禁止の範囲は、後日変更されることがある

差押禁止の範囲は、原則として４分の３であり、扶養義務等に係る定期金債権については、原則として２分の１となるというお話をしました。ただ、この差押禁止の範囲は、この割合で固定されて絶対に動かないというものではありません。

たとえば、差押可能とされる「手取りの４分の１」であっても、実際には、差押えをされてしまったら、家計にもう立ち直れないほど深いダメージを与えるようなケースもあるでしょう。逆に、執行債務者にはかなり金銭的

余裕があるのに、むしろ差押債権者のほうがのっぴきならない状況になっているために、「手取りの４分の１」以上の差押えを許しても、特に問題がないケースもあるでしょう。この辺りは、まさにケースバイケースというところがあります。

こうしたケースバイケースに柔軟に対応できるよう、執行裁判所（保全執行裁判所）は、執行債務者（債務者）の申立てによって差押禁止の範囲を「拡張」することができます。逆に、差押債権者（債権者）の申立てによって差押禁止の範囲を「縮小」（差押可能な範囲の拡大）することもできます（執153Ⅰ、保50Ⅴ）。

なお、この差押禁止の範囲を変更できるという制度は、昭和54年に民事執行法が成立したときから存在するのですが、実際のところ、あまり知られていませんでした。

また、執行債務者（渡辺さん）からすれば差押禁止の範囲の変更は、差押債権者が第三債務者（株式会社イケダ）から取立てをする前に申立てなければ意味がありませんが、以前にもお話ししたように、差押命令が執行債務者（渡辺さん）に送達された日から１週間を経過したら取立権が発生してしまいます（執155Ⅰ、7－1－4－2参照）。しかし、実際のところ、１週間程度のうちに準備を整えて範囲変更の申立てまでするのはかなり難しく、制度の活用ができていないのが実情でした。

そこで、令和２年４月１日施行の改正民事執行法により、差押禁止の範囲を変更できることやその手続の内容が記載された書面を、差押命令と同封して送達することで、まずは執行債務者（渡辺さん）に周知されるよう制度が変更されました（執145Ⅳ・執規133の２Ⅰ・Ⅱ、保50Ⅴ）。

また、申立期間を十分に確保するため、給与債権等の差押禁止債権（執152Ⅰ・Ⅱ）については、石田さんのように執行債権が一般的な金銭債権である差押債権者の場合、取立権が発生する時期を通常の「１週間」ではなく「４週間」とする例外的規定が設けられました（執155Ⅱ、9－2－1－1参照）。

他方で、小林さんのように執行債権が養育費等の「扶養義務等に係る定期金債権」である差押債権者である場合には、取立権の発生時期は、例外の例外で原則に戻り、「1週間」とされています（執155Ⅱ括弧書き）。

9－1－5　まとめ

給与債権等については、差押禁止債権とされ、手取りの4分の3の範囲で差押えが禁止されます。月給が手取り44万円以上の場合には、差押禁止の範囲が、一律33万円とされます。

ただし、執行債権・被保全権利が、養育費などの扶養義務等に係る定期金債権の場合には、差押禁止の範囲が、手取りの2分の1とされています。月給が手取り66万円以上の場合には、差押禁止の範囲が、一律33万円とされます。

また、当事者の申立てにより、執行裁判所（保全執行裁判所）は、差押禁止の範囲を拡張したり縮小したりすることができます。

9－2　差押禁止債権に差押えがされた場合の供託

9－2－1　単発の差押えがされた場合

9－2－1－1　差押可能な範囲について、ⅰ取立てに応じるか、ⅱ権利供託をすることができる

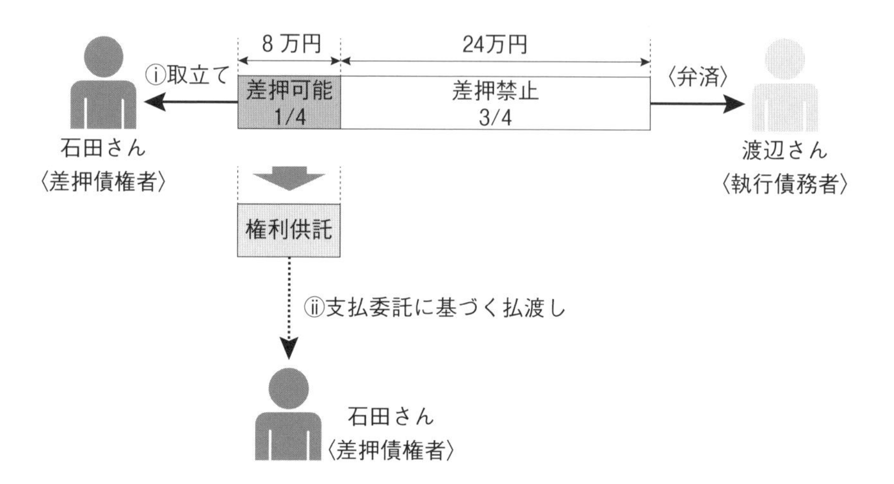

事例10につき、最初に「まだ石田さん（差押債権者）の差押えしかされていない段階」について考えてみましょう。

まず、石田さん（差押債権者）の差押えが株式会社イケダ（第三債務者）送達されると、この時点で、渡辺さん（執行債務者）の手取り月額32万円の給与債権のうち、8万円（4分の1）の範囲について、差押えの効力が発生することになります（執145Ⅴ）。

この場合は、差押可能な範囲について「全額」の差押えがされたものと考えてください。そのため、株式会社イケダ（第三債務者）は、この8万円について、ⅰ履行日（給料日）以降でかつ取立権が発生していれば石田さんの取立てに応じて支払っても構いませんし、ⅱ履行日（給料日）以降に権利供

託をしても構いません（8－1－2－6参照）。

なお、ⓘ石田さんの取立てに応じる場合ですが、9－1－4でも触れたように、差押債権者が石田さんのような一般の債権者であり、差押命令の対象が給与債権等の差押禁止債権（執152Ⅰ・Ⅱ）ですので、渡辺さんに差押命令が送達されてから「1週間」を経過したとき（執155Ⅰ、7－1－4－2参照）ではなく、「4週間」を経過したときに取立権が発生することになり、ルールが変更されています（執155Ⅱ本文）。十分に注意してください。

参考までに、ⓘⓘ株式会社イケダが権利供託をする場合ですが、その後の配当等の手続についても、差押命令が執行債務者（渡辺さん）に送達されてから「4週間」を経過するまで実施できないというように法改正されました（執166Ⅲ本文）。

なお、給与債権は取立債務ですので、権利供託をする場合には、株式会社イケダの本店所在地を基準とした熊本地方法務局に供託することになります（3－3－3－2参照）。

9－2－1－2　供託書の記載

単発の差押えに対して権利供託をする場合の供託書は、【参考例㉖】のとおりです。基本的には、ごく一般的な「全部」差押えの場合にする権利供託と変わりありません。

ただ、「供託の原因たる事実」欄で記載する、3つのポイント（7－2－2－1参照）の内容が少し変わってきます。この点については、【参考例㉖】にあるのが定型文言になります。意味がとりづらいかもしれませんが、要するに、「給与支払額がx円で、法定控除額がy円であり、z円（$=\frac{x円-y円}{4}$）の範囲で差押えがされたので、z円を供託する」という内容です。

なお、事例10では、事例を単純化しているので問題となりませんが、実際には「4分の1」を計算すると「1円未満の端数」が生じることが多くなります。この場合、小数点以下を四捨五入すると、本来差押禁止とされるはず

【参考例㉖】

供託書・OCR用
（雑）

□字加入	□字削除	係員印	受付	調査	記録

／ 頁

（第4号様式　印供第34号）

申請年月日	令和3年3月16日	供託カード番号（　　　）カードご利用の方は記入してください。
供託所の表示	熊本地方法務局	

供託者の住所氏名

住所
熊本市中央区大江○○○○

氏名・法人名等
株式会社イケダ

代表者等又は代理人住所氏名
代表取締役　熊本市中央区大江○○○○
池田◇◇

□別添のとおり
ふたりめからは別紙継続用紙に記載してください。

被供託者の住所氏名

住所

氏名・法人名等

□別添のとおり
ふたりめからは別紙継続用紙に記載してください。

□供託通知書の発送を請求する。

供託金額	百	十	億	千	百	十	万	千	百	十	円
						¥	8	0	0	0	0

年　月　日　㊞
□供託カード発行

↓ 濁点、半濁点は1マスを使用してください。

供託者カナ氏名：カフ゛シキカ゛イシヤイケタ゛

法令条項	民事執行法第156条第1項

供託の原因たる事実

供託者は，従業員である熊本市中央区水前寺○○○○渡辺◇◇に対し，令和3年3月分の給与（支給日令和3年3月16日，支給場所供託者本店）金38万円を支払うべき債務を負っているところ，同人の供託者に対する給与債権について給与支給額から法定控除額を控除した残額の4分の1（ただし，同残額の4分の3に相当する額が33万円を超えるときは，その超過額）を差し押える旨の下記差押命令が送達されたので，給与支給額から法定控除額金6万円を控除した額の4分の1（但し，控除した残額が44万円を超えるときは，同残額から33万円を控除した額）に相当する金8万円を供託する。

記

差押命令の表示
京都地方裁判所令和元年(ル)第750号，債権者京都府宇治市宇治○○○○石田◇◇，債務者渡辺◇◇，第三債務者供託者とする債権差押命令，執行債権額金100万円，差押債権額金100万円，令和3年3月6日送達。

□供託により消滅すべき質権又は抵当権

□反対給付の内容

備考

（注）1．供託金額の冒頭に¥記号を記入してください。なお，供託金額の訂正はできません。
2．本供託書は折り曲げないでください。

200000

の0.5円や0.75円を供託するということになってしまいます。そのため、小数点以下は切り捨てで計算した額を供託することになります。

最後に、事例10の石田さんの差押えは、差押金額が100万円であり、この金額に満つるまで差し押さえるというものでした。ですから、株式会社イケダは、渡辺さんの給与債権について、合計13回（８万円×12回、４万円×１回）にわたって、毎月給料日に供託をすることになります（執151)。

このように毎月供託することになりますので、供託書への記載事項を減らすために供託カードを使うこともできますし（規13の４Ⅰ、3-2-2参照)、オンラインで「かんたん申請」を利用するのも便利です（2-1-4参照)。

9－2－2　一般的な金銭債権による差押えの競合

9－2－2－1　差押えが競合するかどうかは、差押可能な範囲を基準に判断する

事例10はやや応用的な事例です。そこで、話を単純化するために、まずは、小林さんの差押えについて、「一般的な金銭債権による差押えであり、執行債権の額が100万円で、差押可能な範囲が石田さんの差押えと同じ４分の１（８万円）だった」と仮定して考えることにしましょう。

この２つの差押えは、はたして競合するのでしょうか。

この場合、渡辺さんの給与債権の額が、手取りで月額32万円であるのに対し、差押金額が、石田さんの月額８万円と小林さんの月額８万円というように合計月額16万円になります。そうしますと、「差押債権の額の方が、差押金額の合計額よりも大きい」ということになりますから、差押えは競合しないようにも思えます。

しかし、結論から言いますと、差押禁止債権については、差押えが競合しているかどうかを「差押可能な範囲の額と、差押金額の合計額のいずれが大きいのか」という基準で判断します。

ですから、事例10では、差押可能となるのが８万円の範囲であるのに対して、差押金額の合計額が16万円ですから、この差押可能な８万円の範囲で差

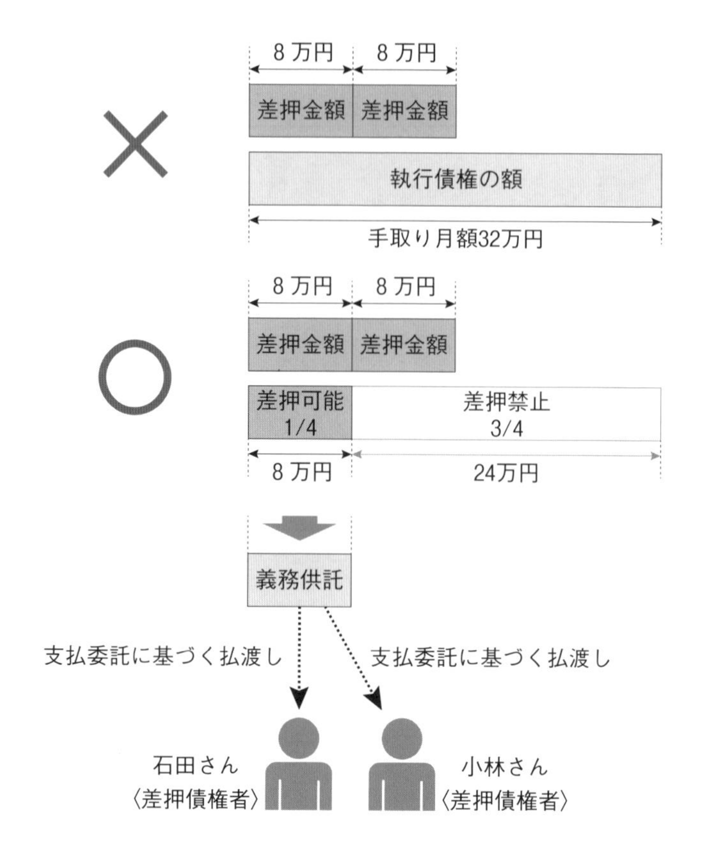

押えの競合が生じているということになります。したがいまして、株式会社イケダ（第三債務者）としては、この８万円について義務供託をしなければなりません（執156Ⅱ）。

なお、差押可能な範囲を基準に考えるのは、差押可能な範囲しか、差押債権者の取立てや配当等の対象となり得ないからです。つまり、そもそも第三債務者がする執行供託は、債権執行手続の一環として「配当等の手続によって差押債権者に分配すべきお金」を供託させて確保しておくという性格が強い制度でしたよね。そうしますと、およそ差押債権者に分配されることのない「差押禁止の範囲」を考慮しても意味がありません。そのため、差押債権者に分配される対象となり得る部分、つまり「差押可能な範囲」だけを見て判断すべきだということになるのです。

9－2－2－2　一般債権の差押え同士が競合した場合の供託書の記載

一般債権の差押え同士が競合した場合については、供託書の記載内容は、単発の差押えがされた場合についての【記載例㉖】とさほど変わりません。

変わるのは、差押命令を複数記載することぐらいでしょうか。

なお、給与債権の差押えがされた場合については、【記載例㉗】のように、「供託の原因たる事実」欄に記載すべき内容を、穴埋め式で埋めていけばよい書式が用意されていますので、こちらを利用するのも手です（オンラインでする「かんたん申請」でも、同様の穴埋めをすればよいようになっています）。

9－2－3　扶養義務等に係る定期金債権による差押えとの競合

9－2－3－1　差押可能な範囲が異なる場合は、重なる範囲だけが競合する

9-2-2-1では、話を単純化させるために、小林さんの差押えの差押可能な範囲が、石田さんと同じく4分の1だったという仮定にしました。これを元どおり「執行債権が養育費債権（たとえば、「令和3年3月から令和13年7月（たとえば双子の長男および次男が満20歳に達する月）まで、毎月末日限り金14万円ずつの養育費」）であり、差押可能な範囲は2分の1だった」というように戻したらどうなるのでしょうか。

この場合は、結論からいいますと、両者の差押可能な範囲が重なる「4分の1」の範囲で差押えが競合することになります。

事例10の場合ですと、小林さんの差押えの差押可能な範囲が2分の1（月額16万円）で、石田さんが4分の1（月額8万円）ですから、差押えが競合するのは、両方の差押えが重なる4分の1（月額8万円）の範囲ということになります。

そのため、株式会社イケダ（第三債務者）としては、16万円を執行供託する場合、その根拠規定は、競合する8万円についての民事執行法第156条第

【参考例㉗】

供託書・OCR用
（継続用紙・給与債権執行②）

頁 2／2

（第11号様式 印供第41号）

（供託の原因たる事実）

供託者は、　従業員である熊本県中央区水前寺○○○○　渡辺◇◇

に対し令和 3 年 3 月分の給与（支給日令和 3 年 3 月 16 日、支給場所　供託者本店　）金 380,000 円を支払うべき債務を負っているところ、同人の供託者に対する給与債権について給与支給額から法定控除額を控除した額の４分の１（ただし、同残額の４分の３に相当する額が３３万円を超えるときは、その超過額）を差し押さえる旨の下記差押命令が相次いで送達されたので、給与支給額から法定控除額 60,000 円を控除した額の４分の１（ただし、控除した額が４４万円を超えるときは、同残額から３３万円を控除した額）に相当する金 80,000 円を供託する。

事件の表示	債権者	債務者	第三債務者	債権額	差押債権額	送達年月日
熊本地方裁判所 令和２年（ル）第750号	京都府宇治市宇治○○○○ 石田◇◇	渡辺◇◇	供託者	金100万円	金100万円	令和３年３月６日
事件の表示	債権者	債務者	第三債務者	債権額	差押債権額	送達年月日
熊本地方裁判所 令和２年（ル）第777号	熊本市中央区京町○○○○ 小林◇◇	渡辺◇◇	供託者	金100万円	金100万円	令和３年３月13日

（注）本供託書は折り曲げないでください。

600300

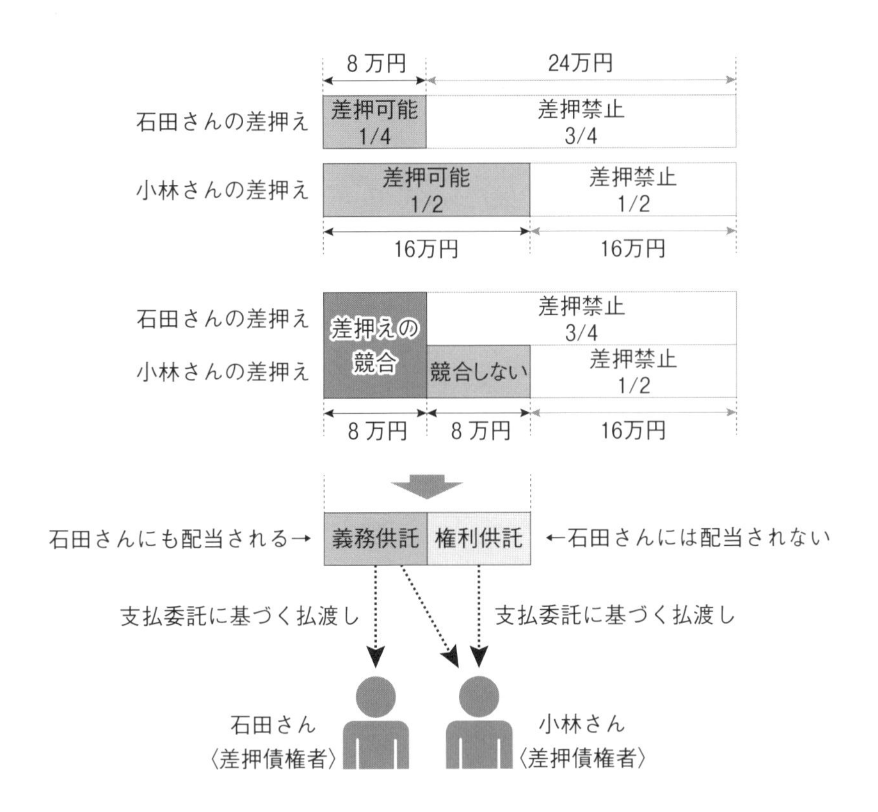

2項だけでなく、競合しない8万円についての同条第1項の両方となります。

そして、供託金16万円の配当ですが、石田さん（執行債権が一般的な金銭債権である差押債権者）については、義務供託部分の8万円から按分した額の配当を受けることになります。これに対して、小林さん（執行債権が扶養義務等に係る定期金債権である差押債権者）については、まず、権利供託部分の8万円から、事実上優先的に配当を受けられることになります。さらに、義務供託部分の8万円から按分した額の配当も受けられます。

こうした取扱いをするのは、「手取りの4分の1」と「手取りの2分の1」となり重ならない「競合しない手取りの4分の1」の領域は、もともと扶養義務等に係る定期金債権を確保できるように特別に広げられた領域だからです。たまたま競合した相手が扶養義務等に係る定期金債権による差押えだったからといって、この領域についてまで、一般的な金銭債権の差押債権者への配当の原資にされてしまうのは、明らかにおかしいですよね。

なお、9－2－1－1の末尾で触れましたが、差押禁止債権（執152Ⅰ・Ⅱ）が差し押さえられて第三債務者が執行供託をした場合の配当等の手続は、執行債務者（渡辺さん）に差押命令が送達されてから「4週間」を経過するまで実施できないという例外がもうけられました（執166Ⅲ本文）。しかし、事例10のように、小林さんのような執行債権が「扶養義務等に係る定期金債権」の差押債権者がいる場合にまで、配当等の手続が4週間も止められてしまうと、差押債権者の生活が圧迫されかねません。そのため、この場合には、例外の例外ということで、この「4週間」の縛りがなくなっています（執166Ⅲ括弧書き）。

また、取立権の発生時期についても、同様に原則に戻って「1週間」とされています（執155Ⅱ括弧書き）。

9－2－3－2　供託書の記載など

事例10のように差押禁止の範囲が異なる差押命令が競合する場合、その記載方法としては、単発の【参考例㉖】や差押禁止の範囲が同じ【参考例㉗】を参考にして必要な範囲で変更する方法もありますし、これとは別に【参考例㉘】のような書き方でもよいかと思います。

まず、いずれの場合でも、供託書の「法令条項」に記載するのは、先ほども触れたとおり、民事執行法第156条第1項と同条第2項になります。

また、「供託の原因たる事実」の欄には、株式会社イケダ（第三債務者）が従業員の渡辺さん（執行債務者）に対してどういった内容の給与債務を負っているのか、どんな内容の差押命令が送達されたのか、そして、結論として法定控除額を控除した額の「2分の1」を供託するのだという趣旨のことを記載することになります。

なお、送達された差押命令の内容については、特に差押えの範囲につい

【参考例㉘-1】

供託書・OCR用
（雑）

□字加入 □字削除 | 係員印 | 受付 | 調査 | 記録 | 頁 1／2 （第4号様式 印供第34号）

申請年月日	令和3年3月16日	供託カード番号 （　　　） カードご利用の方は記入してください。
供託所の表示	熊本地方法務局	
供託者の住所氏名	住所 熊本市中央区大江○○○○ 氏名・法人名等 株式会社イケダ 代表者等又は代理人住所氏名 代表取締役　熊本市中央区大江○○○○ 池田◇◇	□別添のとおり ふたりめからは別紙継続用紙に記載してください。
被供託者の住所氏名	住所 氏名・法人名等	□別添のとおり ふたりめからは別紙継続用紙に記載してください。 □供託通知書の発送を請求する。
供託金額	¥160,000	年　月　日 ㊞ □供託カード発行

法令条項	備考欄のとおり
供託の原因たる事実	供託者は，従業員である熊本県中央区水前寺○○○○渡辺◇◇に対し令和3年3月分の給与（支払日：令和3年3月16日，支給場所：供託者本店）金380,000円を支払うべき債務を負っているところ，これについて別紙のとおり差押命令（いずれも債務者は上記渡辺◇◇，第三債務者は供託者）が相次いで送達されたので，給与支給額から法定控除額60,000円を控除した額の2分の1（ただし，控除した額が66万円を超えるときは，同残額から33万円を控除した額）に相当する160,000円を供託する。
□供託により消滅すべき質権又は抵当権	
□反対給付の内容	
備考	民事執行法第156条第1項・同条第2項

（注）1．供託金額の冒頭に¥記号を記入してください。なお，供託金額の訂正はできません。
2．本供託書は折り曲げないでください。

↓ 濁点、半濁点は1マスを使用してください。

供託者カナ氏名	カフ゛シキカ゛イシヤイケタ゛

200000

【参考例㉘－２】

供託書・OCR用

（継続用紙）

頁 ２／２

（第11号様式 印供第41号）

（別紙）

１　事件の表示

熊本地方裁判所　令和２年（ル）第750号

債権者

京都府宇治市宇治○○○○　石田◇◇

債権額

金100万円

差押範囲

１．給与支給額から法定控除額を控除した残額の４分の１（ただし、控除した残額が44万円を超えるときは，その残額から33万円を控除した額）

２．賞与支給額から法定控除額を控除した残額の４分の１（ただし，控除した残額が44万円を超えるときは，その残額から33万円を控除した額）

送達年月日

令和３年３月６日

２　事件の表示

熊本地方裁判所　令和２年（ル）第７７７号

債権者

熊本市中央区京町○○○○　小林◇◇

債権額

１．金50万円

２．令和３年３月から令和13年７月まで毎月末日限り金14万円

差押債権額

１．給与支給額から法定控除額を控除した残額の２分の１（ただし，控除した残額が66万円を超えるときは，その残額から33万円を控除した額）

２．賞与支給額から法定控除額を控除した残額の２分の１（ただし，控除した残額が66万円を超えるときは，その残額から33万円を控除した額）

送達年月日

令和３年３月13日

（注）　本供託書は折り曲げないでください。

600300

て、一般的な金銭債権による差押え命令については「給与額から法定控除額を控除した残額の４分の１（ただし、残額が月額44万円を超えるときは、その残額から33万円を控除した額）」などと記載する必要がありますし、扶養義務等に係る定期金債権による差押命令については、「給与額から法定控除額を控除した残額の２分の１（ただし、残額が月額66万円を超えるときは、その残額から33万円を控除した額）」などと記載する必要があります。

９－２－４　差押えの範囲が変更された場合（参考）

９-２-３でお話ししたように、執行債権が一般的な金銭債権である差押債権者と、執行債権が「扶養義務等に係る定期金債権」の差押債権者とがいる場合、それぞれ差押禁止の範囲が異なるため、競合する部分（全体の「４分の１」）と競合しない部分（全体の「２分の１」から競合する「４分の１」を差し引いた残りの「４分の１」）とが発生します。

そのため、供託書の書き方に工夫が必要となりました。

このように差押禁止範囲が異なる事態は、９-１-４でお話ししたように、事後的に、差押禁止の範囲が変更された場合にも生じることになります。

というのも、ある差押命令について範囲変更の申立てがされて差押禁止の範囲が変更された場合、他の差押命令の差押禁止の範囲まで一律に変更されるわけではないからです。差押禁止の範囲の変更は、差押命令ごとに執行債務者や差押債権者の個別事情を考慮して決定されるものであるため、差押禁止の範囲変更の裁判の効力は、差押債権者ごとに決められるからです（相対的効力説）。

ですから、「執行債権が一般的な金銭債権である差押債権者２名の差押命令」が競合する場合であっても、差押債権者①の差押可能範囲が「全体の４分の１」のままであるのに、範囲の変更を申し立てた差押債権者②について、その差押可能範囲が「全体の５分の１」に縮減されたり、「全体の３分の１」に拡張されたりすることが考えられます。この場合、結果として、両者の差押えの範囲が異なることになります。こうした事態は、今回の民事執行法の改正を受けて増加することが予想されるところです。

こうした場合の供託すべき金額や、供託書に記載すべき供託原因事実などについては、9－2－3でお話ししたところを参考に、事例に沿ってお考えいただければと思います。

9－3　住所等の秘匿

9－3－1　住所等の秘匿を可能とする制度がある

「配偶者に対する扶養義務に係る定期金債権」を得るために、配偶者の給与債権を差し押さえる場合というのは、大抵は、婚姻関係が破綻しているか、すでに離婚している場合だと思われます。

婚姻関係が破綻した原因や離婚した原因は、実にさまざまです。

ただ、残念ながら、こうした原因の１つとして常に存在するのが「家庭内暴力を受けたこと」です。

家庭内暴力を受けたことで婚姻関係が破綻したケースでは、暴力を受けた側（以下「DV被害者」といいます）は、それまで住んでいた住所から逃げ出し、相手方に現住所を知られないようにして生活をしていることの方がむしろ多いのではないかと思われます。

そのため、こうしたDV被害者としては、「相手方の給与債権の差押えをして、最終的に供託金の払渡しを受ける」という一連の手続を行うと、自分の現在の住所が相手方に知られてしまうとの不安を抱かれる方も多いのではないでしょうか。

そこで、DV被害者・ストーカー被害者といった方々については、供託所に「住所等を秘匿する措置」をとってもらうことができるようになっています*22。

9－3－2　住所等の秘匿の内容

住所等の秘匿というのは具体的にどんなものかといいますと、大きく２点ありまして、①供託金払渡請求書の「請求者の住所氏名印」欄の住所について、都道府県まででよいこととする（詳しい住所を書かない）ということと、②供託関係書類の閲覧請求がされた場合に、住所等の情報について供託所でマスキング（黒塗り）措置を講ずるといったものです（6-3-5-1参照）。

9－3－3　住所等の秘匿の申出の方法

住所等の秘匿の申出をするためには、申出人が作成した「上申書」を作成して提出する必要があります。

この上申書には、住所・氏名、供託番号、住所等の秘匿を求める理由、秘匿を求める部分、申出年月日を記載して、記名押印することになります。この上申書は閲覧の対象にはなりません。

この「住所等の秘匿を求める理由」や「秘匿を求める部分」については、次のような文章が想定されています。

> 私は、貴庁に供託されている上記供託金の払渡請求をする者ですが、夫・○○○○からDVによる被害を受け、避難をしているところ、夫に住所等を知られることにより、新たな被害を受けるおそれがあることから、今後、上記供託金の払渡請求書について、夫・○○○○を含む利害関係人からの閲覧請求があった場合には、私の住所及び供託金の振込先口座に関する情報のほか、住所の特定につながる一切の情報について、秘匿の措置を講じていただきたく、上申します。

そして、こうした上申書には、印鑑証明書等の本人確認資料を添付するほか、「被害の相談に関する公的証明書」を添付する必要があります（6-3-5-2参照）。この公的証明書の具体例としては、

- 配偶者暴力相談支援センターが発行する配偶者暴力被害相談の証明書
- 同センターや警察署の意見が記載された住民基本台帳事務における支援措置申出書や、支援措置決定通知書
- DV防止法第12条第２項の規定により、公証人または同法第20条の法務事務官の認証を受けた申立人のDV被害に係る記述を記載

　　　した書面
　　・DV防止法に基づく保護命令決定書
　　・ストーカー規制法に基づく警告等実施書面
などが挙げられます。

これらの書類は、事案によって、どのようなものが該当するのかを具体的に検討する必要が出てきます。詳しくは、お近くの法務局でご相談されることをお勧めします。

参考文献

法務省民事局第四課編『供託法供託規則逐条解説』（テイハン、1998）
法務省民事局第四課監修『実務供託法入門』（金融財政事情研究会、1994）
遠藤浩・柳田幸三編『供託先例判例百選（第二版）』（有斐閣、2001）
登記研究編集室編『新訂実務供託法入門』（テイハン、2015）
中嶋伸明『犯罪被害と供託⑴』（登記情報594号43頁）
五十嵐亮『犯罪被害と供託⑵』（登記情報595号66頁）
杉山典子『被害者の住所が不明の場合における不法行為に基づく損害賠償金の供託について』（登記情報629号90頁）
西村常樹『被供託者の住所不明として供託された不法行為に基づく損害賠償金の供託金還付請求手続について』（登記情報630号89頁）
西村常樹『「DV被害者から供託物払渡請求書の住所等の秘匿に係る申出があった場合における措置について（平成25年９月20日付け法務省民商第77号商事課長回答、同日付け法務省民商第78号商事課長通知）」の解説』（民事月報68巻12号７頁）
立花宣男編著『全訂執行供託の理論と実務』（金融財政事情研究会、2012）
磯村哲編『注釈民法⑿』（有斐閣、1970）
内田貴著『民法Ⅱ（第３版）』（東京大学出版会、2011）
内田貴著『民法Ⅲ（第４版）』（東京大学出版会、2020）
筒井健夫・村松秀樹編著『一問一答　民法〈債権関係〉改正』（商事法務、2018）
潮見佳男著『民法〈債権関係〉改正法の概要』（金融財政事情研究会、2017）
井上聡／松尾博憲編著『Practical　金融法務　債権法改正』（金融財政事情研究会、2017）
相澤眞木・塚原聡編著『民事執行の実務（第４版）債権執行編（上・下）』（金融財政事情研究会、2018）
平野哲郎著『実践　民事執行法　民事保全法（第２版）』（日本評論社、2013）
内野宗揮編著『Q&A　令和元年改正民事執行法制』（金融財政事情研究会、2020）

先例・判例等一覧

＊1　昭和23年８月20日民事甲第2378号民事局長通達・先例集⑴367頁…………74
　　昭和42年１月９日民事甲第16号認可６問・先例集⑷249頁…………………74
＊2　昭和37年６月19日民事甲第1622号認可７問・先例集⑶127頁参照…………81
＊3　大審院判決昭和９年９月１５日大審院民事判例集13巻1839頁………………88
＊4　昭和28年11月28日民事甲第2277号民事局長回答・先例集⑴596頁…………88
＊5　最高裁大法廷判決昭和32年６月５日民集11巻６号915頁……………………96
＊6　最高裁判決昭和32年９月３日民集11巻９号1467頁…………………………102
　　最高裁判決昭和44年４月15日集民第95号97頁………………………………102
＊7　昭和38年12月27日民事甲第3373号認可１問・先例集⑶372頁……………114
＊8　最高裁判決昭和29年４月８日民集８巻４号819頁……………………116,122
　　最高裁判決昭和34年６月19日民集13巻６号757頁……………………116,122
　　最高裁大法廷判決平成28年12月19日民集70巻８号2121頁……………116,122
＊9　最高裁判決平成17年９月８日民集59巻７号1931頁……………………123,126
＊10　昭和45年12月22日民事甲第4760号認可２問・先例集⑸187頁……………131
＊11　昭和37年７月９日民事甲第1909号認可６問・先例集⑶155頁……………138
＊12　昭和38年６月22日民事甲第1794号認可………………………………………154
＊13　最高裁判決昭和49年３月７日民集28巻２号174頁……………………………159
＊14　最高裁判決昭和55年１月11日民集34巻１号42頁……………………………160
＊15　昭和59年度全国供託課長会同決議受入１問・先例集⑺102頁……………160
＊16　平成５年５月18日民事四第3841号民事局第四課長通知・民事月報48巻５号112頁……………………………………………………………………………160
＊17　最高裁判決平成５年３月30日民集47巻４号3334頁…………………………161
＊18　最高裁判所判決昭和37年９月４日民集16巻９号1834頁……………………175
＊19　昭和32年４月15日民事甲第710号民事局長通達・先例集⑴808頁…………178
＊20　昭和36年４月４日民事甲第808号認可14問・先例集⑶19頁………………196
＊21　昭和38年８月23日民事甲第2448号民事局長回答・先例集⑶325頁………197
＊22　平成25年９月20日民商第77・78号民事局商事課長通知・民事月報68巻12号78頁…………………………………………………………………198,309
＊23　昭和55年９月６日民四第5333号民事局長通達・民事月報35巻11号221頁（以下「民事執行通達」という）・第二・四・１・㈠・⑴・イ…………231

＊24　民事執行通達・第二・四・1・㈠・⑶・ア……………………232,233,236
＊25　民事執行通達・第二・四・1・㈠・⑴・ア……………………………233,235
＊26　民事執行通達・第二・四・1・㈠・⑵………………………………………236
＊27　民事執行通達・第二・四・1・㈠・⑷………………………………………236
＊28　昭和55年全国供託課長会同決議7の⑺問・先例集⑹353頁…………………239
＊29　民事執行通達・第二・四・1・㈠・⑶・イ本文……………………………240
＊30　平成2年11月13日民四第5002号民事局長通達・民事月報45巻11号208頁
（以下「民事保全通達」という）・第二・三・⑴・ウ・㈠前段……………244
＊31　民事保全通達・第二・三・⑴・ア・㈡後段…………………………………245
＊32　民事保全通達・第二・三・⑴・ア・㈢前段…………………………………246
＊33　民事保全通達・第二・三・⑴・ア・㈢後段…………………………………246
＊34　民事保全通達・第二・三・⑴・ア・㈡前段…………………………………246
＊35　民事保全通達・第二・三・⑴・イ・㈡・b…………………………………248
＊36　民事保全通達・第二・三・⑴・イ・㈠第1文………………………………249
＊37　民事保全通達・第二・三・⑴・エ……………………………………………250
＊38　民事執行通達・第二・四・1・㈡・⑴・ウ第1文…………………………265
＊39　民事執行通達・第二・四・1・㈡・⑴・ウ第2文前段……………………269
民事執行通達・第二・四・1・㈠・⑶・イ本文………………………………269
＊40　民事執行通達・第二・四・1・㈡・⑴・ウ第2文後段……………………269
＊41　民事執行通達・第三・三・1・㈠・⑵・イ…………………………………278
＊42　民事執行通達・第三・三・1・㈠・⑵・ウ前段……………………………279
＊43　民事執行通達・第三・三・1・㈠・⑵・ウ後段……………………………279
＊44　民事執行通達・第三・三・1・㈡・⑵・イ前段……………………………284
＊45　民事執行通達・第三・三・2・㈡・⑴………………………………………286

事項索引

【さ行】

【た行】

【な行】

【は行】

【や行】

【ら行】

【わ行】

〔著者略歴〕

磯部　慎吾（いそべ　しんご）

平成10年３月　同志社大学文学部社会学科社会学専攻卒業
平成16年10月　検事任官（令和２年12月退官）
東京地検・京都地検・熊本地検・名古屋地検・鹿児島地検・神戸地検姫路支部・広島地検で勤務
平成25年４月　法務省民事局付（商事課担当）
平成29年４月　日本司法支援センター本部（常勤弁護士総合企画課長）
令和２年12月　弁護士登録（東京弁護士会）

基礎からわかる供託【第２版】

2020年12月18日　第１刷発行
2023年３月31日　第２刷発行
（2015年３月23日　初版発行）

著　者　磯　部　慎　吾
発行者　加　藤　一　浩

〒160-8520　東京都新宿区南元町19
発　行　所　一般社団法人 金融財政事情研究会
企画・制作・販売　株式会社 き　ん　ざ　い
出 版 部　TEL 03(3355)2251　FAX 03(3357)7416
販売受付　TEL 03(3358)2891　FAX 03(3358)0037
URL https://www.kinzai.jp/

印刷：株式会社日本制作センター

ISBN978-4-322-13583-1